THE BOY WHO FOLLOWED RIPLEY

跟蹤雷普利

Patricia Highsmith──著
方祖芳──譯

1

湯姆躡手躡腳，踩在拼花的木頭地板上，他跨過浴室門檻，停下腳步，仔細聽。

滋……滋……。

勤奮的小蟲又開始工作了，雖然湯姆那天下午細心地把滅蟻藥注入牠們出口的味道還殘留著。鋸木頭的聲音持續傳出，彷佛宣告他白忙了一場。他瞄一眼掛在木架下的粉紅色擦手巾，看到上面已經出現一堆細細小小的褐色木屑。

「不要吵了！」湯姆用拳頭側邊敲了一下木櫃。

牠們還真停下來了。霎時一片寂靜。湯姆想像手拿鋸子的小蟲暫時停下手邊工作，疑懼對望的畫面；牠們也可能對彼此點頭，彷佛在說：「之前遇過這種事，又是『主人』了，不過他馬上就會走。」湯姆也遇過這種事——如果他不加思索，走進浴室，根本忘了木蟻的事，有時就能在牠們發現他之前，聽到木蟻工作的聲音，可是只要再往前一步，或扭開水龍頭，牠們就會安靜幾分鐘。

赫絲思覺得他太認真了：「牠們要花好幾年才會讓櫃子掉下來。」

但是湯姆不喜歡被螞蟻打敗。牠們害他從置物架上拿下乾淨、疊好的睡衣時，還得吹掉上頭的木屑；還有他買了也用了一種其實就是煤油的滅蟻藥、查閱家裡兩本百科全書，全是白費功夫。巨山蟻屬，於木頭中啃食通道，在裡面築巢；請參見雙尾蟲；無翅，眼盲，體成蛇形，畏光，住在石頭下。湯姆無法想像這些蟲體呈蛇形，而且牠們並非住在石頭下。他昨天特別去了一趟楓丹白露，買了老字號的滅蟻藥。是的，他昨天發動閃電攻擊，今天又突擊了一次，依然不見成效。往上打滅蟻藥很不容易，但是洞在櫃子下方，又非得這麼做不行。

滋滋聲再度出現，此時樓下留聲機播放的《天鵝湖》正好優雅地滑進另一樂章，優美的華爾滋彷彿也在嘲笑他，就像那些蟲子一樣。

好吧，放棄吧。湯姆告訴自己，至少今天。但是他希望今天和昨天都有建設性——他清了書桌、丟了廢紙、掃了溫室、寫了幾封信。一封信是寄到傑夫・康斯坦倫敦私宅的重要信件，湯姆拖了好一陣子，今天終於寫好了。他請傑夫看完後立即銷毀，湯姆在信中勸他們不要再假裝發現德瓦特的油畫或素描，他們的美術用品公司和義大利佩魯賈的美術學院不是都經營得不錯？利潤應該夠多了吧？巴克馬斯特畫廊（主要是傑夫）考慮販售更多貝納德・塔夫茲失敗的德瓦特贗品。傑夫原為專業攝影師，現在和記者艾德・班伯瑞合力經營巴克馬斯特畫廊。他們到目前為止都還算成功，但是湯姆希望他們停手，以策安全。

湯姆決定出去散個步，到喬治酒吧喝咖啡，轉換思緒。現在才晚上九點半，赫綠思在客廳和她的朋友諾愛爾用法語聊天。諾愛爾已婚，家在巴黎，今晚要住他們家，不過她丈夫沒來。

赫綠思開心地用法語問：「成功了嗎？」她背挺得很直，坐在黃色沙發上。

湯姆忍不住笑了，覺得有點諷刺：「沒有！」他繼續用法語說：「我舉白旗，我被大黑蟻打敗了！」

「啊。」諾愛爾同情地說，接著咯咯笑出聲。

她一定在想別的事，而且想快點繼續和赫絲思聊天。湯姆知道她們計畫九月底或十月初一起搭郵輪出去玩，可能去南極，她們希望湯姆一起去，諾愛爾的丈夫已經拒絕了——公司有事。

「我要出去散步，大約半小時就回來，需要買菸嗎？」他問她們。

「啊，好。」赫絲思說，她要一包萬寶路。

「我戒菸了！」諾愛爾說。

就湯姆記憶所及，這至少是第三次了。湯姆點點頭，從前門走出去。

安奈特太太還沒關上前院的大門，湯姆心想，他回來再關就好。他往左轉，朝維勒佩斯市中心走去，時值八月，這樣的天算很涼爽。從鄰居前院的鐵絲網望去，可以看到裡頭綻放的玫瑰。此時為日光節約時間，天比平常亮，但是湯姆很後悔沒帶手電筒出門，回程時絕對用得上，因為這條路沒有人行道。湯姆深吸了一口氣，強迫自己不要想木蟻，想想明天的史卡拉第*，想想大鍵琴，還有十月底可能要帶赫絲思到美國玩的事。這會是她第二次去美國，她很喜歡紐約，覺得舊金山很美，也喜歡藍色的太平洋。

* 譯注：史卡拉第（Giuseppe Domenico Scarlatti, 1685-1757），為巴洛克晚期代表作曲家之一。

村裡的小屋透出昏黃的燈光。喬治酒吧門上斜掛著刻了紅字的「香菸」招牌，下方有打燈。湯姆走進門，和老闆娘打招呼：「瑪麗。」並對她點了點頭。瑪麗正丟了一瓶啤酒給吧檯旁的客人。這是藍領階級的酒吧，離湯姆家最近，也比較有趣。

「湯姆先生！你好嗎？」瑪麗嫵媚地撥了一下黑色鬈髮，亮紅色的大嘴漫不經心地對湯姆拋了一抹笑，她起碼五十五歲了。「什麼！」她大嚷，又回去和兩名靠在吧檯喝茴香酒的男顧客聊天，「那個混帳東西——混帳！」她大叫，彷彿用上這一天在這裡出現好多次的字眼能夠引人注意，大聲咆哮的男人完全沒理會她，他們同時也在講話。她繼續說：「那個混帳像接太多客的妓女，把自己搞得分身乏術！活該！」

湯姆想，她在講總統季斯卡，還是鎮上的泥水工？湯姆抓住機會對瑪麗說：「咖啡，還有一包萬寶路！」他知道喬治和瑪麗支持席哈克，是所謂的法西斯主義者。

「瑪麗啊！」喬治宏亮的聲音從湯姆左方傳出，試圖讓妻子安靜下來。喬治的身材壯碩，手掌肥厚，他在擦高腳杯，擦完後小心地放回收銀機右側的架子。湯姆身後在進行一場喧鬧的桌上足球賽：四名青少年用力轉動金屬桿，穿著鉛製短褲的小鉛人踢著彈珠大小的球，前後翻滾。此時，湯姆注意到吧檯左邊盡頭的彎曲處有一名青少年，幾天前湯姆在住家附近也見過他。男孩的頭髮是棕色的，湯姆記得他那天下午穿紫藍色的夾克和藍色牛仔褲。那時湯姆正準備替約好的訪客開前院的大門，湯姆一看到站在對面的男孩，男孩就離開原本站著的大栗樹下，朝著和維勒佩斯相反的方向離去。他是不是在探查「麗影」，觀察他們家的習慣？又是一件教人掛心的小事，就像木蟻一樣。想些別的！湯姆攪了攪咖啡，喝了一口，又瞄了一眼男孩，發現男孩也在看他，男孩垂下眼，端起啤酒杯。

「湯姆先生！」站在吧檯後的瑪麗湊近湯姆，用大拇指比了一下男孩，點唱機正好響起喧鬧的音樂，她大聲用耳語對湯姆說：「美國人，說是夏天來這裡工作，哈哈……！」她發出刺耳的笑聲，好像美國人工作是很可笑的事，也可能是因為她不認為失業率這麼高的法國還有工作可做，「想認識他嗎？」

「不用了，謝謝，他在哪裡工作？」湯姆問。

瑪麗聳聳肩，有人要點啤酒了。「噢，你知道要插哪裡啦！」瑪麗笑嘻嘻地對另一名顧客大喊，一邊拉啤酒龍頭。

湯姆想到赫綠思和可能的美國之行，他們這次應該去新英格蘭——波士頓。到魚市場、獨立廳、牛奶街、麵包街，那裡是湯姆的地盤，即便現在可能已面目全非。他想到從前朵蒂姑媽給他的吝嗇禮物：十一塊七九美金的支票。朵蒂姑媽已經過世了，留給他一萬美元，不過湯姆比較想要她那間沉悶的小屋，但他至少可以帶赫綠思從外頭看看他成長的房子。繼承房子的應是朵蒂姑媽姊姊的孩子，因為朵蒂姑媽沒有小孩。湯姆放了七塊法郎到吧檯上，支付咖啡和香菸錢，又瞄了一眼穿藍夾克的男孩，看到他也付了錢，湯姆熄了菸，隨口說了一句：「晚安！」然後離開酒吧。

天色已經暗了，湯姆在昏暗的街燈下過了街，走進比較暗的路，他的房子再走幾百碼就到了。那條路是幾乎筆直的兩線道，湯姆雖然很熟悉，不過他還是很高興有部車駛近，車燈照亮路的左側。車子剛開走，湯姆便察覺到身後有快速但輕柔的腳步聲，他轉過身去。

一個人拿著手電筒，站在那裡，湯姆看到藍色牛仔褲和網球鞋，是酒吧的那名男孩。

「雷普利先生！」

湯姆神經緊繃：「是？」

「晚安。」男孩停下腳步，把玩手電筒，「比……比利．羅林斯，我的名字。我有手電筒，可以陪你走回家嗎？」

湯姆依稀看到一張稜角分明的臉和深色的眼睛。男孩比湯姆矮，語氣很禮貌。他會不會被搶？還是他過度緊張？湯姆身上只有幾張十元法郎紙鈔，但是他也沒心情和人打架，他說：「不用了，謝謝，我就住附近。」

「我知道，我和你同一個方向。」

湯姆憂心地望著前方漆黑一片，繼續往前走：「美國人？」

「是的。」男孩細心地把手電筒照在對他們都方便的角度，但是他的目光幾乎都望著湯姆，而非看路。

湯姆和男孩保持一定的距離，雙手隨時準備反應：「你來度假？」

「算是，也來工作，當園丁。」

「喔？在哪裡？」

「莫黑的一戶人家。」

湯姆希望又有一輛車駛近，好讓他看清楚男孩的表情，因為湯姆感覺對方有些緊張，也許意味著危險：「在莫黑的哪裡？」

「布婷太太家，巴黎街七十八號，」男孩回答得很快：「她的花園很大，有果樹，不過我主要負責除雜草……割草。」

湯姆緊張地握緊拳頭：「你住在莫黑？」

「是的，布婷太太的花園裡有一棟小屋，裡面有床和洗臉台，沒有熱水，但是夏天無所謂。」

現在湯姆真的驚訝了：「美國人幾乎都待在巴黎，很少住到鄉下。你從哪裡來？」

「紐約。」

「今年幾歲？」

「快十九。」

湯姆以為他更年輕：「你有工作證？」男孩首度露出笑容：「沒有，私底下的安排。一天五十法郎，我知道很廉價，所以布婷太太讓我睡那裡，她甚至請我吃了一次午餐。當然，我也可以買麵包和乳酪在小屋裡吃，或在咖啡館吃。」

從他的談吐看來，男孩並非出身貧賤，而且從他說「布婷太太」的發音，可以聽出他會講法語，湯姆用法語問：「這樣多久了？」

「五、六天。」男孩用法語回答，目光依然望著湯姆。

湯姆看到彎向路邊的大榆樹，鬆了一口氣，代表他家再走五十步就到了：「你為什麼來這裡？」

「啊……也許是因為楓丹白露的森林，我喜歡在森林裡散步，而且這裡離巴黎很近，我在巴黎待了一個禮拜……到處看看。」

湯姆放慢腳步，男孩為什麼對他那麼有興趣，甚至知道他家在哪裡？「我們過馬路吧。」再走幾碼就到麗影前院亮著燈的米白石子路了。湯姆問：「你怎麼知道我住哪裡？」男孩顯得有些尷尬，垂著頭轉動手電筒。湯姆說：「我兩、三天前看到你站在路邊，對不對？」

「對。」比利壓低聲音回答：「我在報紙上看到你的名字……在美國的時候。既然都離維勒佩斯那麼近了，我想看看你住的地方。」

湯姆想，不知是什麼時候的報紙？又為了什麼？不過湯姆知道報紙報導過和他相關的消息：「你在這裡留了腳踏車？」

「沒有。」男孩說。

「那你等一下怎麼回莫黑？」

「我搭便車，也可以走路。」

七公里。怎麼會有人住在莫黑，過了晚上九點，不靠任何交通工具，走七公里路到維勒佩斯？湯姆看到樹的左邊有微弱的燈光，表示安奈特太太還沒睡，不過她人在房裡。湯姆把手放在微開的鐵門上說：「歡迎進來喝杯啤酒，如果你願意的話。」

男孩深色的眉毛微蹙，咬了一下嘴唇，憂鬱地看了一眼麗影的兩座塔樓，彷彿要不要進去是重大的決定：「我……」

他的猶豫讓湯姆更疑惑了：「我的車就在那裡，我可以載你回莫黑。」為何如此猶豫？男孩真的住在莫黑？在那裡工作？

「好，謝謝，我進去坐一下。」男孩說。

他們進去後，湯姆關上門，不過沒有上鎖。大鑰匙在裡面的鎖頭上，夜裡則藏進大門旁的杜鵑花叢裡。

湯姆說：「今天晚上內人有朋友來訪，不過我們可以在廚房喝啤酒。」前門沒鎖，客廳留了一盞燈，赫絲思和諾愛爾顯然已經上樓了。她們常在客房或赫絲思的房間聊天聊到半夜。

「啤酒？還是咖啡？」

「這裡真不錯！」男孩環顧四周：「你會彈大鍵琴？」

湯姆笑著說：「正在學，一禮拜兩次。我們到廚房吧。」

他們走進左側的走廊，湯姆點亮廚房的燈，打開冰箱，拿出一手海尼根。

「會餓嗎？」湯姆問，他看到大盤子上有包著錫箔紙的烤牛肉。

「不會，謝謝。」

他們回到客廳，男孩先看了一眼掛在壁爐上方的畫作《椅中男子》，又看看掛在落地窗旁、比較小的德瓦特真跡《紅色椅子》。男孩只看了幾秒鐘，但是湯姆注意到了。為什麼是德瓦特，而非蘇丁*那幅較大、而且是鮮明的紅色和藍色，就掛在大鍵琴上方的畫作？

湯姆指了指沙發。

「我不能坐那裡，牛仔褲太髒了。」

沙發上頭披著黃色綢緞，客廳裡還有幾張沒鋪墊子的直背椅，但是湯姆說：「我們上樓吧，到我房間。」

湯姆拿著啤酒和開瓶器，帶男孩爬上螺旋狀的樓梯。諾愛爾的房門是開的，裡面透出燈光，赫繰思房間的門微微開啟，傳出談笑聲。湯姆走到左邊的房間，打開燈。

「坐我的木椅吧。」湯姆一邊說，一邊把有扶手的書桌椅子推到房間中央，然後開了兩瓶啤酒。

男孩的目光望向正方形的威靈頓高腳櫃，安奈特太太都會把櫃子表面、邊緣的黃銅、抽屜拉環擦到發亮。男孩讚賞地點頭，他長相十分俊秀，看來有點嚴肅，稜角分明，下巴沒有鬍子：「你生活過得很不錯？」

他的語氣是嘲諷還是嚮往？男孩是不是調查過他的資料，把他歸為匪類？

「沒什麼不好吧？」湯姆遞給他一瓶啤酒：「忘記拿杯子了，不好意思。」

「請問我可以先洗個手嗎？」男孩彬彬有禮地問。

「當然可以，在這裡。」湯姆打開浴室的燈。

男孩沒有關門，俯身在洗手台前用力搓洗了將近一分鐘，走回時看起來很開心。他的嘴唇光滑，牙齒很健康，一頭深棕色的直髮。他看著自己的手微笑說：「好多了，有熱水！」接著又端起啤酒：「那裡面是什麼味道？松節油？你畫畫嗎？」

湯姆笑著說：「有時候，但今天我在攻擊置物架裡的木蟻。」湯姆不想討論木蟻的事。男孩坐下後——湯姆坐另一張木椅，問道：「你打算在法國待多久？」

男孩沉吟了一下，說：「也許再待一個月左右。」

「然後回去唸大學？你是大學生？」

「還不是，我不確定要不要唸大學，我還沒決定。」他把頭髮撥到左邊，幾根頭髮不聽話地豎在頭頂。湯姆的視線好像讓他有些不好意思，他喝了一大口啤酒。

湯姆發現男孩左頰上有一顆痣。他隨口說：「你可以洗熱水澡，不用客氣。」

「不用了，謝謝你。我看起來也許不太乾淨，但是我可以洗冷水澡，每個人都可以。」他年輕飽滿的嘴唇彎出微笑。男孩把啤酒瓶擺到地上，看到椅子旁的廢紙簍，廢紙簍裡的東西吸引了他的注意，他湊過去，開始唸裡頭的一個信封：「四條腿動物收容所。這地方很有趣！你去過嗎？」

「沒有，他們每隔一陣子就會寄信來募款，為什麼問？」

＊ 譯注：蘇丁（Chaim Soutine, 1893-1943），俄裔法國畫家，「巴黎畫派」的代表畫家之一。

「前幾天我在莫黑東邊的林子散步時，碰到一對男女，問我知不知道這間收容所在哪裡，因為照理說應該在佛諾薩伯隆郡附近。他們說他們已經找了好幾個小時，說他們寄過幾次錢，所以想來看看。」

「他們定期寄來的刊物說他們不歡迎訪客，因為會讓動物緊張。他們都靠郵件替動物找家，再刊登領養成功的故事，描述小狗小貓在新家有多快樂。」湯姆回想起幾篇感人的故事，不禁微笑。

「你寄過錢給他們？」

「寄了幾次三十法郎。」

「寄到哪裡？」

「他們有巴黎的地址，應該是郵政信箱吧。」

比利微笑說：「要是那個地方根本不存在，不是很有趣？」

想到這個可能性，湯姆也覺得很有意思：「是啊，靠慈善事業詐財，我怎麼沒想到？」湯姆又開了兩罐啤酒。

「我可以看一下嗎？」比利問，指指廢紙簍裡的信封。

「當然可以。」

男孩拿出信封裡的印刷紙，瀏覽了一下，大聲唸：「……應該給牠一個幸福的家。」是小貓，還有：「我們門前的階梯上出現一隻骨瘦如柴、棕白相間的獵狐㹴犬，需要盤尼西林及其他疫苗……」男孩抬起頭，望著湯姆：「他們門前的階梯不知道在哪裡？該不會是騙局吧？」他好像很享受說騙局這兩字：「如果那個地方真的存在，我會不嫌麻煩地找出來，我很好奇。」

湯姆略帶興味地看著他，比利……羅林斯，是這個名字嗎？倏地鮮活了起來。

「郵政信箱二八七號，第十八行政區。」男孩唸：「不知是十八區哪一間郵局？這封信可以給我嗎，反正你本來打算丟掉？」

男孩這麼投入，令湯姆印象深刻，他年紀輕輕的，為何對揭發詐騙有如此熱情？「當然可以。」湯姆又坐下：「你被騙過？」

比利笑了笑，沉思了一下，又說：「算不上被騙，沒有真正被騙過。」

也許是某種欺騙，湯姆心想，但決定不要追問：「如果冒名寄封信過去，說我們發現他們利用不存在的動物賺錢，要他們等著警察去拜訪他們的……郵政信箱，這樣不是很有趣？」

「我們不要事先警告，應該先找出他們的根據地，再出其不意地揭發。搞不好是幾名住在巴黎豪華公寓裡的大男人！我們要跟蹤他們——從郵政信箱開始跟。」

湯姆聽到敲門聲，他站起身來。

是穿著睡衣和粉紅色泡泡紗睡袍的赫絲思：「啊，湯姆，你有客人！我以為是收音機的聲音！」

「我在鎮上遇到的美國人，他叫比利……」湯姆轉身拉起赫絲思的手：「內人赫絲思。」

「我是比利．羅林斯，很高興認識妳。」比利站起來，用法語說，微微鞠躬。

湯姆繼續用法語講：「比利在莫黑當園丁，來自紐約——你的手藝還不錯吧，比利？」湯姆微笑說。

「我……希望是。」比利回答，他垂下頭，又小心把啤酒放在湯姆書桌旁的地板上。

「希望你在法國待得愉快，」赫綠思的語氣輕鬆，不過她同時也敏銳地打量男孩。「湯姆，我只是來跟你道晚安，還有，明天早上諾愛爾和我要去古董店，然後到楓丹白露的黑鷹餐廳吃午餐，你要不要和我們一起用餐？」

「不了，謝謝。妳們好好去玩，明天早上妳們出門前見？晚安。」他親了赫綠思的臉頰：「我會載比利回去，所以如果妳等一下聽到車子的聲音，不用太擔心，我出去時會鎖門。」

比利說他可以招到便車，但是湯姆堅持要載他回去，湯姆想看看是否真有位於莫黑巴黎街的房子。

開車途中，湯姆問：「你們家在紐約？令尊從事什麼工作？如果這麼問不會太唐突的話。」

「他從事……電子業，生產測量儀器，測量各種電子的東西，他是經理。」

湯姆覺得比利在說謊：「你和家人感情好嗎？」

「當然啦，他們……」

「他們有沒有寫信給你？」

「當然有，他們知道我在哪裡。」

「法國之後，你要去哪裡？回家？」

他沉吟了片刻：「可能去義大利，還不確定。」

「這條路對嗎？在這裡轉彎？」

「不，是另一邊。」男孩即時回答：「但這條路沒錯。」

男孩告訴湯姆該在哪裡停車。那棟房子不會太大，窗戶都是暗的。前院圍著白色的矮牆，另一邊是關上的鐵門。

「我的鑰匙。」比利從夾克內層口袋掏出一長串鑰匙：「我必須很小聲，真的很感謝你，雷普利先生。」他打開車門。

「告訴我動物收容所的結果。」

男孩笑著說：「是。」

湯姆看著他走向暗暗的大門，把手電筒照在鎖上，轉動鑰匙。比利走進去，向湯姆揮揮手，然後關上大門。湯姆往回走，看到大門旁掛著看起來很正式的藍色金屬牌，上面寫「七十八號」。湯姆無法理解男孩為何要做這麼無聊的工作，即使只是暫時的，除非他在隱藏什麼，但是比利不像少年犯，他很可能和父母吵了一架，或是遭女孩拒絕，隨即跳上飛機，想遺忘一切。男孩應該很有錢，不會需要一天五十法郎的園丁工作。

2

三天後的禮拜五，湯姆和赫絲思坐在客廳的凹室吃早餐、瀏覽九點半送來的信件和報紙。湯姆已經在喝第二杯咖啡，第一杯是大約八點時，安奈特太太連同赫絲思的茶一起端上樓的。暴風雨即將來臨，或是正在醞釀，營造出緊張的氣氛，湯姆八點就被吵醒，那時安奈特太太還沒來敲門。現在天色昏暗，宛如凶兆，外頭一點風也沒有，遠處傳來隆隆雷聲。

「克雷格夫婦寄來的明信片！」赫絲思發現壓在信件和雜誌下的明信片，驚呼：「挪威！他們在搭郵輪。湯姆，你記得嗎？你看！美吧？」

湯姆從《國際前鋒論壇報》中抬起頭，接過赫絲思遞來的明信片。一艘白色郵輪駛在挪威峽灣翠綠的山巒間，前方有幾棟小屋依偎在岸邊。「水看起來很深。」湯姆說，不知為何倏然聯想到溺水。他很怕水深的地方，也討厭游泳，他常覺得自己很可能在水中結束生命。

「唸明信片。」赫絲思說。

上面寫的是英文，克雷格夫婦都簽了名。這對夫婦是他們的英國人鄰居，房子離他們家大約五公里，「郵輪好寧靜，教人心情放鬆，我們播放西貝流士的音樂，以配合此刻的心情，很想你們，真希望你們在這裡，和我們一起享受午夜的陽光……」驀地，雷聲大作，如狗狂吠，湯姆愣了一下。「暴風雨真的要來了，」湯姆說：「希望牡丹撐得住。」雖然他已經在旁邊釘了木樁。

赫綠思接過湯姆遞回的明信片，說：「湯姆，你太緊張了。之前也不是沒有暴風雨，還好是現在來，不是晚上六點，我要去爸爸家。」

湯姆知道她要去香堤邑。赫綠思和父母約好每個禮拜五一起吃晚餐，她通常會赴約，湯姆有時去，有時不去。他不太喜歡去，因為她的父母很古板，他覺得很無聊，更別提他們從來不喜歡他。湯姆發現赫綠思都說去「爸爸家」，而非去「爸媽家」。也許因為她父親掌管了家中財庫，母親雖然天性慷慨，但是真正遇到問題時——像是上次貝納德和美國人莫奇森的德瓦特事件就差一點捅漏子，湯姆不認為赫綠思的母親有任何影響力。如果她父親決定不再提供赫綠思零用錢，麗影的日常運作都會出問題。湯姆點了菸，帶著愉快又緊張的心情，準備面對下一道閃電。他想到赫綠思的父親皮里松，那個微胖、傲慢的男人，好似二十世紀駕著戰車的戰士，掌握著經濟大權。區區小錢卻有如此力量，但事實就是如此。

「湯姆先生，要不要再來點咖啡？」安奈特太太拿著銀壺出現在湯姆身邊，湯姆注意到她的手在微微顫抖。

「不用了，安奈特太太，不過咖啡壺可以留著，我等一下可能會喝。」

「我去檢查窗戶。」安奈特太太把咖啡壺放在桌子中央的墊子上。「好暗！風雨會很大！」她的藍眼睛和湯姆的視線短暫交會了一下，接著便匆匆朝樓梯走去。窗戶她已經檢查過一次，也許還關了幾扇保護窗，但是她喜歡反覆檢查，湯姆也喜歡她這麼做。他焦躁地站起身，走到窗戶旁比較明亮的地方，繼續看《論壇報》的「人物」專欄——法蘭克‧辛那屈又有告別作，這次是即將上映的電影；甫過世的食品業鉅子約翰‧皮爾森最寵愛的兒子，十六歲的法蘭克‧皮爾森，離開位於緬因州的家，家人和他失聯三禮拜後開始擔心。法蘭克自從父親七月去世之後，一直鬱鬱寡歡。

湯姆記得約翰‧皮爾森過世的報導，連倫敦的《週日泰晤士報》都給了一些版面。約翰‧皮爾森以輪椅代步，情況有點類似阿拉巴馬州州長華勒斯，而且同樣是因為遭到暗殺。他很有錢，雖然比不上霍華‧休斯，但也因為從事食品業——包括美食、健康食品和減肥食品而致富。湯姆對訃聞印象特別深刻，因為當時還無法確定他是在自宅外跳崖自殺還是意外。約翰‧皮爾森喜歡在懸崖旁欣賞日落，他不願裝設欄杆，因為不希望破壞景觀。

喀啦！

湯姆遠離落地窗，睜大眼睛，檢查溫室的玻璃窗是否完好。起風了，把屋瓦上不知什麼東西吹了下來，湯姆希望只是樹枝。

赫綠思正在看雜誌，對風雨漠不關心。

「該梳洗一下了，」湯姆說，「妳沒有要出去吃午餐吧？」

「沒有，我五點才出門，你每次都擔心不該擔心的事。這棟房子很堅固！」

湯姆勉強點點頭，但是因為閃電大作而緊張應是人之常情吧？他從桌上拿起《論壇報》，走上樓，開始淋浴、刮鬍子、作白日夢。老皮里松什麼時候才死——自然死亡？湯姆和赫綠思並不缺錢，也不需要更多錢，但他實在很惹人厭，就像傳統的惡婆婆。皮里松當然也支持席哈克。換好衣服後，湯姆打開臥室的邊窗，一陣風把雨吹到他臉上，他深吸了一口氣，新鮮的空氣真教人興奮，不過他還是立刻關上窗。雨打在乾燥土地上的氣味真好聞！湯姆走到赫綠思房間，看到窗戶是關的，雨聲淅瀝。安奈特太太正在整理他們的雙人床，把床單蓋到枕頭上。

「湯姆先生，都關好了。」她拍拍枕頭，然後把背挺直，結實矮小的身子像年輕人一樣精力充沛。她快七十歲了，不過應該還能再活好幾年，這個想法讓湯姆覺得很安慰。

「我去看一下花園。」湯姆說完，隨即離開房間。

他跑下樓，走到後院。牡丹花的木樁和線都還在，豔陽柑瘋狂地點頭，但不會被吹倒，捲曲的橘色牡丹也一樣，湯姆最喜歡這種牡丹。

天空是灰藍色的，西南方劃過一道閃電，湯姆站在那裡等待雷鳴。雨打溼他的臉，傲慢的雷聲響徹雲霄。

那天晚上的男孩會不會是法蘭克・皮爾森？男孩的確比較像十六歲，而非他所說的十九，是緬因州，並非紐約。老皮爾森去世時，《國際前鋒論壇報》是不是有一張全家福照？還是《週日泰晤士報》？總之一定有他父親的照片，湯姆發現自己完全想不起他的樣貌。但是他記得男孩的模樣，他平常不是那麼會記人的。男孩的表情很嚴肅，看起來鬱鬱寡歡，不輕易微笑，他的嘴唇緊閉，深色的眉毛齊高，右頰上有顆小痔，一般照片也許看不出來，不過依然是個標記。男孩除了禮貌外，還很謹慎。

「湯姆！進來！」赫綠思在落地窗後面喚他。
湯姆朝她跑去。
「你想被閃電打到嗎？」
湯姆用門墊擦拭短靴：「我沒淋溼！我在想事情！」
「想什麼事？把頭髮擦乾。」她遞給他樓下洗手間的藍色毛巾。
「今天下午三點羅傑會來。」湯姆一邊說，一邊擦臉：「我要彈史卡拉第。今天早上一定得練習，午餐後也是。」
赫綠思對他微笑，陰霾的雨天，讓她藍灰色眼珠裡的瞳孔散發出淡紫色、輻射狀的光，湯姆覺得很美。她是否為了今天的天氣刻意挑了淡紫色的衣服？也許不是，純屬巧合罷了。
「我正要坐下來練習，」赫綠思用英文拘謹的說：「就看到你像傻子一樣站在草坪上。」她走到大鍵琴前坐下，背挺直，甩甩手，看起來很專業。
湯姆走進廚房，安奈特太太正在清理洗碗槽右上方的櫥櫃，她拿著抹布，站在三腳板凳上擦香料瓶。現在準備午餐還太早，因為暴風雨的關係，她可能把到村裡採買的時間延到下午。
「我只想看一下舊報紙。」湯姆走到連接走廊的門檻，右邊就是安奈特太太的房間，舊報紙放在堆木柴的提籃裡，他彎下腰。
「湯姆先生，有特別在找什麼嗎？要不要我幫忙？」
「謝謝，我一下子就找到了，美國報紙，我自己來就行。」湯姆漫不經心地說，一邊翻看七月的《國際前鋒論壇報》。是訃聞版還是新聞？他不知道，但他記得皮爾森的新聞是在右邊版面的左上角，旁邊有一張照片。那裡只擺了大約十份《國際前鋒論壇報》，其他的都丟了，湯姆上樓到房間找出更多《論壇報》，但是都沒有關於約翰・皮爾森的新聞。

赫綠思的巴哈創意曲傳到湯姆房間，聽起來很不錯。他在嫉妒嗎？湯姆覺得很好笑。他今天下午彈的史卡拉第會不會比不上赫綠思的巴哈（在羅傑・樂波堤耳中）？湯姆笑出聲來，雙手叉腰，失望地看著地上一小堆報紙。他靈機一動，想到《名人錄》，隨即穿過走廊，到了位於塔樓的書房。湯姆拉出《名人錄》，卻找不到關於約翰・皮爾森的資料，他又看了較英國版本舊的《美國版名人錄》，也沒有。兩本《名人錄》都是大約五年前發行，也許約翰・皮爾森是拒絕刊登的那類人。

赫綠思創意曲的第三次演奏以細膩響亮的和絃作為終結。

那名叫比利的男孩會不會再來找他？湯姆認為他會。

午餐後，湯姆開始練習他的史卡拉第。他現在可以專心練習半小時以上，不用到花園休息，幾個月前，他只能持續十五分鐘。羅傑・樂波堤（這個年輕人長得又高又胖，戴著眼鏡，頭髮捲曲，湯姆覺得他很像法國版本的舒伯特）說園藝會傷害鋼琴家或大鍵琴家的手，但是湯姆寧可折衷：他不想放棄園藝，但是他可以把粗重工作留給他們的鐘點園丁恩立，畢竟他的目標不是成為專業大鍵琴家。人生就是一連串的妥協。

下午五點十五分，羅傑・樂波堤說：「這裡是連音，你彈大鍵琴要特別下功夫才彈得出圓滑音……。」

此時電話響了。

湯姆一直想彈出正確的張力，又帶有正確程度的放鬆，才能把這首簡單的曲子彈好。他深吸了一口氣，站起身來，向羅傑致歉，然後拿起樓下的電話。赫綠思上完課了，正在樓上梳妝打扮，準備去她父母家。

赫綠思已經先接了樓上的電話，正用法語交談，湯姆認出比利的聲音，便打斷他們的談話。

「雷普利先生，」比利說：「我去了一趟巴黎，調查動物收容所那件事……很有意思。」男孩聽起來有些羞赧。

「你發現什麼？」

「發現一些事，你應該會覺得很有趣，如果你今晚七點左右有空……」

「今天晚上可以。」湯姆說。

湯姆還來不及問男孩要怎麼過來，電話就掛了，反正他之前來過。湯姆扭扭肩膀，回到大鍵琴旁。他挺直了背，坐得端端正正，想像他這次一定能把史卡拉第的小奏鳴曲詮釋得更好。

羅傑・樂波堤說他彈得很流暢，這算是很高的讚譽了。

大雨到了中午漸漸停歇，傍晚時分，花園被異常純淨的陽光照得明亮清爽。赫綠思正準備出門，說她半夜前會回家。開車到香堤邑要一個半小時，她和母親晚餐後都會聊天，而她父親十點半前一定會就寢。

「妳見過的那個美國男孩今晚七點會來。」湯姆說：「比利・羅林斯。」

「那天晚上的男孩。」

「我會請他吃點東西，妳回來時他可能還在。」

不重要的事，所以赫綠思沒有回答。「湯姆，再見！」她拿起長莖雛菊配上一朵紅牡丹的花束，花朵已經盛開了好一陣子，就快要凋謝。她未雨綢繆地在裙子和襯衫外罩了一件雨衣。

湯姆正在聽七點鐘新聞，大門的門鈴響了。他已經告訴安奈特太太他七點鐘有訪客，湯姆在客廳攔下她，說他自己來就好。

比利・羅林斯踩在大門和前門之間的碎石路上。他這次穿灰色的法蘭絨褲，搭配襯衫和外套，腋下夾著用塑膠袋包裝的扁平物品。

「晚安，雷普利先生。」他微笑說。

「晚安。請進，你怎麼來的，這麼準時？」

「計程車，今天很奢侈。」男孩用門口的墊子擦鞋，「這是給你的。」

湯姆打開塑膠袋，拿出一張費雪狄斯考（Fischer-Dieskau）演唱的舒伯特藝術歌曲唱片，他知道這張唱片最近才發行：「謝謝你，套句老話——這正是我想要的，不過我是真心的。」

男孩的衣服看起來乾乾淨淨，和幾天前截然不同。安奈特太太走進來，問他們有沒有需要什麼，湯姆替他們介紹。

「比利，坐吧，要喝啤酒或任何飲料嗎？」

比利坐在沙發上，安奈特太太去拿啤酒，補充飲料推車。

「內人去她父母家了。」湯姆說：「她每禮拜五晚上都會去。」

安奈特太太替湯姆調了琴湯尼，加上一片檸檬。安奈特太太事情愈多，人也愈有精神，湯姆對她調的飲料還算滿意。

「你今天上大鍵琴課？」比利注意到大鍵琴的蓋子開著，上頭擺了琴譜。

湯姆說對，他彈史卡拉第，他妻子是巴哈的創意曲，「比打橋牌有趣多了。」還好比利沒要他彈，「說說你的巴黎之行吧——我們的四腳朋友。」

「是的。」比利說，他的頭往後歪，好像在思考該怎麼起頭：「我禮拜三整個早上都在確認那間動物收容所真的不存在。我去咖啡館打聽，還問了一家停車場，停車場的人說之前也有人問過。我甚至去問佛諾的警察，他們說從來沒聽過那個地方，在詳細地圖上也找不到；我又問了附近一間大旅館，他們也不知道。」

湯姆知道他也許是指佛諾大飯店（Hotel Grand Veneux），那間旅館的名字總讓他聯想到英文的「venery」，像是某種好色之徒，湯姆想到這裡不禁皺眉：「看來你禮拜三早上很忙。」

「是的，而且我禮拜三下午也很忙，因為我一天得替布婷太太工作五、六個小時。」他從玻璃杯啜了一口啤酒：「昨天是禮拜四，我去巴黎的十八區，從阿貝斯地鐵站開始，一直到畢加爾廣場。我去郵局詢問有沒有郵政信箱二八七號，他們說這個資訊不對外公開，我還問拿信的人叫什麼名字。」比利笑著說：「我當時穿工作服，說要捐十法郎給動物收容所，從他們看我的表情，你一定以為我才是騙子！」

「你覺得你問對郵局了嗎？」

「我不知道，因為所有十八區的郵局——總共有四間，都拒絕告訴我他們有沒有二八七號信箱，所以我只好退而求其次……」比利說到這裡，望著湯姆，好像在等湯姆猜他做了什麼。

湯姆猜不著：「什麼？」

「我買了紙和郵票，到附近的咖啡廳寫了一封信給他們，說：親愛的四條腿收容所，你們所謂的機構並不存在，我是受騙人之一……」

湯姆點頭表示讚許。

「……我和其他受騙的善心人士已經聯合起來，因此，等著警察去敲你們的門吧。」比利的身子往前移，似乎很想笑，又想表現得義憤填膺。他的臉頰變得紅潤，又皺眉又微笑地說：「我想，他們的郵政信箱會有人監視。」

「太好了。」湯姆說：「希望他們坐立不安。」

「我在一間可能的郵局外面晃，還問櫃台小姐他們多久來拿一次信。她不肯告訴我，法國人都這樣，她並不是特別想保護什麼人。」

這湯姆當然知道。「你怎麼這麼了解法國？而且你法語也說得很好，對不對？」

「我們在學校學過，而且幾年前，我和家人一起在法國南部過暑假。」

湯姆覺得男孩被帶到法國很多次，也許從五歲就開始，在普通的美國高中不可能學得好法語。湯姆又從飲料推車拿了一瓶海尼根，打開，放到咖啡桌上。他決心冒險一試：「你有沒有聽說一位名叫約翰・皮爾森的美國人過世的消息，大約一個月前？」

男孩的眼睛流露出一抹驚訝，狀似在回想：「我好像在哪裡聽說過。」

湯姆沉默了一會兒，又說：「他們家有兩個兒子，其中一名失蹤了，叫做法蘭克，他們很擔心。」

「噢？我不知道。」

男孩的臉色是否變得蒼白？「我剛才想到，那個男孩可能是你。」

「我？」男孩往前坐，視線避開湯姆，他端著啤酒，盯著壁爐說：「如果是的話，我就不會當園丁……」

男孩沒再講下去，湯姆過了十五秒才開口：「我們來聽你的唱片？你怎麼知道我喜歡費雪狄斯考？因為大鍵琴？」湯姆笑著說，打開放在壁爐左邊架子上的音響。

琴聲傳出，接著是費雪狄斯考輕柔的男中音，他唱的是德語，湯姆頓時精神一振，覺得心曠神怡。他回想起昨晚在電台聽到的可怕男中音，不禁微笑起來。那是一名英國人以英語演唱的藝術歌曲，很像垂死水牛的呻吟，可能還是四腳朝天躺在泥巴裡的那種。歌詞在講他多年前愛過卻失去的美麗的康瓦爾郡少女，從聲音的成熟度來判斷，應該是很多年前的事了。湯姆驀地失聲笑了出來，這才發現自己異常緊張。

「什麼事那麼好笑？」男孩問。

「我在想我自創的藝術歌曲的標題：『從星期四下午，我的靈魂就不同了，因為我打開歌德詩集，發現一張舊清單』，用德語更傳神，『Seit Donnerstag nachmittag ist meine Seele nicht dieselbe, denn ich fand beim Durchblättern eines Bandes von Goethegedichten eine alte Wäscheliste』。」

男孩也笑出聲來——他也一樣緊張？他搖頭說：「我不是很懂德文，但真的很好笑。靈魂！哈！」

唱機繼續播放優美的音樂，湯姆點了一根高盧牌香菸，在客廳裡踱步，思考下一步該怎麼做——強迫男孩給他看護照或別人寄給他的信，一次把事情弄清楚？

歌聲終了時，男孩說：「如果你不介意的話，我不想聽完一整面。」

「當然不會。」湯姆關掉唱機，把唱片放回封套。

「你剛才問我，關於那個皮爾森的事。」

「是的。」

「如果我說……」男孩壓低音量，彷彿房裡還有其他人或在廚房的安奈特太太聽得到：「我是他離家出走的兒子。」

「喔。」湯姆平靜的說：「我會說這是你的私事，如果你想隱姓埋名待在歐洲，那也不是第一個這麼做的人。」

男孩好像鬆了一口氣，嘴角抽動了一下，不過他沒有說話，只用掌心轉動他半空的玻璃杯。

「只是家人好像很擔心。」湯姆說。

安奈特太太走進來說：「不好意思，湯姆先生，你們要……」

「應該要吧，」湯姆回答，因為安奈特太太打算問他是不是要準備兩人份的晚餐：「比利，你可以留下來吃點東西吧？」

「我很樂意，謝謝。」

安奈特太太對男孩露出真心的微笑。她喜歡客人，也喜歡讓客人開心：「湯姆先生，大約十五分鐘？」

安奈特太太離開客廳時，男孩不安地移到沙發邊緣，他問：「可以趁天黑前看一下你的花園嗎？」

湯姆起身，從落地窗走出去，他們下了幾個台階，走到草地上。太陽落到地平線的左側，從松樹後射出橘色和粉紅色的光線。男孩原本應該是想到安奈特太太聽不見的地方，但此刻他彷彿深受景色吸引。

「花園設計得很有質感，很不錯，又不會太正式。」

「設計不是我的功勞，原本就這樣，我只負責維護。」

男孩俯身欣賞虎耳草（現在沒開花），他講得出名字，湯姆覺得很驚訝，然後他注意到溫室。

溫室裡各種顏色的葉子、盛開的花和植物，都已經可以分送親朋好友，溼度剛好，都栽植在肥沃的土壤裡。男孩彷彿很享受地深吸一口氣，這真的是約翰・皮爾森在富裕生活中成長、準備接管家族企業的兒子？或許那是長子的責任。都到了隱蔽的溫室，他為何還不講話？男孩凝視著花盆，輕輕用指尖觸摸植物。

「我們回去吧。」湯姆有點不耐煩。

「是。」男孩彷彿做錯事般挺直了背，跟著湯姆走出去。

這個時代什麼學校還規定學生要說「是」？軍校嗎？

他們在客廳的凹室吃晚餐，主菜是雞肉麵餃。男孩下午打電話來後，湯姆就請安奈特太太準備餃子。這種美式餃子是湯姆教安奈特太太做的，男孩吃了不少，好像也很喜歡蒙哈榭的葡萄酒。他很有分寸地詢問和赫綠思有關的問題：她父母住哪裡，是什麼樣的人？湯姆沒說出他對皮里松夫婦真正的觀感，尤其是赫綠思的父親。

「你的……安奈特太太會說英語嗎？」

湯姆微笑說：「她連早安都不用英語說，她可能不喜歡英語。怎麼了？」

男孩舔舔嘴唇，身子向前傾，他們中間仍隔了一公尺寬的桌子：「如果我說，我是你提到的那個……法蘭克。」

「你之前問過了。」湯姆說，發現法蘭克有點醉了，這樣更好！「你到這裡，只是想離家一陣子？」

「對。」法蘭克誠懇地說：「你不會告發我吧？希望不會。」他的聲音幾乎聽不見，似乎竭力鎮定地望著湯姆，但是眼眶已微微溼潤。

「當然不會，你可以信任我，你可能有自己的理由……」

「沒錯，我想做別人。」男孩打斷他：「也許……」他頓了一下，又說：「我也不希望這樣離家出走，可是……，可是……」

湯姆覺得法蘭克只講了部分實話，可能今晚不會再講更多了。酒精的確能讓人吐真言，一個人能講的謊言畢竟是有限的，至少像法蘭克・皮爾森這麼年輕的人：「談談你家人吧，有人叫小約翰嗎？」

「有，強尼。」法蘭克盯著桌子中央，轉動葡萄酒杯：「我從他房間偷拿他的護照，他快十九歲了，我會假造他的簽名，至少不會被發現，不過到目前為止還沒試過就是了。」法蘭克沉默了一會，搖搖頭，彷彿思緒糾結，令他心煩意亂。

「你離家後做了什麼？」

「我搭機到倫敦，在那裡待了……大概五天，然後我去了巴黎。」

「嗯。你錢夠嗎？沒有偽造旅行支票？」

「沒有，我拿了二、三千美元現金，從我家裡拿錢很簡單，我會開保險箱。」

此時，安奈特太太進來收盤子，同時端上搭配鮮奶油的野莓酥餅。

「那強尼呢？」安奈特太太離開後，湯姆先起了頭。

「強尼唸哈佛，現在當然在放假。」

「你們家住哪裡？」

男孩的眼珠子轉了一下，好像在思考要講哪一間房子：「你是指緬因州肯納邦克港的房子？」

「葬禮是在緬因州辦的，對不對？我依稀記得。你是離開緬因州的家？」湯姆有些詫異，因為男孩聽到這個問題彷彿很吃驚。

「沒錯，是肯納邦克港，我們每年此時幾乎都在那裡，葬禮在那裡舉行——火葬。」

湯姆想問他認為父親是否為自殺，又覺得這種問題只為了滿足自己的好奇心，實在太不禮貌，所以改口問：「你母親怎麼樣？」語氣宛如他認識法蘭克的媽媽，在關心她的健康一樣。

「噢，她……她很漂亮，雖然已經四十幾了，金髮。」

「你和她處得來嗎？」

「當然，她比較開明——和我父親相比。她喜歡社交，還有政治。」

「政治？哪一種？」

「共和黨。」法蘭克笑了一下，望向湯姆。

「我記得她是你父親第二任太太。」湯姆記得訃文有提到這點。

「是。」

「你有沒有告訴母親你人在哪裡？」

「沒有，我留了一張字條，說要去紐奧良，因為他們知道我喜歡那裡。我之前住過蒙特里昂酒店——一個人住。我得從家裡走到公車站，不然我們的司機尤金會載我到火車站，這樣他們就知道我不是去紐奧良了。我想獨立，所以我先去了班戈市，然後去紐約，再搭機來法國……我可以抽一根嗎？」法蘭克從銀杯裡拿了一根菸，繼續說：「我家人一定是打電話到蒙特里昂，發現我不在那裡，所以才……我知道，我有時會買《論壇報》，我在報上看到了。」

「你在葬禮多久後離開？」

法蘭克仔細思考正確的答案：「一個禮拜，也許八天後。」

「你乾脆拍個電報給你母親報平安，說你人在法國，想再多待一陣子？躲躲藏藏很沒趣吧？」

湯姆心想，法蘭克也許覺得很有趣。

「我現在不想和他們有任何接觸，我想自己一個人，自由自在的。」他的語氣很堅決。

湯姆點點頭：「至少我現在知道你的頭髮為何豎起來了，你以前是旁分到左邊。」

「沒錯。」

安奈特太太端著咖啡托盤到客廳，法蘭克和湯姆站起來，湯姆瞄了一下手錶，還不到十點。法蘭克．皮爾森為何認為湯姆．雷普利會同情他？因為男孩看過報上關於雷普利的報導，知道他名聲可疑？法蘭克是否也做了壞事？也許殺了父親，把他推下懸崖？

「啊嗯。」湯姆沒來由的說，走向茶几時搖晃了一下腿。怪異的念頭，他第一次有這種想法嗎？湯姆不知道，反正他要讓男孩自己決定什麼時候說，或想不想說。他堅定的說：「來喝咖啡。」

「你希望我離開嗎？」法蘭克問，他看到湯姆瞄手錶。

「不，不，我在想赫綠思，她說她午夜前會回來，不過離午夜還很久。坐吧。」湯姆從飲料推車裡拿了一瓶白蘭地，法蘭克今晚講愈多愈好，湯姆可以載他回去。「干邑白蘭地。」湯姆倒了一杯，也幫自己斟了一樣多的酒，雖然他不喜歡喝白蘭地。

法蘭克看了看自己的手錶說：「我會在夫人回來前離開。」

湯姆想，赫絲思又是另一個可能發現法蘭克身分的人：「很不幸的，他們一定會擴大搜索範圍，法蘭克，他們不知道你在法國？」

「我不知道。」

「坐下，他們一定知道，等他們找完巴黎，一定會來莫黑這種小鎮。」

「如果我穿舊衣服，有工作，改名換姓，他們就找不到。」

綁架。湯姆想，是接下來可能發生的事。湯姆不想提醒法蘭克蓋提家少東的綁架案，經過地毯式的搜索依然不見人影，綁匪剪下他一邊的耳垂，證實人在他們手上，最後付了三百萬美元才將他贖回。法蘭克・皮爾森也是熱門目標，如果惡人認出他（他們會比一般人更努力），綁架他比交給警方更有利可圖。湯姆問：「為什麼你要拿哥哥的護照？你沒有護照？」

「有一本新的。」法蘭克已經坐回沙發同一個角落：「我不知道，也許因為他年紀比較大，我覺得比較安全。我們長得有點像，不過他頭髮比較金。」法蘭克的臉扭曲了一下，彷彿覺得很慚愧。

「你和強尼處得來嗎？你喜不喜歡他？」

「當然。」法蘭克望著湯姆。

湯姆感覺他是真心的：「你和父親處得還好嗎？」

法蘭克盯著壁爐：「講這種事很不容易，因為……」

湯姆讓他自己去掙扎。

「他一開始希望強尼對皮爾森有興趣——我是指公司。但是強尼進不了哈佛商學院，或是他不想唸，強尼對攝影有興趣。」法蘭克好像在描述什麼怪事，瞄了湯姆一眼：「所以父親開始把目標轉移到我身上，這……大概是一年多以前的事，我一直說我還不確定，因為那是很大的……事業，我為什麼要……把一生投注在裡面。」法蘭克的棕色眼睛裡有一抹憤怒。

湯姆不發一言，讓他繼續講下去。

「所以，也許我們處得不是很好——如果我老實說的話。」法蘭克拿起咖啡杯，他還沒喝白蘭地，不過可能不需要了，他已經滔滔不絕。

法蘭克沒有再說什麼，湯姆有些於心不忍，因為他知道等一下還有更悲傷的告白。湯姆說：「我發現你剛才在看德瓦特的畫，」他朝壁爐上方《椅中男子》擺了一下頭：「你喜歡嗎？那幅是我的最愛。」

「那幅我不認識，我在目錄上看過這幅。」法蘭克望了一眼左肩上方的畫。

他是指《紅色椅子》，德瓦特的真蹟，湯姆知道男孩可能是看巴克馬斯特畫廊近期的目錄，他們已經不再把仿冒品放到目錄裡。

「有一些真的是仿造的嗎？」法蘭克問。

「我不知道。」湯姆極力露出誠摯的表情，「從來沒有經過證實，我記得德瓦特到倫敦鑑定過幾幅。」

「對，我猜你可能也在場，因為你認識畫廊的人，對不對？」法蘭克比較有精神了：「我父親有一幅德瓦特。」

湯姆很高興能稍微改變話題：「哪一幅？」

「《彩虹》，你知道嗎？下方是米色，上面有一道朦朧鋸齒狀的彩虹，幾乎全是紅色，你無法分辨是哪一座城市，也許是墨西哥市，也可能是紐約。」

湯姆知道那幅畫，是貝納德畫的贗品。「我知道。」湯姆說，表情像在回憶一幅美麗的真跡：「你父親喜歡德瓦特？」

「誰不喜歡？他的畫有一種溫暖的感覺，我是指人性，現代畫中不一定找得到……如果你喜歡溫暖風格的話。培根的畫強悍、真實，但這個也是，即使畫裡只有兩個小女孩。」男孩看著紅椅上的兩個女孩，後方是紅色火焰，就主題來說，絕對稱得上溫暖的畫作，但是湯姆知道法蘭克是指德瓦特溫暖的態度，可以從他以重複的線條描繪人的身體和臉孔時看出。

湯姆有一點被侮辱的感覺，因為男孩顯然沒那麼喜歡同樣溫暖的《椅中男子》，雖然男人和椅子都沒有著火。那幅是贗品，所以湯姆特別偏愛，不過還好法蘭克沒有問及這點，要是他問了，就代表他聽過或看過什麼消息，湯姆說：「你顯然很喜歡畫。」

法蘭克羞赧的說：「我喜歡林布蘭，你可能覺得很可笑。我父親有一幅林布蘭的畫，鎖在保險箱裡，但我看過幾次，不是很大……」法蘭克清清喉嚨，坐直身子：「但是很賞心悅目……」

這就是繪畫的意義，湯姆心想，縱使畢卡索說畫是戰爭的工具。

「我喜歡維亞爾和波那爾*，他們的畫讓人感覺很舒服，那種現代的東西——抽象畫，也許有一天我會了解。」

「所以至少你和你父親有共通點——你們都喜歡畫。他會不會帶你欣賞畫展？」

「我……有去，我很喜歡看畫展，大概從十二歲開始，但是我父親從我五歲左右就坐輪椅了，有人開槍射他。你知道吧？」

湯姆點點頭，霎時發現約翰・皮爾森的狀況讓法蘭克的母親在過去十一年中過著奇怪的生活。

「都是因為事業，迷人的事業。」法蘭克語帶諷刺：「我父親知道背後主使者是誰，是另一家食品公司雇用的殺手，但是他從來沒有告發他們，因為下場會更慘。你知道嗎？美國就是這樣。」

湯姆可以想像。他說：「試試干邑白蘭地。」男孩拿起酒杯，喝了一口，皺起眉頭。湯姆問：「你母親現在在哪裡？」

「應該在緬因州，也可能在紐約的公寓，我不知道。」

湯姆又試探了一次，想看看法蘭克會不會改變心意：「打電話給她吧，兩邊的電話號碼你一定都知道，電話就在那裡。」電話在靠近前門的桌子上，湯姆站起身說：「我到樓上，這樣就不會聽到你講電話了。」

「我不想讓他們知道我在哪裡。」法蘭克用更堅定的眼神望著湯姆：「如果可以的話，我想打電話給一個女孩，但是連她我都不會透露我人在哪裡。」

「什麼女孩？」

「特瑞莎。」

「她住在紐約？」

「對。」

「你就打給她吧，她不會擔心嗎？你不用告訴她你在哪裡。我可以上樓……」

法蘭克緩緩地搖頭：「她也許會知道我是從法國打的，我不能冒險。」

他是不是因為女孩才離家出走？「你有沒有告訴特瑞莎你要離家？」

「我告訴她我打算出去旅行一陣子。」

「你和她吵架了嗎？」

「沒有啦，沒有。」法蘭克露出開心的表情，像在作夢，湯姆沒看過他這樣。男孩看了一下手錶，站起身說：「不好意思。」

才十一點，但是湯姆知道法蘭克不希望赫綠思再見到他：「你有特瑞莎的照片嗎？」

＊ 譯注：維亞爾（Edouard Vuillard, 1868–1940），十九世紀後印象畫派畫家。波那爾（Pierre Bonnard, 1867–1947），野獸派畫家，擅於駕馭色彩。

「有。」他把手伸進外套內側的口袋，拿出皮夾，快樂的表情又浮現，「這張是我最喜歡的，雖然只是拍立得。」他遞給湯姆一張方型的小照片，放在尺寸剛好的透明封套裡。

照片裡的棕髮女孩眼神很靈活，笑容頑皮，她抿著唇微笑，沒有露出牙齒，眼睛微瞇。她的頭髮又直又亮，不會太長。表情似乎很開心，但不會淘氣，彷彿拍照時她正在跳舞。「很有魅力的女孩。」湯姆說。

法蘭克開心地點點頭：「你不介意載我回去嗎？我的鞋子雖然舒服，但是……」

湯姆笑著說：「小事一樁。」法蘭克腳上的黑色古馳漆皮皮鞋擦得發亮，棕褐色的哈里斯斜紋呢外套有很別致的鑽石花紋，是湯姆可能會買的衣服。「我去看安奈特太太是不是還醒著，如果是的話，我得跟她說一聲我要出門，馬上就回來。她有時會被車聲吵醒，不過赫絲思也會回來。要是你想上廁所，可以用樓下的廁所。」

男孩去上廁所，湯姆穿過廚房，到安奈特太太房間，從門下的縫隙看到她的燈是暗的。湯姆在放電話的書桌上寫了一張紙條：「載朋友回家，大約十二點前回來，湯姆。」湯姆把字條放在第三階樓梯上，赫絲思一定看得到。

3

湯姆想看看法蘭克所謂的「小屋」，他在途中假裝不經意地問：「我可以看你住的地方嗎？還是布婷太太會不高興？」

「她都大約十點睡覺！當然可以。」

車子一開進莫黑，湯姆就認得路了，左轉巴黎路後開始減速，七十八號在左手邊。一輛車停在布婷太太家附近，面對著他們，因為街上沒有車，湯姆把車直接停到左邊，頭燈照亮停在路邊的那輛車，湯姆注意到那輛車的車牌最後兩個數字是七五，顯示這輛車是在巴黎註冊。

就在此時，那輛車的大燈倏地開到最亮，照進湯姆的擋風玻璃，那輛巴黎的車迅速往後倒，湯姆依稀看到前座有兩個人。

「怎麼了？」法蘭克有點擔心的問。

「和我想的一樣。」那輛車倒車到最近的轉角，然後加速往前開走。「巴黎的車。」湯姆已經停下車，不過大燈還是亮的：「我去停在街角。」

湯姆停在剛才那輛車轉彎的地方，那條路比較暗也比較小。湯姆關掉大燈，在法蘭克下車後鎖上三邊的車門。「也許沒什麼好擔心的。」湯姆說，但是他有些擔心，布婷太太的花園裡可能埋伏了一、兩個人。「手電筒。」湯姆說，從置物箱裡拿出手電筒，他鎖好駕駛座的門，走向布婷太太家。

法蘭克從外套內側的口袋拿出一大串鑰匙，打開車道的大門，走進花園。

湯姆提高警覺，進入備戰狀態，大門只有約略九呎高，雖然上方有刺，卻不難爬，前門可能更容易。

「把門鎖上。」他們進門後湯姆小聲說。

法蘭克鎖好門。手電筒現在在他手上，湯姆跟著他，朝著右方的小屋前進，走在葡萄藤和可能是蘋果樹的樹之間。布婷太太的屋子在左手邊，現在漆黑一片，湯姆沒聽見任何聲音，連鄰居的電視聲都聽不到。法國村子到了半夜很可能一片死寂。

「小心。」法蘭克小聲說，用手電筒照了一下放成一堆的三個水桶，提醒湯姆避開。法蘭克拉出一把較小的鑰匙，打開小屋的門，開了燈，把手電筒還給湯姆，開心地說：「很簡單的地方，不過也是個家！」隨即關上他和湯姆身後的門。

房間不大，裡頭擺了單人床，還有一張漆成白色的桌子，上面放了幾本平裝書、一份法國報、原子筆和一杯裝了半杯咖啡的馬克杯。藍色工作服掛在直背椅上，牆邊是水槽和小炭爐，還有廢紙簍、毛巾架，以及很高的置物架，架上擺了一只不是很新的咖啡色皮箱，下面有一根長約一碼的桿子，掛了幾條長褲、牛仔褲和一件雨衣。

「坐床比椅子舒服。」法蘭克說：「我可以請你喝即溶咖啡——用冷水泡的。」

湯姆微笑說：「你不用請我喝什麼，你住的地方很……夠用了。」牆壁看來不久前才粉刷過，可能是法蘭克漆的。「那幅畫很漂亮。」一幅水彩畫立在床頭櫃上，斜倚著牆，下面墊了一張白色紙板（筆記本底層的那種紙板）。床頭櫃其實是木箱，上面還擺了插著紅玫瑰和野花的玻璃瓶。水彩畫畫著他們剛才走過的大門，在畫中微微開啟，手法直接、大膽，完全不造作。

「我在抽屜裡發現小孩子的水彩。」男孩比較像疲倦，而非喝醉。

「我該走了。」湯姆說，手伸向門把。

「想打電話給我就不要客氣。」湯姆門開到一半，看到大約二十碼遠的布婷太太屋子的燈亮了。

法蘭克也看到了。「又怎麼了？」法蘭克煩躁地說：「我們又沒有發出聲音。」

湯姆原本想逃走，但是他在靜謐中聽到她踩在碎石上的腳步聲，感覺很接近。「我躲到樹叢裡。」湯姆輕聲說，話還沒說完就開始往左靠，他知道花園的牆邊和樹下都很暗。

老太太小心翼翼地往前走，拿著像筆一樣、燈光微弱的手電筒：「是比利嗎？」

「是的，太太！」法蘭克說。

湯姆一手撐著地，蹲在離法蘭克小屋大約六碼遠的地方。他聽到布婷太太說，大約十點時，有兩個男人來找法蘭克。

「找我？是什麼人？」法蘭克問。

「他們沒說，只說要找我的園丁。陌生人！晚上十點說要找園丁，太奇怪了吧！」布婷太太沒好氣地說。

「不是我的錯。」法蘭克說：「他們長什麼樣？」

「我只看到一個，大概三十歲，問你什麼時候回來。我怎麼知道！」

「很抱歉他們來打擾您，布婷太太，我保證我沒有去別處找工作。」

「最好沒有！我不喜歡有人晚上按我家門鈴。」她瘦小佝僂的身軀準備離開了，「我兩道門都還是鎖著，但是我得大老遠走到前院跟他們講話。」

「我們應該……忘了這件事，布婷太太，真的很抱歉。」

「晚安，比利，好好睡。」

「您也是，布婷太太！」

湯姆等了一陣子，看著她走回屋裡。他聽到法蘭克把門關上，然後布婷太太的屋子終於傳出鎖門聲，先是以鑰匙轉動門鎖的微弱聲響，再是她進去後拉上門閂的聲音。那是最後一道鎖嗎？湯姆沒再聽到鎖門聲，但還是等了一會兒，二樓的霧玻璃透出昏暗的燈光，接著又熄滅。法蘭克顯然在等他先行動，這點很機靈。湯姆躡手躡腳地從樹叢後走出，用指尖敲敲小屋的門。

法蘭克開了一點門，讓湯姆鑽進去。

「我聽到了。」湯姆小聲說：「你今晚最好離開這裡，現在。」

「真的嗎？」法蘭克好像很詫異：「你說得對，沒錯。」

「趕快來收拾行李，你今晚住我家，明天再擔心明天的事。你只有這只皮箱？」湯姆從架子拿下皮箱，攤在床上。

他們的動作很迅速。湯姆把東西遞給法蘭克，褲子、襯衫、球鞋、書、牙刷、牙膏，法蘭克一直低垂著頭，湯姆覺得他好像快哭了。

「先別擔心有沒有甩掉那些討厭鬼，」湯姆柔聲說：「明天我們再寫張紙條給那位好心的老太太，說你今晚打電話回家，得知必須立即趕回美國，但是我們現在不能浪費時間寫這些。」

法蘭克用力壓下雨衣，關上皮箱。

湯姆從桌上拿起手電筒：「你等一下，我先去看看他們有沒有回來。」

湯姆輕手輕腳地踩在割得很整齊的草地，往大門走去。沒有開手電筒只能看到大約三碼遠，但是他不想開手電筒。布婷太太家的門口沒有停車，他們會不會在他的車子旁邊等？這樣就麻煩了。大門鎖著，所以湯姆沒辦法走到街角探查。他回去找法蘭克，看到他已經提著皮箱，準備離開。法蘭克把鑰匙留在小屋的鑰匙孔上，鎖好門，他們再一起朝大門走去。

「你在這裡待一下。」法蘭克開了門鎖後，湯姆說：「我去街角看一下。」

法蘭克放下行李，緊張兮兮地尾隨在湯姆身後，湯姆把他往後推，確定大門看起來是關著的。他朝街角走去，覺得很安全，因為那兩名男子的目標絕對不是他。

還好，街角只停了他自己的車，這一帶居民都有車庫，街道旁沒有別的車。湯姆只希望那兩人沒有記下他的車牌號碼，如果有的話，他們也許會隨便揑造一個理由，從警察那裡追蹤到他的姓名和地址。湯姆回頭找法蘭克，他還站在大門後，湯姆向他招招手，男孩馬上走出來。

「我不知道怎麼處理鑰匙。」法蘭克說。

「丟到大門裡面。」湯姆低聲說，看著法蘭克鎖上大門：「我們明天寫在字條裡告訴她。」

法蘭克提著皮箱，湯姆拿著小旅行包，走到街角，上了車。湯姆關上門，覺得安心多了。他走另一條路出城，沒看到任何車子尾隨在後。車子進入市中心，過了有四座塔樓的舊橋，只有少數街燈還亮著，一間酒吧正準備關門。路上只有兩、三輛車，沒有人特別注意他們。湯姆開上五號公路，右轉，朝著歐碧利克小鎮的方向駛去，這條路最後可以通到維勒佩斯。

「不用擔心。」湯姆說：「我知道路，而且沒有人在跟蹤我們。」

法蘭克似乎沉浸在自己的思緒裡。

布婷太太的小世界瓦解了，男孩不知該何去何從。「我會告訴赫綠思你今晚將住下。」湯姆說：「不過還是要讓她以為你是比利・羅林斯，我會告訴她你要在我們花園打工，還有……」湯姆又看了一下照後鏡，不過後面一輛車也沒有。「我會說你在找兼差的工作，不用擔心。」湯姆瞄了一眼法蘭克，男孩咬著下唇，盯著擋風玻璃。

他們到家了，湯姆看到麗影前院柔和的燈光，是赫綠思特別為他留的。他開進敞開的大門，駛入位於房子右側的車庫，赫綠思把紅色的賓士停在車庫右邊。湯姆要法蘭克等一下，下了車，從杜鵑花叢下掏出大鑰匙，鎖好大門。

此時法蘭克已經拿著皮箱和旅行包站在車旁。客廳有一盞燈亮著，湯姆打開樓梯間的燈，關掉客廳的，然後向法蘭克示意，要他跟著他上樓。他們上了樓，往左轉，湯姆點亮客房的燈。赫絲思的房門關著。

「不要客氣，」湯姆對法蘭克說：「衣櫃在這裡……」他打開奶油色的門：「抽屜在這裡，今晚用我的浴室，因為這間赫絲思在用，我可能一小時後才會睡。」

「謝謝。」法蘭克把行李放在雙人床床腳的橡木板凳上。

湯姆走進自己房間，打開燈，也點亮浴室的燈，然後他忍不住走到窗戶旁，透過安奈特太太放下的窗簾縫隙，看看有沒有開過去或停在那裡的車。除了左邊街燈下面，其他地方都一片漆黑，當然，很可能有沒開燈的車停在暗處，但是湯姆寧可相信沒有。

法蘭克敲敲微開的房門，穿著睡衣走進來，手裡拿著牙刷，打赤腳。湯姆朝浴室的方向指了一下。

「請用，」湯姆說：「你慢慢來。」湯姆微笑地望著疲倦的男孩——男孩眼睛下面已經出現黑眼圈。他走進浴室，關上門。湯姆也換好睡衣。不知道這幾天《論壇報》會如何報導法蘭克・皮爾森的失蹤事件，搜索規模必會擴大。湯姆走到走廊另一頭的赫絲思的房間，透過鑰匙孔，看看裡面的燈是否還亮著——即使鑰匙插在上面仍看得到。房間是暗的。

湯姆回到自己房間，躺在床上看法文文法書。法蘭克走出浴室，顯得很開心，頭髮還是溼的。

「熱水澡！哇！」

「去睡吧，多晚起來都沒關係。」

換湯姆去梳洗，他想到布婷太太家前面的那輛車，不管那兩名男子是什麼人，事實都證明他們不希望正面衝突，甚至不願在法蘭克有同伴時現身，但這仍非好預兆。不過，那兩人很可能只是出於好奇——某個莫黑鎮的鎮民提到他看到一名剛從美國來的男孩，很像法蘭克・皮爾森，那個鎮民也許有朋友住在巴黎，因為他們沒說要找法蘭克，只說要找布婷太太的「園丁」。湯姆心想，他明天要一個人把字條送去布婷太太家，愈快愈好。

4

一隻形單影隻的鳥——並非雲雀——以六個音符的樂曲喚醒湯姆。那是什麼鳥？叫聲像在質疑，帶著膽怯，卻十分好奇，精力充沛。這隻鳥（或是牠的親戚）常在夏天叫醒湯姆。湯姆瞇著眼，望著灰色的牆壁和色調更深的陰影，好似水墨素描般，實在賞心悅目，邊緣包著黃銅的櫃子是一塊，書桌又是陰影更濃的另一塊。他嘆了口氣，把頭埋入枕頭，準備再打個盹。

法蘭克！

湯姆驀地想起男孩住在家裡，一下子清醒過來。他看了看手錶，七點三十五分。得讓赫綠思知道法蘭克住在家裡——不對，是比利・羅林斯。湯姆穿著拖鞋和晨袍走下樓，先告訴安奈特太太他會比較安心。安奈特太太每天早上八點都會替他端咖啡上樓，今天湯姆比她早一步下去。安奈特太太從來不介意訪客，也從不問客人會待多久，只要讓她知道需不需要準備餐點就好。

湯姆走進廚房，茶壺正好叫了起來。「早安，安奈特太太！」他開心地向她打招呼。

「湯姆先生！昨晚睡得好嗎？」

「很好，謝謝。我們有客人，是妳昨晚見過的美國年輕人——比利・羅林斯。他住在客房，也許會待個幾天，他對園藝很有興趣。」

「是嗎？很不錯的年輕人！」安奈特讚許地說，又問：「他幾點要吃早餐？湯姆先生，你的咖啡。」

湯姆的咖啡已經煮好了，茶壺的水是準備替赫綠思泡茶。安奈特太太把黑咖啡倒入白色杯子裡，湯姆說：「不用麻煩了，我要他盡量睡。如果他下樓，我再來招呼他。」赫綠思的托盤準備好了，安奈特太太端起托盤，湯姆說：「我和妳一起去。」隨即拿著咖啡杯跟在她身後。

安奈特太太敲敲門，端著放了茶、葡萄柚和吐司的托盤進入赫綠思房間，湯姆站在門口。

赫綠思半睡半醒地說：「啊，湯姆，進來！我昨晚好累……」

「不過妳沒有很晚回家，我應該十二點前就回來了。親愛的，我邀請那個美國年輕人住我們家，他要替我們做一些園藝工作。他住在客房，比利・羅林斯，妳見過的。」

「噢。」赫綠思說，用湯匙挖了一口葡萄柚到嘴裡，她好像沒有太驚訝，不過她問：「他沒地方住嗎？沒錢？」

他們用英語交談，湯姆字斟句酌地說：「他有錢，住得起旅館，但是昨晚他說對之前住的地方不太滿意，所以我邀請他在我們家住一晚。我們一起去拿他的行李，他是有教養的孩子。」湯姆又說：「今年十八歲，喜歡園藝，好像也很拿手。如果他要在我們家工作一陣子，可以讓他住賈克布斯的旅館，那裡很便宜。」賈克布斯是一對住在維勒佩斯的夫妻，開了一間酒吧兼餐廳，樓上附設三個房間的「旅館」。

赫綠思開始啃吐司，也比較清醒了些，她說：「湯姆，你好衝動，家裡就這樣住進一個美國男孩！他會不會是小偷？你邀他住下來——你怎麼知道他現在人在哪裡？」

湯姆低頭沉思了一會兒，又說：「妳說得沒錯，但這個男孩不是搭便車到處玩的那種，妳……」湯姆聽到微弱的鬧鈴聲，聲音和他的旅行用鬧鐘一樣，赫綠思好像沒聽到，因為她離走廊比較遠，湯姆說：「他設了鬧鐘，待會見。」

湯姆拿著咖啡杯離開赫綠思的房間，關上房門，再敲敲法蘭克的門。

「請進。」

法蘭克用手撐頭，坐在床上，床頭櫃擺著和湯姆相似的旅行鬧鐘。湯姆說：「早安。」

「您早。」法蘭克把頭髮往後撥，腿移到床邊。

湯姆覺得很有趣：「要不要再多睡一下？」

「不了，八點起床剛剛好。」

湯姆說要去替他端咖啡，他下樓走到廚房時，安奈特太太已經準備好一個托盤，上面放了柳橙汁、吐司一類的早餐，湯姆端起托盤，不過安奈特太太告訴他咖啡還沒倒好。

她把咖啡倒進事先熱好的銀壺中：「湯姆先生，你真的要自己端？如果那孩子想吃蛋……」

「這樣很完美了，安奈特太太。」湯姆上樓。

法蘭克試喝了一口咖啡，說：「好喝！」

湯姆把托盤放到書桌上，也替自己倒了咖啡，坐在椅子上：「你今天早上要寫張字條給布婷太太，愈快愈好，我幫你送過去。」

「沒錯。」法蘭克細細品嚐著咖啡，看起來清醒了些，他頭頂的頭髮豎著，像剛被風吹過。

「還要告訴她大門鑰匙在哪裡，就在大門裡面。」

男孩點點頭。

男孩咬了一口塗了橘子果醬的吐司。湯姆問：「你記得你離家的日期嗎？」

「七月二十七日。」

今天是八月十九日星期六，「你在倫敦待了幾天，然後到巴黎……你住哪裡？」

「賈克伯街的唐格勒特酒店。」

那間旅館在聖傑曼德佩區，湯姆聽過，但是沒住過：「我可不可以看你的護照——你哥哥的？」

法蘭克馬上走到皮箱旁邊，從皮箱外層的口袋拿出護照，遞給湯姆。

湯姆打開護照，轉了九十度，照片裡是一名髮色比較金黃的年輕人，往右邊旁分，臉比較瘦，眼睛、眉毛、嘴巴都和法蘭克相似。不過湯姆很懷疑他怎麼沒被揭穿，也許他運氣不錯。護照裡的男孩快十九歲，五呎十一吋，所以比法蘭克略高。現在法國的旅館已經不會要求顧客出示護照或身分證，但是英國和法國的移民局一定已經接到法蘭克・皮爾森失蹤的通知，可能也已拿到法蘭克的照片，而且他哥哥應該發現護照不見了吧？

「你放棄吧。」湯姆採用新策略：「你這樣怎麼在歐洲待下來？他們在任何邊界都會攔下你，尤其是法國邊界。」

男孩看起來很震驚，也有點不高興。

「我不懂你為什麼要躲躲藏藏。」

男孩的眼神飄忽了一下，不是不誠實，而是像在問自己該怎麼辦：「我只想一個人再安靜幾天。」

湯姆注意到男孩把餐巾放回托盤時手在顫抖，他心不在焉地對折餐巾，又放下。湯姆說：「你母親一定知道你拿了強尼的護照，因為你的護照還在家裡。他們很容易就能追蹤到你人在法國，與其被警察帶走，不如自己告訴他們。」湯姆把咖啡杯放在法蘭克的托盤裡：「你寫張字條給布婷太太，我已經告訴赫綠思你在這裡。你有紙嗎？」

「有。」

湯姆本來打算給他幾張打字紙和便宜信封，因為客房抽屜裡的便箋印有麗影的地址。湯姆回到房間，用電動刮鬍刀刮好鬍子，再穿上平時在花園工作時穿的綠色燈芯絨舊褲。今天的天氣很好，是涼爽的晴天，他在溫室裡澆水，思考他和法蘭克早上可以做什麼。他想到幾分鐘後郵差應該會送信來，便放下剪枝刀和叉子，一聽到郵務車熟悉的煞車聲，他就朝大門走去。

他很想知道《國際前鋒論壇報》有沒有關於法蘭克・皮爾森的報導，雖然他也看到傑夫・康斯坦從倫敦寄來的信。傑夫雖然兼任自由攝影師，卻比專心管理巴克馬斯特畫廊的艾德・班伯瑞更常和他通信。新聞和人物欄都沒有關於法蘭克・皮爾森的消息，湯姆倏然想到週末發行的八卦小報《法蘭西週日報》，今天是禮拜六，正好有新一期出刊。《法蘭西週日報》的報導幾乎都和名人的性生活有關，不過錢也是他們關注的議題。他在客廳裡打開傑夫的信。

湯姆大致瀏覽了一下，信是以打字機打的，信中沒提到德瓦特的名字。傑夫說他同意湯姆的建議，也覺得他們該停手了，因此他在和艾德討論之後，立即通知相關人士。湯姆知道他所謂的相關人士是一名倫敦的年輕畫家，叫做史拓曼。史拓曼替他們仿製德瓦特的假畫，大概畫了五幅，但是他的作品完全無法與貝納德的相提並論。雖然德瓦特照理說已經在他從未透露的墨西哥小鎮過世，但是傑夫和艾德這幾年來都熱衷於「尋找德瓦特的遺作」，並販售這些畫作。傑夫繼續寫道：「這會使我們的收入大幅減少，但是你也知道，我們向來重視你的意見……」信尾他請湯姆撕毀這封信，湯姆鬆了一口氣，慢慢把傑夫的信撕成小片。

法蘭克換了藍色牛仔褲，拿著信封下樓，他說：「寫好了，你可以看一下嗎？我覺得還可以。」

他好像呈交報告給老師的學生。湯姆注意到兩處的法文文法有誤，但覺得這樣很正常。法蘭克說他打電話回家，得知家人生病，所以必須馬上趕回去，他很感謝布婷太太的照顧，說他把大門鑰匙丟在大門的花園裡。

「很不錯。」湯姆說：「我現在就拿去，你可以看報紙或到花園走走，我半小時後就回來。」

「報紙。」法蘭克輕聲說，皺了一下臉，露出牙齒。

「沒寫，我看了。」湯姆指指沙發上的《國際前鋒論壇報》。

「我去花園吧。」

「可是不要到房子前面，好嗎？」

法蘭克了解。

湯姆開賓士出門，車鑰匙就放在前廳的桌上。車子的油箱快空了，他打算回程時再去加油。湯姆在速限內盡可能地開快，很可惜法蘭克的信是用手寫的，但是如果用打字機會很奇怪。除非警察去敲布婷太太的門，不然不會有人對法蘭克的筆跡有興趣，湯姆如此盼望。

車子到了莫黑，湯姆把車停在離布婷太太家約一百碼遠的地方。一名女子站在大門外，應該在和布婷太太交談，雖然湯姆看不到後者。她們也許在討論比利失蹤的事。湯姆轉身往另一個方向慢慢走，走了幾分鐘，他再回頭看時，原本站在人行道上的女人現在正向他走來。湯姆轉身朝布婷太太家走，經過女人身旁，沒有看她。大門關著，他把信塞入標示「郵件」的小洞，走到街角，再回到車上。他朝市中心開，打算開到巒河橋附近，他知道那裡有書報攤。

湯姆停下車，買了一份《法蘭西週日報》，頭條標題的字體照例是紅色的，不過是關於查爾斯王子的女友，另一則是關於希臘富豪女繼承人戲劇性的婚姻。湯姆過了橋，把車停到加油站。加油時，他翻開報紙，法蘭克的正面照片讓他嚇了一跳。照片中法蘭克的頭髮往左分，右頰有一顆小痣。報導是正方形篇幅，有兩欄，標題為：美國百萬富豪之子藏身法國，照片下面寫：這是法蘭克・皮爾森，你有沒有看到他？

報導內容是：

美國食品大亨，百萬富豪約翰・皮爾森過世不到一個禮拜，他年僅十六歲的小兒子法蘭克便離開美國緬因州的家，並拿走兄長約翰的護照。法蘭克見多識廣、十分獨立，父親的過世讓他很傷心。他美麗的母親莉莉表示，法蘭克留了一張字條，說會在路易斯安那州的紐奧良市待幾天，但是他們和警方都找不到他停留在那裡的證據。消息指出，搜查工作已從倫敦移轉至法國。

這個富有的家族打算孤注一擲，兄長約翰可能伴隨私家偵探到歐洲尋找法蘭克。約翰・皮爾森二世表示：「我找他比較容易，因為他是我的親人。」

約翰・皮爾森十一年前曾遭暗殺，導致終生殘廢，他於七月二十二日從緬因州自宅墜崖，至今仍未確定為自殺或意外。美國警方將其死因歸為「意外事件」。

但是……男孩離家，究竟有什麼隱情？

湯姆付了油錢，也給了小費。他應該馬上告訴法蘭克這件事，把報紙拿給他看，一定能促使男孩採取行動，然後他要處理掉報紙，以免赫絲思或安奈特太太（後者較有可能）看到。

十點半，湯姆把車駛進麗影的大門，他下車後折起報紙，夾在腋下，走到屋子左側。經過安奈特太太的房門時，他看到門的兩旁各放了一盆盛開的紅色天竺葵，這代表了她的自尊，湯姆心想，因為花是她自己買的。法蘭克在花園角落，彎著身子，顯然在拔雜草。赫絲思循規蹈矩的巴哈演奏從微微開啟的落地窗裡傳出，湯姆知道一個半小時後，她不是會放別人演奏同一支曲子的唱片，就是曲風截然不同，可以讓她轉換心情的唱片，像是搖滾樂。

「比──利。」湯姆輕輕喚他，提醒自己一定要叫他比利，不要叫成法蘭克。

男孩站直身子，微笑說：「你送過去了？有沒有看到她？」他的聲音也很輕，好像擔心身後的林子裡可能有人。

湯姆也在提防花園後方的林子，十碼寬的矮樹叢後，樹林又益發濃密，湯姆曾經在那裡被活埋了大約十五分鐘。及腰的蕁麻遮住視線，帶刺、從沒生過果實的野生黑莓藤長約三、四碼，更別提後面高大的菩提樹了──粗到樹幹後方絕對可以躲一個人。湯姆向男孩擺了一下頭，男孩向他靠近，他們一起走向隱蔽的溫室，湯姆說：「八卦報紙有你的消息。」赫綠思的琴聲依然傳到他耳裡，他背對著屋子打開報紙，說：「你最好看一下。」

法蘭克接過報紙，湯姆看到他吃了一驚，手抽動了一下。「可惡。」他輕聲說，咬牙切齒地讀著報導。

「你哥哥會不會來？」

「我想應該是會，但是說我家人『孤注一擲』，太可笑了。」

湯姆輕描淡寫地說：「強尼會不會今天突然出現，說：『你在這裡啊！』」

「他為什麼會來這裡？」法蘭克問。

「你有沒有跟家人或強尼提過我？」

「沒有。」

湯姆幾乎用耳語說：「德瓦特的畫呢？有沒有聊過這件事？你記得嗎？大約一年前？」

「我記得父親提過，因為報上有報導，不過不是特別針對你。」

「但是你當時——你說你看過關於我的報導。」

「在紐約的公立圖書館，幾個禮拜以前的事。」

他是指報紙的檔案資料。「你沒有向家人或朋友提過我？」

「沒有。」法蘭克的視線望向湯姆，又焦慮地落在湯姆身後。

湯姆轉身，看到老恩立緩緩朝他們走來，好像童話故事裡的巨人。「是我們的兼職園丁，不要跑，也不要擔心，把頭髮弄亂一點。你要把頭髮留長，將來派得上用場。不要講話，只要用法語說早安。他中午就走。」

此時法國巨人已經快走到聽得見他們對話的距離，恩立低沉有力的聲音說：「早安，雷普利先生。」

「早安。」湯姆回答：「這位是法蘭索瓦。」湯姆比著法蘭克：「他來清雜草。」

「早安。」法蘭克說，他已經把頭髮抓亂，駝著背，在草坪邊緣拔木賊草和菟絲子。

湯姆很滿意法蘭克的表現，他的藍夾克看起來很邋遢，很像來雷普利家打零工的當地男孩，而且恩立的不可靠是人人皆知，所以出現競爭對手他也沒什麼好抱怨。恩立彷彿連禮拜二和禮拜四都分不清，他出現的那一天永遠不是他自己訂的時間。恩立看到男孩並不驚訝，從棕色鬍髭和雜亂的絡腮鬍中，可以看到他心不在焉的笑容。他穿著寬鬆的藍色工作褲，方格子襯衫，淡藍白條紋、有帽舌的棉帽，很像美國的鐵路工。恩立的眼珠是藍色的，眼神永遠迷迷濛濛，好像老在酗酒，但是湯姆從沒看他喝醉過，也許是昔日喝下的酒精造成的影響。恩立年約四十，湯姆一小時付他十五法郎，無論他做什麼，即使他們只站在那裡討論植土或冬天儲存牡丹花莖的方法。

湯姆提議繼續整理花園後方長約一百公尺的邊溝，法蘭克也在那裡拔草，不過是在他們左邊，比較靠近通往林子的小徑，離他們有一段距離。湯姆遞給恩立剪枝刀，自己也拿了叉子和堅固的金屬耙。

「在這裡砌一座矮石牆，就不用麻煩了。」恩立低聲說，開心地拿起鋤子，這句話他講過很多次，湯姆也回答過很多遍，他懶得再說一次——他和他的妻子比較喜歡花園和林子融合在一起的感覺，因為恩立接著便會告訴湯姆，林子和花園已經融合在一起了。

他們都在工作，大約十五分鐘後，湯姆往後望了一下，沒有看到法蘭克。很好，湯姆心想，如果恩立問起男孩，湯姆就說他可能不是真心想工作，已經走了，但是恩立一個字也沒提，這樣更好。湯姆從傭人門進了廚房，安奈特太太正在洗碗槽洗東西。

「安奈特太太，我有一個小請求。」

「什麼事，湯姆先生？」

「住我們家的男孩和他在美國的女友鬧得不太愉快。他和幾個美國年輕人一起來法國，他想安靜一下，所以要待在這裡幾天，最好別告訴村裡的人比利住我們家的事，他不希望朋友來這裡找他。」

「啊。」安奈特太太了解，表情似乎在說感情是很私人的事，很戲劇化也很傷人，而男孩還那麼年輕。

「妳沒跟別人提過比利吧？」湯姆知道安奈特太太常去喬治酒吧咖啡店喝茶，其他的管家也是。

「絕對沒有，先生。」

「很好。」湯姆又回到花園。

將近中午，恩立緩慢的工作速度又變得更慢，他抱怨天氣好熱（其實一點也不熱），而湯姆正好也想停下手邊的工作。他們走進溫室，湯姆在用來排水的方型水泥凹槽裡放了六瓶左右的海尼根啤酒。湯姆拿了兩瓶，用生鏽的開瓶器打開瓶蓋。

接下來幾分鐘很模糊的過去，因為他滿腦子都在想法蘭克的事，他人在哪裡？恩立拿著啤酒瓶晃來晃去，不時彎腰檢視架子上的植物，嘴裡唸唸有詞，抱怨今年夏天的覆盆子產量減少。恩立腳上的繫帶舊靴長度超過腳踝，鞋底厚軟，舒適但不時髦，他的靴子是湯姆這輩子看過最大的。恩立的腳真的能把靴子填滿？若是從他的手來判斷，的確很有可能。

「不對，應該是三十。」恩立說：「你不記得嗎？上次你少給十五法郎。」

湯姆沒有少給，不過他不想和他爭論，給了恩立三十法郎。

恩立離開前，向湯姆保證下禮拜二或禮拜四會再來，對湯姆來說並沒有差別。恩立已經「退休」了，也可以說在「休息」，他幾年前因工受傷後，就一直過著輕鬆愜意的生活，實在令人羨慕。湯姆看著他高大的身軀愈離愈遠，經過了麗影米色的小塔樓。湯姆在溫室的水槽洗手。

幾分鐘後，湯姆從前門進了屋子，客廳的留聲機在播放布拉姆斯的四重奏，赫絲思很可能在那裡。湯姆上樓找法蘭克，房門是關的，湯姆敲敲門。

「請進？」湯姆聽過法蘭克這種疑問的語氣。

湯姆走進房間，法蘭克已經打包好行李，把床單和被單疊得整整齊齊，他也換掉了工作服，情緒似乎快要爆發，雖然男孩極力隱藏，湯姆還是發現他泫然欲泣。湯姆關上門，柔聲說：「怎麼了？擔心恩立？」湯姆知道不是因為恩立，但是他得鼓勵男孩開口，報紙還插在湯姆褲子後方的口袋。

「如果不是恩立，那也是別人。」法蘭克用顫抖、低沉的聲音說。

「到底怎麼回事？」強尼即將帶私家偵探過來，遊戲可能馬上結束。但那是什麼遊戲？「你為什麼不想回家？」

「我殺了我父親。」法蘭克輕聲說：「沒錯，我把他推下……」男孩講不下去了，嘴唇皺得像老人，垂下頭。

殺人犯，湯姆心想，又是為了什麼？湯姆沒見過如此溫文有禮的殺人犯，他問：「強尼知道嗎？」

法蘭克搖搖頭：「他不知道，沒有人看到。」他的棕色眼睛閃著淚光，但是沒有流下眼淚。

湯姆明白了，或者該說是開始明白，是男孩的良心或某人的話語導致他離家：「有誰說了什麼嗎？你母親？」

「我媽媽沒說什麼，是我們的管家蘇西，但是她沒有看到我，她不可能看到，她有近視，人又在房子裡，從家裡不可能看得到懸崖。」

「她對你或別人說了什麼？」

「都有，警察……不相信她，她年紀很大，腦袋不太正常。」法蘭克的頭痛苦地搖晃，尋找放在地上的行李，「我告訴你了，全世界我只對你一個說，我不在乎你會不會告訴警察或任何人，但是我最好離開。」

「別這樣，你要去哪裡？」

「我不知道。」

湯姆知道他即使拿哥哥的護照都不可能離開法國，他無處可躲，只能藏身田野中。「你不可能離開法國，也走不了太遠。法蘭克，你聽著，我們吃過午餐後再談，我們有很多……」

「午餐？」法蘭克彷彿覺得這個字眼很侮辱人。

湯姆朝他走去：「你得聽我的，現在是午餐時間，你不能就這樣消失，別人會覺得很奇怪。振作一點，飽餐一頓後，我們再來談。」湯姆伸手去搖男孩的手，不過法蘭克縮了回去。

「我想走就走！」

湯姆用左手揪住男孩的肩膀，右手擒住他喉嚨：「你不能，你不能！」湯姆搖他的喉嚨，然後放開他。

男孩嚇呆了，睜大眼睛，這就是湯姆所要的結果。「跟我下樓。」湯姆用手比了一下，男孩先朝門走去，湯姆走到自己的房間處理《法蘭西週日報》。為了安全起見，他把報紙塞到衣櫃放鞋的角落，他不希望安奈特太太在廢紙簍裡看到。

5

赫綠思在樓下整理咖啡桌高腳花盆裡橘色和白色的劍蘭，湯姆知道她不喜歡劍蘭，一定是安奈特太太剪的。她抬起頭，對湯姆和法蘭克微笑。湯姆刻意聳聳肩，作勢要調整外套，他希望自己看起來很冷靜、放鬆。

「早上還好嗎？」湯姆用英語問赫綠思。

「不錯，我看到恩立決定出現了。」

「老樣子，只做了一點事，比利比較行。」湯姆向法蘭克示意，要他跟他到廚房，湯姆聞到烤羊排的味道：「安奈特太太，不好意思，我午餐前想來點開胃酒。」

她的確在檢視爐子烤架上的羊排：「湯姆先生，你應該早點告訴我！早安，先生。」她對法蘭克說。

法蘭克彬彬有禮地跟她打招呼。

飲料推車在廚房裡，湯姆倒了一點蘇格蘭威士忌到玻璃杯，不多也不少，然後塞進法蘭克手中：「要加水嗎？」

「一點點。」

湯姆加了一點水龍頭的水，把玻璃杯遞回法蘭克：「可以幫助你放鬆，但不會鬆你的口。」湯姆喃喃自語，也替自己倒了一杯琴湯尼，沒有加冰塊，雖然安奈特太太說要幫他拿。湯姆朝客廳擺了擺頭：「我們回去吧。」

他們把酒端回去，才剛坐下，安奈特太太立刻端上第一道菜，是她自製的清湯凍。赫綠思在聊她九月底要搭冒險號郵輪的事，諾愛爾早上打電話來，告訴她更多細節。

「南極。」赫綠思很開心：「我們可能需要……不知道多少衣服！可能一次要戴兩雙手套。」湯姆想到的是衛生衣，他說：「搭郵輪這麼貴，他們會不會想辦法在南極開暖氣？」

「噢，湯姆！」赫綠思愉悅地說。

她知道他根本不在乎價錢，而且皮里松也許會替赫綠思付錢，因為他知道湯姆不去。法蘭克以法語詢問郵輪要搭幾天、船上會有多少人。他實在很有教養，湯姆很欣賞這些舊式的禮節，例如無論喜不喜歡禮物或送你禮物的阿姨，都要在三天內寄出謝函。一般十六歲的美國男孩遇到這種情況，不會有辦法如此沉著。安奈特太太端來盛羊排的盤子讓他們添加——盤裡還剩四片，赫綠思只吃了一片，湯姆讓法蘭克吃了第三片。

此時電話響了。

「我來接。」湯姆說：「不好意思。」居然有人在神聖的法國午餐時間打電話來，湯姆接起電話：「喂？」

「喂，湯姆，我是瑞夫斯。」

「你等一下。」湯姆把話筒放在桌上，對赫絲思說：「長途電話，我到樓上接，免得我大聲嚷嚷。」湯姆跑上樓，拿起房間的電話，又叫瑞夫斯再等一下，到樓下掛掉電話。他心想，瑞夫斯打來真是湊巧，因為法蘭克正好需要一本新護照，而瑞夫斯正是他要找的人。「我又回來了。」湯姆說：「有什麼新鮮事？」

「沒什麼事。」瑞夫斯的聲音有點沙啞，美國口音聽起來很天真：「只是一點……呃……，我想問你，可不可以收留一名朋友，就一個晚上？」

湯姆不是很樂意，他問：「什麼時候？」

「明天晚上，那個人叫艾瑞克，從這裡出發，他自己可以到莫黑，所以你不用去接他，但是……他最好不要在巴黎的旅館過夜。」

湯姆緊張地捏話筒，那個人身上當然帶著東西，瑞夫斯在買賣贓物。「當然，當然可以。」湯姆說，擔心他若是猶豫，瑞夫斯在他提出要求時也可能不會那麼爽快：「只待一個晚上？」

「對，只有一個晚上，他接著要去巴黎。你到時候就知道，不能再多說了。」

「我和他在莫黑碰頭？他長什麼樣？」

「他認得出你，大約四十歲，不高，黑髮。我有時刻表，艾瑞克可以搭明晚八點十九分抵達的火車。」

「很……不錯。」湯姆說。

「你好像不是很熱衷，但是這滿重要的，湯姆，我會……」

「我當然會幫你，我們是老朋友了！我正好需要一本美國護照，我禮拜一把照片快遞給你，你最遲禮拜三會收到。你人在漢堡？」

「當然，老地方。」瑞夫斯的語氣很輕鬆，彷彿他開的是小吃店，但是瑞夫斯在阿斯特的公寓曾被炸過一次。瑞夫斯問：「你自己要用？」

「不，比我年輕的人，還不到二十一歲，所以不要用太舊的護照，好嗎？我會再跟你聯絡。」

湯姆掛了電話，走下樓，覆盆子冰沙已經端上桌。湯姆說：「不好意思，不是很重要的事。」他發現法蘭克看起來好多了，臉色沒那麼蒼白。

「是誰？」赫綠思問。

她很少問這種問題，湯姆知道她不信任瑞夫斯，至少不是很喜歡他。不過湯姆還是說：「漢堡的瑞夫斯。」

「他要來？」

「沒有，只是和我打招呼，」湯姆回答，「比利，要喝咖啡嗎？」

「不用了，謝謝。」

赫綠思午餐通常不喝咖啡，她今天也沒喝。湯姆說比利想看他的《珍氏戰船年鑑》，三人便離開餐桌，湯姆和男孩一起到樓上湯姆的房間。

「討厭的電話。」湯姆說：「我在漢堡的朋友瑞夫斯要我明天接待他的朋友，只住一個晚上，我不能拒絕，因為他能幫很多忙。」

法蘭克點點頭：「你要我去住附近的旅館嗎？——還是離開？」

湯姆躺在床上，用手撐著頭，搖搖頭說：「你睡我房間，我睡赫綠思的，這扇房門就一直關著，我會告訴對方我們在用煙燻法消滅黑蟻，門不能開。」湯姆笑著說：「不用擔心，我很確定他禮拜一早上就會離開，我以前接待過瑞夫斯的客人。」

法蘭克坐在書桌旁的木椅上：「這個要來的人，是你有趣的朋友嗎？」

湯姆笑著說：「要來的人我不認識。」瑞夫斯才是他有趣的朋友，也許法蘭克也在報上看過瑞夫斯的名字，但是湯姆不想提這件事。湯姆輕聲說：「現在，關於你的情況……」湯姆頓了一下，留意到男孩皺起眉頭，顯得不太自在。湯姆也覺得有些彆扭，他脫掉鞋子，把腳放到床上，頭靠著枕頭：「對了，我覺得你午餐的表現很不錯。」

法蘭克看了湯姆一眼，表情沒有變化。「你之前問過我，」男孩輕聲說：「而且我也說過，你是唯一知道的人。」

「這點要保持下去，不要跟別人說——千萬不要。現在告訴我，是幾點發生的事？」

「大約七、八點。」男孩聲音有些嘶啞：「夏天時，幾乎每天晚上我父親都會欣賞夕陽，我沒有……」

他過了半晌才繼續說。

「我沒有預謀，也沒有發脾氣，根本沒生氣。後來……即使到了隔天，我還是不相信我真的做了。」

「我相信你。」湯姆說。

「我平常不會和父親一起去，我覺得他比較喜歡一個人，但是那天他要我陪他去，說我在學校表現很好，哈佛商學院一定沒問題之類的。他甚至還稱讚特瑞莎，因為他知道我……我喜歡她，但是在此之前，他都沒說過什麼好話。他一直不喜歡特瑞莎到我們家——她才去了兩次，他說十六歲就談戀愛、結婚很愚蠢，可是我壓根沒提過結婚的事，也沒問過特瑞莎！她一定覺得很好笑！反正，我想我那天受不了了，放眼望去，到處都是惺惺作態、虛情假意的人。」

湯姆正要開口，男孩緊張地打斷他。

「特瑞莎兩次到我們緬因州的家，我父親都對她不太禮貌，也很不友善，可能只因為她很漂亮，我父親知道她很受歡迎，以為她是我在街上釣來的女孩！但是特瑞莎很有禮貌，也很有教養！她不太高興——這是當然的，她不會再到我們家，她或多或少告訴我了。」

「你一定很難過。」

「對。」法蘭克沉默了幾秒鐘，望著地板，像是不知道該講什麼。

湯姆心想，法蘭克大可去特瑞莎家，也可以和她在紐約見面，但是湯姆不希望偏離主題：

「那天有誰在你們家？除了管家蘇西和你母親？」

「還有我哥哥，我們本來在打槌球，然後強尼說他不玩了，因為他有約會。他的女朋友住在……總之，強尼開車離開時，我爸爸正好在前陽台，還跟他說再見。強尼從花園摘了一大束玫瑰花送給女友。要不是因為我爸的態度，特瑞莎那天很可能到我們家，我們可以一起出去玩。我爸連車都不讓我開，可是我會開，強尼在沙丘上教過我。我父親老覺得我會撞死，但是路易斯安那州和德州十五歲或更年輕的人只要想開就能開。」

湯姆知道。「然後呢？強尼離開後，你父親和你說話……」

「我在樓下的圖書室聽他訓話，一心只想逃走，但他說：『和我一起去看夕陽，對你有好處。』我心情很糟，又不想讓他發現，我應該說：『不了，我要回房間。』但是我沒有。然後蘇西……她人還算好，只是有些糊塗，我看到她就覺得緊張。我們的後陽台和花園之間有一道斜坡，專為我爸蓋的，蘇西在旁邊看著輪椅下了斜坡，但是她根本不需要這麼做，我爸自己來就可以，然後她就回屋裡。我爸爸把輪椅推過小徑——用寬石板鋪成的，朝著林子和懸崖的方向行去。我們一到那裡，他又繼續說教。」法蘭克低下頭，右手握拳，又打開，「大概過四、五分鐘後，我再也受不了了。」

湯姆眨眨眼，無法直視正望著他的男孩：「懸崖很陡嗎？下面就是海？」

「還算陡，不是垂直的，但仍足以讓人喪命，下面是石頭。」

「很多樹？」湯姆還在思考什麼人可能看到他。「船？」

「沒有船，那裡沒有港口，樹當然有，是松樹。那邊也是我們家的地，不過我們讓那裡的草木自由生長，只闢了一條通往懸崖的小徑。」

「在家裡用望遠鏡也看不到你們？」

「不能，我很確定。即使冬天，我父親在懸崖上，從屋裡也看不到。」男孩重重嘆了一口氣：「謝謝你聽我說這些，也許我該寫下來……抒發一下。真的很可怕，我不知道怎麼分析這件事，有時我不敢相信我真的做了，感覺好奇怪。」法蘭克看了一下門，彷彿忽然意識到他人的存在，不過沒有聲音從門的方向傳出。

湯姆微笑說：「那就寫下來吧，你可以只給我看──如果你願意，然後我們再一起銷毀。」

「好。」法蘭克輕聲說：「我記得當時我只覺再也無法多看一秒他的肩膀和後腦勺，我想……我不知道我在想什麼，總之我走過去，踢掉煞車桿，按了前進鈕，推了椅子一下，椅子就往前滑動，掉下去。我沒往下看，只聽到匡啷匡啷的聲音。」

湯姆的腦海浮現那個畫面，忽然覺得不太舒服。輪椅上有沒有指紋？但他們也許認為法蘭克陪伴父親到懸崖，上面有他的指紋也是理所當然：「有人提起輪椅上指紋的事嗎？」

「沒有。」

如果懷疑是謀殺，他們應該會立刻採集指紋，「你提到的按鈕呢？」

「我好像是用拳頭邊緣敲。」

「他們找到他時馬達應該還在運轉。」

「對，有人提到這點。」

「然後你做了什麼──事發之後？」

「我沒有往下看，我往回走，覺得好累，感覺很奇怪，我朝著房子快步走，想讓自己清醒一點。草坪上沒有人，尤金──我們的司機兼管家──在樓下的餐廳，我說：『我父親剛才掉下懸崖了。』尤金要我通知母親，要她打電話給醫院，然後他跑向懸崖。我媽媽正和泰爾在樓上客廳看電視，我告訴她之後，泰爾就打電話通知醫院。」

「泰爾是誰？」

「我媽媽的紐約朋友，是律師，不過不是我爸爸的律師，他很高，他……」男孩又停頓了一下。

泰爾會不會是他母親的情人？「泰爾有沒有對你說什麼？問任何問題？」

「沒有。」法蘭克說：「我說我父親自己把輪椅開下懸崖，泰爾沒說什麼。」

「所以，救護車……然後警察也來了？」

「對，都來了，他們好像花了一小時才把他拉上來，包括輪椅。他們用了大聚光燈，記者當然也來了，但是媽媽和泰爾很快就把他們打發掉，他們都很厲害。媽媽討厭那些記者，但那天晚上來的只是當地記者。」

「後來還有記者？」

「我媽媽不得不見了幾個，我也逼不得已接受了一次訪問。」

「你怎麼說？」

「我說我的父親離邊緣很近，感覺好像刻意要把輪椅開下去。」講完最後一個字，法蘭克彷彿沒氣了，他站了起來，走到半開的窗戶旁，轉身說：「我騙他們的，我告訴過你。」

「你媽媽有懷疑你嗎？」

法蘭克搖搖頭：「如果有我一定知道。他們覺得我很……認真，你懂嗎？也很誠實。」法蘭克露出緊張的笑容，「強尼在我這個年紀比較叛逆，他們得替他請家教。他常逃離寄宿學校，跑到紐約，後來他比較清醒了，我不是指他酗酒，當然有時會吸大麻，還有一點古柯鹼。他現在比較好了，但相較之下，我就像中規中矩的男童軍，所以父親才對我施加壓力，希望我對他的事業——皮爾森帝國——有興趣！」法蘭克揮舞雙臂，失聲笑了出來。

男孩累了。

法蘭克走回椅子，坐了下來，頭往後傾，半閉著眼：「你知道有時候我怎麼想？我父親反正也快死了，坐在輪椅上半死不死的，日子可能不多。我這麼想是不是在替自己找藉口？太可怕了。」法蘭克倒抽一口氣。

「再來講講蘇西的事。她認為是你把輪椅推下去，她這麼對你說？」

「對。」法蘭克望著湯姆：「她甚至說她從屋裡看得到我，所以才沒人相信。從家裡看不到懸崖，但是蘇西好像很難過，有點歇斯底里。」

「蘇西也這樣對你母親說？」

「一定的，但是我媽媽不相信她，她不太喜歡蘇西，我爸爸喜歡她，因為她很可靠——以前很可靠，她在我們家很久了，幾乎從強尼和我還是嬰兒時就開始了。」

「她是你們的家庭老師？」

「不，比較像是管家。我們一直都另外有請家庭老師，多半是英國人。」法蘭克笑著說：「媽媽的幫手，到了我大約十二歲時，他們才辭掉最後一個。」

「尤金呢？他有沒有說什麼？」

「關於我？沒有，什麼也沒說。」

「你喜歡他嗎？」

法蘭克笑了笑：「他人還不錯，倫敦人，很有幽默感，但是只要我和尤金說笑，我父親後來都會告誡我，說我不該跟管家或司機說笑，尤金基本上就是管家兼司機。」

「家裡還有其他人嗎？別的傭人？」

「目前沒有，有時會有兼職的人，園丁維克七月休假，可能會休更久，所以我們有兼職的園丁。我父親向來不喜歡請太多傭人和祕書。」

莉莉和泰爾也許不會對約翰・皮爾森的死感到太難過，他們之間有什麼關係？湯姆站起身，走到書桌旁，遞給男孩二十張左右的打字紙，「如果你想寫出來，」湯姆說：「用筆或打字機都可以，都在這裡。」湯姆的打字機就擺在書桌中央。

「謝謝。」法蘭克若有所思地盯著手上的紙。

「你可能想出去散步，可惜你不能。」

法蘭克拿著紙站起來說：「我正想散個步。」

「你走後面的小路好了。」湯姆說：「那條路是單行道，沒什麼人，偶爾才有農夫。你知道的，就是我們早上工作的花園的後方。」男孩知道，他朝門走去。「不要跑，」湯姆說，因為法蘭克好像因為緊張而有些亢奮。「半小時內回來，不然我會擔心。你有手錶嗎？」

「有，兩點三十二分。」

湯姆看看自己的錶，早了一分鐘：「等一下你如果需要打字機，就自己進來拿。」

男孩把紙放到隔壁房間，下了樓，湯姆從邊窗看著法蘭克走過草坪，越過矮樹叢，他邊走邊跳，跌了一跤，用手撐地，然後像體操選手般敏捷地彈起來。男孩轉向右邊的小徑，消失在樹林裡。

過了一陣子，湯姆打開收音機，一方面想收聽三點鐘的法語新聞，一方面也想轉換聽完法蘭克故事後的心情。男孩講述事發經過時居然沒有崩潰，他以後會崩潰嗎？或者已經崩潰過了？夜深人靜時，男孩獨自一人在倫敦或布婷太太家的小屋裡，因為想像自己終將遭受處罰，恐懼不已？還是今天午餐前的幾滴眼淚就已足夠？紐約市有十歲左右的小男生、小女生親眼目睹同伴或陌生人遭到謀殺，但法蘭克不是那種人。法蘭克的罪惡感會在某個時間、以某種方式顯露。湯姆相信，每一種強烈的情緒，像是愛、厭惡或嫉妒，最終都會以某種方法呈現，呈現的方式不一定是相同的情緒，也不一定符合一般人的預期。

湯姆坐立不安，決定下樓找安奈特太太。安奈特太太正以殘忍的手法，準備把活龍蝦丟到一大鍋滾水中，她抓起龍蝦，接近滾燙的蒸氣，龍蝦拼命扭動身體。站在門口的湯姆嚇得往回彈，向她比手勢，示意他會到客廳等。

安奈特太太報以理解的微笑，因為她看過他這種反應。

他是否聽到龍蝦抗議的嘶叫聲？湯姆敏感的耳朵好像聽到廚房傳來痛苦和憤怒的叫聲，生命終結時最後的放聲嘶吼。可憐的龍蝦昨晚不知待在哪裡？安奈特太太一定是昨天，也就是禮拜五，到維勒佩斯的流動攤販採買的龍蝦。這隻龍蝦很大，不是以前那些倒綁在冰箱橫桿上徒勞扭動的小生物。湯姆聽到鍋蓋蓋上的聲音，便微微低著頭，再次走進廚房。

「安奈特太太，」他說：「不是很重要，只是……」

「湯姆先生，你都會替龍蝦擔心！淡菜也是，對不對？」她開心地說：「我告訴我的朋友——珍娜薇和瑪麗露薏絲……」她們都是此地有錢人家的傭人，安奈特太太買菜時會遇到她們，如果有好看的電視，也會輪流到對方家聚會，因為她們都有電視。

湯姆禮貌地微笑，點頭承認他的弱點，用法語說：「我肝臟是黃色的。」話才出口就發現自己講錯了，他原本想翻譯英語的「肝臟白如百合」或「黃肚皮」*，不過這不重要。他說：「安奈特太太，明天還有一位客人要來，不過在我們家只會從禮拜天晚上待到禮拜一早上。我大約八點半帶他回來吃晚餐，讓他睡年輕人現在住的房間，我睡赫絲思房間，比利先生睡我房間，我明天會再提醒妳一次。」但他知道她不需要提醒。

「好的，湯姆先生，又是美國人？」

「不，他……歐洲人。」湯姆聳聳肩說，覺得聞到龍蝦的味道，他退出廚房：「謝謝妳！」

湯姆回房聽法國流行樂電台的三點鐘新聞，沒有關於法蘭克‧皮爾森的消息，新聞播完後，湯姆發現法蘭克出門已經超過了半小時。湯姆又望向邊窗，花園角落的樹林沒有人影，湯姆點了一根菸，回到窗邊繼續等，三點七分了。

沒什麼好擔心的，湯姆告訴自己。那條路來回只要走大約二十分鐘，而且誰會用那條路？睡眼惺忪的農人，拉著或坐在馬車上，偶爾有老先生開牽引車到路旁的農地。不過湯姆還是很擔心，會不會有人一直在監視他們，從莫黑跟蹤法蘭克到麗影？有一天晚上，湯姆獨自走到喬治和瑪麗喧鬧的咖啡館喝咖啡，看看有沒有連對他都有興趣的新面孔，湯姆沒看到任何可疑人士，更重要的是，長舌的瑪麗沒有問起任何關於男孩的問題，這讓湯姆放心了些。

三點二十分，湯姆又下樓。赫絲思在哪裡？湯姆從落地窗走出去，穿越草坪，緩步朝小路走去，他盯著草坪，期待隨時聽到男孩跟他打招呼。湯姆從草地上拾起一顆石頭，用左手笨拙地丟向森林，他踢掉一根野生莓蔓，最後走到小路上。雖然雜草蔓生，但是因為路很直，他仍然看得到至少三十碼遠的地方。湯姆一邊走，一邊仔細聽，只聽見麻雀無辜而心不在焉的啾啾聲，以及不知何處傳來的斑鳩叫聲。

他不可能大叫「法蘭克」，甚至「比利」，湯姆停下腳步，又仔細聽，真的一片靜謐，沒有車子的聲音，甚至他身後麗影的路上也沒有任何車聲。湯姆開始小跑步，心想他最好到路的盡頭看一下——可是盡頭在哪裡？湯姆記得這條路長約一公里，然後就和另一條比較大的路交會，四周都是農地，種植供牛食用的玉米，也有白菜或芥菜。湯姆開始檢視路旁是否有斷枝，如果有，

＊譯注：「肝臟白如百合」（lily-livered）和「黃肚皮」（yellow-bellied）都是形容人膽小。

就表示可能有過掙扎，不過他知道馬車也會壓斷樹枝。他走到路口，交會的另一條路比較大，不過也是泥巴路，盡頭看起來像樹林，後方是農夫整理過的田地，農舍在他看不到的地方。湯姆深吸了一口氣，往回走，男孩有沒有可能在湯姆出門前回了屋子？他會不會已經在房裡？湯姆把身子往前傾，又開始奔跑。

「湯姆？」聲音從湯姆的右邊傳出。

湯姆用漆皮皮靴剎住腳步，望向樹林。

法蘭克從一棵樹後面走出——至少看起來是如此，他突然從綠葉和棕色樹幹中現身，灰色褲子和米色毛衣幾乎融進參雜著斑駁陽光的翠綠中。他獨自一人。

湯姆如釋重負：「發生什麼事？你還好吧？」

「當然。」男孩垂著頭，和湯姆一起走回麗影。

湯姆知道男孩是刻意躲起來，看看湯姆會不會來找他，法蘭克想知道他能不能信任湯姆。湯姆抬起頭，手插進口袋，感覺男孩在羞赧地瞄他，湯姆說：「你超過時間了，過了你說的時間。」

男孩一言不發，把手塞進口袋，和湯姆一模一樣。

6

同一個禮拜六下午大約五點，湯姆對赫綠思說：「親愛的，我今晚不想去葛瑞夫婦家，沒關係吧？妳還是可以去。」他們受邀去吃晚餐，大約八點要到。

「湯姆，你為什麼不去？我們可以問他們比利可不可以去，他們一定會說沒問題。」赫綠思抬起頭說，她穿藍色的牛仔褲跪在地上，替她下午在拍賣會上買到的三角桌上蠟。

「不是因為比利，」湯姆說，雖然正是因為比利。「他們都會找其他人……」湯姆故意這麼說，知道赫綠思會覺得很有意思。「有什麼關係？我可以打電話給他們，隨便說個藉口。」

赫綠思把金髮往後撥：「安東上次惹到你了，對不對？」

湯姆笑著說：「有嗎？如果有我也忘了，他惹不到我，我頂多一笑置之。」安東・葛瑞今年四十歲，建築師，工作努力，也勤於整理他們別墅的花園。他瞧不起湯姆悠閒的生活方式，但是他略帶侮辱的評語影響不了湯姆，湯姆以為赫綠思沒有發現安東對他的評論。「老清教徒，」湯姆加了一句，「像三百年前的美國人。我只想待在家，我聽夠這裡的人討論席哈克了。」安東是保守派份子，老愛裝模作樣，是那種死也不願被人發現他看《法蘭西週日報》，卻會在酒吧或咖啡館裡偷瞄別人報紙的那種人。湯姆最不希望安東發現比利是法蘭克・皮爾森，他和他的妻子艾格妮斯絕對不可能守口如瓶，艾格妮斯雖不像他那麼拘謹保守，但也好不到哪去。「要我打電話給他們嗎？」湯姆問。

「不用了，我去就是。」赫綠思繼續上蠟。

「說我有朋友來拜訪，一般人無法接受的人。」湯姆說，他知道安東覺得他的朋友都很可疑。安東有一次不小心遇到的人是誰？對了，就是天才貝納德，平常打扮邋遢，常因沉醉於白日夢而忘了禮節。

「比利人很好。」赫綠思說：「我知道你不擔心比利，你只是不喜歡葛瑞夫婦。」

湯姆開始覺得這個話題很無趣，而且因為比利在家，他得收斂一點，不然他很想說更難聽的話：「他們有權活在這個世界上。」湯姆決定先不提艾瑞克明晚要來的事。

「你喜歡這張桌子嗎？我打算放在我房間，在你睡的那個角落，原本的桌子放在客房兩張床中間比較好看。」赫綠思說，一邊欣賞發亮的桌面。

「很漂亮，真的，」湯姆說：「妳說要多少錢？」

「才四百法郎，橡木的，而且是路易十五時代的複製品，本身也有一百年歷史。我很努力討價還價。」

「妳很厲害。」湯姆真心地說，因為桌子實在好看，彷彿堅固到可以坐在上頭，雖然不會有人這麼做。赫綠思喜歡覺得自己撿到便宜，通常她並沒有。湯姆的思緒開始飄走。

湯姆回房整理要交給會計師的每月收支明細，這項工作很無趣，他給自己訂了一小時。會計師叫做皮耶——其實是赫綠思父親的會計師，他會把湯姆和赫綠思的帳與威嚴的皮里松分開。湯姆很高興不用支付會計師費用（皮里松付錢），也知道皮里松同意他們的支出，因為老先生絕對會找時間看一遍。赫綠思的收入（也就是父親給她的零用錢）是現金，所以不用申報所得稅。湯姆可以分到德瓦特公司相關收入的百分之十——一個月大約一萬法郎，如果美金夠強勢，就有將近二千美元，這筆也是檯面下的收入，他們開瑞士法郎支票給他。這部分的錢幾乎全部來自義大利佩魯賈的德瓦特美術學院，雖然一部分是巴克馬斯特畫廊的利潤，也包括德瓦特美術用品（從畫架到橡皮擦，一應俱全）的收入，不過把錢從義大利北部走私到瑞士，比從倫敦到維勒佩斯來得容易；然後還有狄奇·葛林里留給湯姆的遺產，從幾年前每月的三、四百元，漲到今天的一千八百元。詭異的是，這筆收入湯姆繳了不少所得稅給美國政府，因為那是「資本利得」。雖然諷刺，但也挺恰當，因為狄奇的遺囑是湯姆在威尼斯用狄奇的赫姆斯牌打字機，假冒狄奇簽名寫成的。

但是仔細想想，麗影每個月靠什麼收入維持生計？真的很少。列了十五分鐘開支，湯姆已經覺得無精打采，便站起來抽了根菸。

是啊，他有什麼好抱怨的，湯姆望著窗外想，他雖然向法國政府申報德瓦特公司股息的部分收入，但並非全部，湯姆自己也持有股票和美國財政部發行的長期公債（這部分的利息必須申報）。法國政府只要求他們申報在法國境內的收入——很少，只有赫綠思的，美國政府則想知道他的海外收入，湯姆雖然仍持有美國護照，但已是法國居民，他還得另外替皮耶準備英文的所得資料，好讓他處理美國的稅務，實在很麻煩。法國的文件十分繁雜，即使最平凡的小老百姓申請健康保險也得填一堆表格。湯姆雖然喜歡算術，但填寫上個月郵票花費時還是覺得很厭煩。他盯著看起來井井有條的淡綠色表格——上面是收入，下面是支出，罵了一串髒話。一小時就快過去了，這是七月底就該完成的七月收支，現在已經八月底了。

湯姆想到正在回憶父親去世經過的法蘭克。法蘭克已經把打字機搬到房間，湯姆隱約聽到打字機的聲音，一度還聽到法蘭克發出「噢」的聲音，他是否很痛苦？打字機安靜了好一陣子，男孩是不是改用手寫？

湯姆拿起一小疊收據，包括電話費、電費、水費和修車費，坐回椅子，決心完成工作。他處理好收據和收支明細，但不包括已支付的支票，因為法國銀行都會保留支票。他把文件放入牛皮紙袋，等待日後和其他資料一起放入更大的牛皮紙袋中，再交給皮耶。湯姆把信封塞入書桌左下角的抽屜，開心地站起身，覺得自己很了不起。

他伸了伸懶腰，此時樓下傳出赫綠思播放的搖滾樂，正是他需要的！那是路・瑞德（Lou Reed）的唱片。湯姆到浴室用冷水洗臉，現在幾點了？六點五十五分！湯姆決定現在告訴赫綠思關於艾瑞克要來的事。

法蘭克正好走出房間：「我聽到音樂聲，」他在走廊對湯姆說：「是廣播？不對，是唱片吧？」

「赫綠思的唱片，」湯姆說：「下樓吧。」

男孩已經把毛衣換成襯衫，沒有紮進褲子裡，他帶著恍惚的笑容走下樓，顯然這張唱片讓他十分著迷。

赫綠思把音樂開得很大聲，扭著肩膀跳舞，她看到湯姆和男孩下樓，羞赧地把音量調低。

「不用為了我調音量！很好聽。」法蘭克說。

湯姆知道他們在音樂和舞蹈上會很投契。「處理完可惡的帳目了，」湯姆大聲宣布：「打扮好了？妳看起來好美！」赫綠思穿淺藍色洋裝，搭配黑色漆皮皮帶和高跟鞋。

「我打電話給艾格妮斯，她要我早點去跟她聊天。」赫綠思說。

法蘭克彷彿以全新的角度欣賞赫綠思：「妳喜歡這張唱片？」

「對！」

「我在家裡也會放。」

「你們跳舞吧，」湯姆開心地說，不過法蘭克看起來還有點拘束。這是什麼樣的生活？幾分鐘前還在記錄謀殺過程，現在居然在聽搖滾樂。「下午有進展嗎？」湯姆輕聲問。

「寫了七頁半，有些用手寫，我換來換去。」

赫綠思站在唱機旁，沒聽到男孩說話。

「赫綠思，」湯姆說：「我明天晚上要去接瑞夫斯的朋友，他只會待一晚，比利可以睡我房間，我和妳一起。」

赫綠思把上好妝的漂亮臉孔轉向湯姆：「誰要來？」

「瑞夫斯說他叫艾瑞克，我會到莫黑接他。我們明天晚上沒事吧？」

她搖搖頭。「我要走了。」她走到電話桌旁，拿起放在上面的皮包，又從門旁的衣櫃裡拿了一件透明雨衣，因為天氣好像不太穩定。

湯姆陪她走到賓士旁。「對了，親愛的，不要對葛瑞夫婦提起有人要來我們家，也不要提男孩的事，就說我今晚要等一通電話。」

赫絲思好像靈機一動，「你是不是替瑞夫斯藏比利？」她隔著開啟的車窗問。

「不，親愛的，瑞夫斯不知道比利的事！比利只是替我們整理花園的美國小孩，但妳也知道安東那種裝腔作勢的人一定會說：『園丁怎麼可以住客房！』祝妳玩得愉快。」湯姆俯身親親她的臉，問：「保證？」

他是指保證不會提到比利。赫絲思露出冷靜又興味盎然的笑容，點點頭，湯姆知道她答應了。她知道湯姆有時會幫瑞夫斯的忙，有些她略知一二，有些則一無所知。幫忙就代表進帳，總是不無小補。湯姆替她打開大門，看著車子右轉，向她揮手。

晚上九點十五分，湯姆脫掉鞋子，躺在床上讀法蘭克的手稿。

七月二十二日的禮拜六早晨和平常一樣，沒什麼不尋常的。陽光燦爛，這種天氣是人們口中所謂的「美好的一天」。現在回想起來，那天對我來說特別奇怪，因為早上的時候，我並不知道那天會如何結束。我沒有任何計畫。我記得下午大約三點，尤金問我要不要打網球，因為沒有訪客（客人），他也有空，我不知為何拒絕了。我打電話給特瑞莎，她媽媽說她出去了（去巴爾港），也許午夜後才會回家。我很嫉妒，不知道她和誰在一起，不管是一群人或只有一個都一樣。我決定明天無論如何一定要去紐約，即使不能住公寓也沒關係。我們夏天不會住紐約的公寓，家具都罩著布。我要打電話給特瑞莎，找她一起去，我們可以在紐約待幾天，住旅館或公寓。我要採取行動，她應該對紐約有興趣。要不是父親叫我和一個名叫邦布斯泰（聽起來像這樣）的人「談談」，我可能早就在紐約了。根據父親的說法，此人是商人，年約三十，要到海恩尼斯港度幾個禮拜的假。我知道他認為三十歲很年輕，也許可以讓我改變心意，接受他們的生活方式和事業。邦布斯泰本來隔天會到的，但因為後來發生的事，他就沒來了。

（法蘭克改用原子筆）

但我在思考更重要的事，關於我的人生。我想替我的人生做總結，就像毛姆（Somerset Maugham）的回憶錄《總結》一樣，但我不確定我能不能做到。我當時在看毛姆的短篇散文（很精采），似乎只用了短短幾頁就能洞悉一切。我在思考我的人生有什麼意義（好像我的人生一定有意義）。我思考我一生最想得到的是什麼，但滿腦子都是特瑞莎，因為我和她在一起好快樂，她好像也很快樂，我們在一起，一定會找到某種有意義的、快樂的東西，讓我們變得更好。我知道我想追求快樂，每個人都應該快樂，不被任何事或任何人限制，我是指

物質上的舒適，還有快樂的生活方式，但是

（法蘭克劃掉「但是」，又改用打字機）

我記得午餐後，我媽媽的朋友泰爾來了。父親又在唸樓下大廳的老爺鐘該修理了，鐘已經停了大概一年，父親老說要送修，但是他不信任附近的店家，也不想送到紐約，那是他家族留傳下來的古董鐘。午餐時，我覺得很無聊，媽媽和泰爾聊得很開心，但是他們在講他們在紐約認識的人的笑話。

午餐後，我聽到父親在圖書室裡對著電話大吼，那是東京的越洋電話。我在走廊等，覺得很無趣。我父親說他有事要跟我講，要我傍晚六點去圖書室找他。他大可午餐時跟我講的，我生氣地走進房裡，其他人都在草坪上玩槌球。

我討厭父親，這點我承認。我聽說很多人都討厭父親，不過這不代表他們會把父親殺掉，我應該還無法理解我做的事，因此能夠像正常人一樣生活，雖然我不應該這樣。在內心深處，我覺得自己不一樣了，我很不安，也許永遠無法釋懷，所以事發後我才去找湯姆．雷普利的資料，不知道為什麼，我對他很感興趣，也許是因為德瓦特畫作的神祕事件。我家有一幅德瓦特。父親幾年前對德瓦特的畫很有興趣，他的部分畫作被懷疑是贗品，那時我大約十四歲，報上提到幾個人名，大部分是在倫敦的英國人，德瓦特在墨西哥。那陣子，我看很多間諜小說，覺得很有趣，所以我到紐約的大圖書館查閱報紙檔案的相關紀錄，很像偵探辦案。湯姆・雷普利的資料好像是最有意思的，他是美國人，住在歐洲，待過義大利。一位朋友過世後把遺產留給他，所以他一定很喜歡湯姆・雷普利。還有一名叫做莫奇森的美國人的失蹤事件，也和德瓦特祕案有關，美國人到湯姆・雷普利家之後就消失了。湯姆・雷普利可能也殺過人，他看起來不凶悍，也不會一本正經，因為報上有兩張他的照片。他很英俊，人看起來也不錯，他到底有沒有殺過人，似乎無法證實。

（法蘭克改成手寫）

那天我又想，我為何要加入舊體系？那個體系已經害死許多加入的老鼠，逼很多人自殺、崩潰、發狂。強尼已經拒絕了，他年紀比我大，所以一定知道自己在做什麼，我為何不跟隨強尼的腳步，而是聽從父親的話？

這是我的自白，我只對湯姆・雷普利坦承我殺了父親——我把他的輪椅推下懸崖。有時我覺得無法置信，但我知道我真的做了。我看過書裡那些不敢面對自己作為的懦夫，我不想像他們那樣。我有很殘酷的想法：我父親已經活夠久了，他大部分時間對強尼和我都很冷酷，他有時很好，但他老想馴服我們或改變我們。他享受過他的生活，娶了兩個太太，也交過女朋友，有很多錢，過著奢華的生活。他十一年來都不能走路，因為「商場上的敵人」企圖謀殺他，我做的那件事又有多糟？

我只寫給湯姆・雷普利看，因為他是全世界我唯一可以傾訴的對象，我知道他不討厭我，因為我現在住他家裡，受他照顧。

我要自由，要覺得自由。我要的只有自由和做自己。我覺得湯姆・雷普利的靈魂和態度都很自由，他好像也很和善，對人彬彬有禮。我該停筆，我寫夠多了。

音樂很好，任何一種音樂，古典或什麼音樂都好；不要被困在任何一種囚牢中也很好；不要控制別人，也很好。

法蘭克・皮爾森

他名字簽得很工整，下面劃了一條線，湯姆猜法蘭克平常不會在簽名下劃線。

湯姆很感動，但是他原本期望法蘭克描述把父親推下懸崖那一刻的心情。他是否期望太高？法蘭克是不是努力想遺忘，還是無法把那一刻的暴力轉換為文字——這需要分析能力，也需要不錯的文筆。也許自我保護的天性讓法蘭克不願回顧那一刻。湯姆其實也不願分析或回憶他犯下的七、八樁謀殺案，最可怕的絕對是第一次，他用槳葉或槳柄把年輕的狄奇・葛林里打死。奪走他人性命向來是人們噤口不談的祕密，詭異而可怕，也許因為無法理解，所以人們不願面對事實。對受雇除掉幫派份子或政敵的職業殺手來說，殺人實在很容易，但是湯姆和狄奇很熟，法蘭克和他父親也是，也許男孩因此才失去記憶。無論如何，湯姆都不想進一步盤問男孩。

湯姆明白男孩很想聽他的評論，也希望湯姆稱讚他，至少他誠實地寫出來了。

法蘭克在客廳裡，因為晚餐後湯姆替他開了電視，不過法蘭克顯然覺得很無聊（因為是禮拜在樓上。

六晚上），他又放了路・瑞德的唱片，雖然不像赫綠思開那麼大聲。湯姆下樓，把男孩的文章留

男孩躺在黃色沙發上，小心把腳翹在邊緣，不會弄髒黃色的綢緞。他把手臂撐在頭後，閉著眼睛，甚至沒聽到湯姆下樓，他在睡覺嗎？

「比利？」湯姆說，再次提醒自己這陣子都要叫他「比利」，這會維持多久？

法蘭克馬上坐起身：「是。」

「你寫得很不錯，寫到的部分還算有趣。」

「是嗎？『寫到的部分』是什麼意思？」

「我本來希望，」湯姆朝廚房望了一眼，從半掩的門看去，燈已經熄了，不過他還是決定就此打住，何必把自己的想法加諸在十六歲的孩子身上？「你下手的那一刻，朝懸崖邊緣跑去的時候……」

男孩馬上搖頭說：「很奇怪，我沒有寫下來，我常想到那一刻。」

湯姆可以想像，但那不是他的本意，他的意思是發現自己終結別人的性命的那一刻，如果男孩到目前為止都沒有思考過這個問題，那也許是好事，因為追根究柢、甚至找出答案又有什麼好處？而且有可能嗎？

法蘭克等著湯姆開口，但是湯姆沒再多說什麼。

「你有沒有殺過人？」男孩問。

湯姆移向沙發，這讓他比較放鬆，也離安奈特太太的房間比較遠，他說：「有。」

「不只一個人？」

「老實說，對。」男孩一定在紐約的公立圖書館仔細調閱過他的資料，再加上一點想像力、懷疑和謠言，就這樣了，沒有直接的指控。他只有一次差一點被起訴——貝納德死在薩爾斯堡附近山腰那次，不過貝納德（希望他在天之靈能夠安息）卻是自殺的。

「我好像還沒完全理解自己做了什麼事。」法蘭克的聲音小到幾乎聽不見。他的左手肘靠在沙發扶手上，比幾分鐘前放鬆了一些，但還不夠放鬆，「你呢？」

湯姆聳聳肩說：「也許我們永遠無法面對事實。」這個我們對湯姆來說有很特殊的意義，因為他不是在跟職業殺手（他還真遇過幾個）交談。

「希望你不介意我又放這張唱片，我以前會和特瑞莎一起聽，這張唱片她也有，我們都有，所以……」

男孩講不下去了，但湯姆知道他想說什麼。法蘭克好像找回了自信，甚至能找回微笑，他不再泫然欲泣或瀕臨崩潰，湯姆覺得很欣慰。要不要打電話給特瑞莎，他想問，把音樂放大聲一點，告訴她你很好，馬上回家？但是湯姆對法蘭克提過這件事，結果也不了了之。他拉了一張布椅：「法蘭克，你知道嗎？如果沒人懷疑你，你就沒必要躲藏。你已經寫出來了，很快就可以回家，對不對？」

法蘭克的目光望向湯姆，他說：「我只想在你家多待幾天，我可以幫忙，不會拖累大家，但也許你覺得我會替你帶來危險？」

「不會。」湯姆說，雖然皮爾森的名字本身就有危險，可能引來綁匪，但是湯姆說不出口，「我替你弄了一本新護照，下禮拜能拿到，換了名字。」

法蘭克露出驚喜的神色，好像湯姆送他一份禮物，他笑著問：「是嗎？怎麼弄到的？」

湯姆又沒必要地瞄了廚房一眼：「我們禮拜一去巴黎照相，護照會在……漢堡製作，」湯姆不習慣講出他在漢堡的人脈，「我已經訂好了，就是中午那通電話，你會有新的美國名字。」

「太好了！」法蘭克說。

唱片進入下一首歌，風格和上一首截然不同，旋律比較簡單。男孩浮現作夢的表情，他是在想他的新身分，還是名叫特瑞莎的漂亮女孩？「特瑞莎也很愛你？」湯姆問。

法蘭克扯起一邊的嘴角，並非微笑：「她沒這麼說。幾個禮拜前她說過一次，但是她還有不少追求者，她不一定喜歡他們，但我知道那些人一直在那裡。我說過吧？她家在巴爾港有一棟房子，在紐約也有公寓。所以現在最好不要讓她或任何人知道我的感覺，可是她知道我喜歡她。」

「她是你唯一的女友？」

「對。」法蘭克笑著說：「我無法同時喜歡兩個女孩，一點喜歡還可能，不過沒有。」

湯姆留他一個人在客廳聽音樂。

湯姆換了睡衣，在樓上房間讀伊塞伍德（Christopher Isherwood）的回憶錄，他聽見車子駛進麗影的聲音，是赫綠思。湯姆瞄了一下手錶：離十二點還有五分鐘，法蘭克還在樓下聽音樂，沉浸在自己的夢裡，湯姆希望是開心的夢。引擎在熄火時發出「隆隆」的聲音，他發覺那不是赫綠思的車。他跳下床，抓起晨袍，一邊下樓一邊穿。湯姆把門開了一條縫，看到安東把奶油色的雪鐵龍停在門階前的碎石路上，赫綠思走出乘客席。湯姆關上門，把門鎖上。

法蘭克站在客廳，好像很擔心。

「上樓。」湯姆說：「是赫綠思，她和客人一起回來。上樓，把門關好。」

男孩跑上樓。

湯姆走到門口，赫綠思正好在轉動門把。湯姆打開鎖，讓赫綠思進來，她身後跟著笑容可掬的安東。安東往樓梯的方向望去，他是否聽見了什麼？湯姆說：「安東，你好嗎？」

「湯姆，發生好奇怪的事！」赫綠思用法語說：「車子不能發動了，所以安東好心載我回來。進來，安東！安東覺得可能只是……」

安東宏亮的聲音打斷赫綠思：「應該是電池接觸不良，我檢查了一下，需要大扳手和銼刀，很簡單，可惜我沒有大扳手。哈哈！你好嗎，湯姆？」

「很好，謝謝。」他們走到客廳，音樂仍在播放。「要不要喝什麼？」湯姆說：「請坐。」

「不聽大鍵琴的唱片了？」安東問，他東聞西嗅，好像在聞有沒有香水味。他黑色的頭髮夾雜了灰髮，身材壯碩結實，現在正踮著腳尖旋轉。

「搖滾樂有什麼問題？」湯姆問：「我希望拓展廣泛的興趣。」安東的視線又飄向客廳，尋找是否有人匆匆上樓的痕跡。湯姆想起他和安東對於龐畢度中心（還是叫波堡？）的無聊爭論，湯姆覺得那棟淺藍色、橡皮管般的建築很醜，安東則替它說話，說它「太新」了，所以湯姆這種無知的人（他如此暗示）還不懂得欣賞。

「你有朋友嗎？不好意思打擾了。」安東問：「是男是女？」他開玩笑地問，語氣卻帶有惡意的好奇。

湯姆可以吊他的胃口，不過他只是笑笑說：「你猜。」

赫綠思從廚房拿了一小杯咖啡給安東：「來吧，安東，讓你有力氣開回家。」向來節制的安東晚餐時只喝了一點酒。

「坐啊，安東。」赫綠思說。

「不用了，這樣就好。」安東一邊喝咖啡一邊說：「我們看到你房間有燈，客廳的燈也亮著，所以就進來了。」

湯姆像玩具鴨一樣禮貌地點頭。安東認為有人跑進湯姆房間，而赫綠思假裝不知情？湯姆交疊著雙臂，此時唱片也放完了。

「安東，湯姆明天會帶我去莫黑，」赫綠思說：「我再請修車廠的人到你家——馬賽爾，你認識他嗎？」

「沒問題，赫綠思。」安東很有效率地放下咖啡杯，他連熱咖啡都喝得很快，「我該走了，晚安，湯姆。」

安東和赫綠思在門口交換標準的法式親吻，在臉頰上吻了一次、兩次，湯姆很討厭這種吻法，完全不是美國人想像的法式熱吻，一點也不性感，純粹可笑。安東有沒有看到法蘭克跑上樓？不太可能。「安東以為我有女朋友！」湯姆在赫綠思關上門後輕聲笑著說。

「他沒有！但是你為什麼要把比利藏起來？」

「我沒有藏他，是他自己要躲起來，他連看到恩立都有點害羞。賓士車的事我會處理——禮拜二。」非得等到禮拜二不行，因為明天是禮拜天，而禮拜一大部分的車行都不營業，他們常去的那間也是，因為他們禮拜六開門。

赫綠思脫掉高跟鞋，打著赤腳。

「晚上好玩嗎？有沒有其他人？」湯姆把唱片收回封套。

「一對住楓丹白露的夫妻，也是建築師，比安東年輕。」

湯姆幾乎沒在聽，因為他想到法蘭克的文章放在平常擺打字機的桌上，赫綠思正要上樓，她現在都用他的浴室，因為男孩睡在客房。不過湯姆還是繼續收拾唱片——只剩最後一張了，赫綠思不會看他桌上的文件。湯姆關掉客廳的燈，鎖好前門，走上樓。赫綠思應該在自己的房裡換衣服，他拿了男孩的文章，在上面別了迴紋針，塞進右上方的抽屜，想了一下，又放入標有「私人文件」的檔案夾裡。男孩必須銷毀這些文件，無論有什麼文學價值，最好是明天就燒掉，當然，要先徵得男孩同意。

7

隔天是禮拜天，湯姆帶法蘭克到楓丹白露的森林。那片林子位於楓丹白露西邊，法蘭克沒去過，湯姆知道其中有一區很少人去健行，也沒什麼遊客。赫絲思不想去，說她寧可作日光浴、讀艾格妮斯借她的小說。金髮的赫絲思總能晒成漂亮的古銅色，從不會晒過頭，但有時皮膚會比髮色稍深，也許是因為她遺傳到不同的基因。她媽媽是金髮，父親僅存的頭髮邊緣為深棕色，裡面有一圈灰色，看起來很像聖人，雖然事實絕非如此。

將近中午，湯姆開車載法蘭克到拉尚鎮，那座寧靜的小鎮位於維勒佩斯西邊幾公里處。拉尚的教堂自十世紀起便屢遭祝融侵襲。一棟接一棟小小的住家林立在鵝卵石巷旁，好像童話故事書裡的插圖。那種屋子小到幾乎容不下一對夫妻，湯姆試著揣摩獨居的模樣，覺得一個人住應該很有意思。他從沒獨居過，從小就住在可惡的朵蒂姑媽家——她平常瘋瘋癲癲，對錢卻很精明——直到他十幾歲離開波士頓，在曼哈頓的破公寓裡住了一陣子，偶爾也睡在比較闊綽的朋友家的客房或客廳沙發，後來是二十六歲時，和狄奇・葛林里住在義大利的蒙吉貝羅。他站在拉尚教堂裡，望著內部奶油色和灰色的陳設時，怎麼會想到這些？

教堂裡只有他們兩人，拉尚的遊客不多，湯姆不用擔心有人認出法蘭克，如果是楓丹白露城堡就有這層顧慮，那裡的遊客來自世界各地，況且法蘭克也許早去過了，不過湯姆沒問。

法蘭克在門邊無人的櫃台拿了幾張教堂的明信片，再把正確的錢數放入木箱，他看到手掌裡還剩不少硬幣，便手一斜，把剩下的錢幣都丟進去。

「你們家有上教堂嗎？」湯姆問，一邊踏上陡峭的鵝卵石坡，朝著車子的方向走。

「沒有。」法蘭克說：「我父親說教堂是文化落後的地方，我媽媽則覺得教堂很無聊，她不會勉強自己去。」

「你媽媽愛不愛泰爾？」

法蘭克看了湯姆一眼，笑著說：「愛？我媽媽很冷靜，即使喜歡，也不會表現出來，從不感情用事。她是演員——我的意思是，也許在真實生活中，她也會演戲。」

「你喜歡泰爾嗎？」

法蘭克聳聳肩說：「還好，他不是最糟的。他喜歡戶外運動，就律師來說體格算很強健了。我不會干涉他們。」

湯姆仍然很好奇法蘭克的媽媽會不會嫁給泰爾，但是他為何在乎？法蘭克比較重要。法蘭克好像不在乎家裡的財產，如果他的母親和泰爾基於某種原因，例如懷疑法蘭克殺了父親，決定和他斷絕關係，他也不會在乎那些錢。

「你寫的東西，」湯姆說：「應該要銷毀，留下來很危險，你不覺得嗎？」

男孩彷彿猶豫了半晌，他盯著腳，最後才堅定地說：「沒錯。」

「如果被人發現，也不能說那是短篇小說，上面都有名字。」他當然可以，但那樣太愚蠢了。湯姆問：「還是你考慮招供？」語氣在暗示這麼做太瘋狂了，根本不必考慮。

「沒有，絕對沒有。」

看到他這麼堅決，湯姆很開心：「好，既然你同意，我今天下午就把它處理掉，你要不要再看一遍？」湯姆打開車門。

男孩搖頭說：「不用，我看過了。」

回麗影吃過午餐後，湯姆走到花園（因為赫絲思在客廳的壁爐旁練習大鍵琴）。他把紙摺了兩摺，握在手裡，法蘭克穿著安奈特太太幫他洗好燙平的牛仔褲，在溫室旁揮舞著鋤頭。湯姆到花園角落靠近樹林的地方燒紙。

晚上剛過八點，湯姆準備出門，他要開車到莫黑火車站接瑞夫斯的朋友艾瑞克，法蘭克說要和他一起坐車出去，再自己走路回來，他堅持可以走回麗影，湯姆勉強答應了。出門前，湯姆對赫絲思說：「比利今晚會在房裡吃飯，他不想見陌生人，我也不希望瑞夫斯的朋友看到他。」赫絲思問：「是嗎？為什麼？」湯姆回答：「因為他可能叫比利替他做事，我不希望男孩惹上麻煩，即使報酬豐厚，妳也知道瑞夫斯那幫朋友……」赫絲思知道，湯姆常告訴她：「瑞夫斯有時很有用。」瑞夫斯能在他們有迫切需要時幫上忙，例如提供新護照、漢堡的庇護所、當中間人，赫絲思好像似懂非懂，有些事她不知道，也不想知道。這樣也好，她那愛管閒事的父親才套不出她的話。

湯姆開到路邊的平地上，停下車說：「我們折衷一下，這裡離麗影大約三、四公里，可以好好散個步，我不想載你到莫黑。」

「好。」男孩打開車門。

「還有這個，等一下，」湯姆從褲子口袋裡拿出一個扁平的盒子，是他從赫綠思房裡拿的粉餅，他說：「我不希望別人看到你的痣。」他在男孩臉頰上塗了一點粉，然後抹勻。

法蘭克笑著說：「我覺得好蠢。」

「你留著粉餅，赫綠思不會發現，她化妝品很多。我要往回開一公里。」湯姆調頭，路上幾乎沒有車。

男孩一言不發。

「我希望你在我回去之前到家，你不能從大門進出。」湯姆在離麗影僅一公里遠的地方停車：「祝你散步愉快，安奈特太太會把晚餐送到你房間，她可能已經放好了，因為我告訴她你要早點睡。待在房裡，知道嗎？」

「好的。」男孩向他微笑揮手，朝麗影走去。

湯姆又發動引擎，朝莫黑駛去。他抵達車站時，從巴黎駛來的火車也正好開始讓乘客下車。湯姆有些侷促不安，因為艾瑞克知道他的模樣，但他完全認不出艾瑞克。湯姆緩步走向出口，戴尖帽、模樣邋遢的收票員正俯身檢查乘客的車票效期。湯姆覺得四分之三的法國乘客不是學生、老人、公務員，就是因戰爭受傷的軍人，這些人只要買半票，難怪法國鐵路局老在叫窮。湯姆點了一根菸，望向天空。

「先生……」

湯姆的視線從藍天移向一張笑臉。男人個子不高，嘴唇紅潤，留著黑色的小鬍子，他穿著難看的格紋外套，領帶的條紋也很俗氣，臉上掛著圓圓的黑框眼鏡。湯姆沒有說話，等著對方先開口。男人看起來一點也不像德國人，不過這種事很難說。

「湯姆？」

「我是。」

「我是艾瑞克，」他微微行禮說：「你好嗎？謝謝你來接我。」艾瑞克提著兩只棕色的塑膠箱子，都很小，搭機時可以當作手提行李那種。他說：「瑞夫斯向你問好！」湯姆指指車子的大致方位，艾瑞克笑得更開心了，他們一起走過去。艾瑞克講話有些微的德國口音。

「旅途還順利嗎？」湯姆問。

「很好！我喜歡法國！」艾瑞克說，彷彿他是來蔚藍海岸，或法國的博物館。

湯姆的心情沒來由地鬱悶，但這有什麼關係？他可以禮貌地請艾瑞克吃頓晚餐，讓他住一晚，就這樣了吧？艾瑞克不願把行李箱放到車子後座，而是放在自己腳下，湯姆把車子開回家。

「啊……」艾瑞克撕掉鬍子：「這樣好多了，扮成喜劇演員格魯喬・馬克斯真不舒服。」

湯姆往右瞄了一眼，他也把眼鏡摘掉了。

「那個瑞夫斯！太誇張了，這種事需要兩本護照？」艾瑞克從外套內側口袋拿出護照，再從醜陋的塑膠箱子裡找出刮鬍用品包，把護照放入底層。

現在他口袋裡的護照應該比較像他本人了。他的真名是什麼？髮色真是黑色嗎？他除了替瑞夫斯做事外，還做些什麼？開保險箱？在蔚藍海岸竊取珠寶？不過湯姆不想問。「你住漢堡？」湯姆用德語問，一方面出於禮貌，一方面也想趁機練習德語。

「不，我住在更有趣的西柏林。」艾瑞克用英語回答。

酬勞可能也比較豐厚，如果這傢伙走私毒品或非法移民的話。他的箱子裡裝了什麼？他全身上下只有鞋子看起來比較高級。湯姆又用德語問：「你明天和人有約？」

「對，約在巴黎。我不會叨擾太久，明天早上八點就離開。真不好意思，瑞夫斯無法安排……我要見的人和我在機場見面，因為那個人沒那麼早到。」

車子開進維勒佩斯。艾瑞克好像很健談，所以湯姆進一步問：「你帶東西給他？是什麼……如果這麼問不會太冒昧？」

「是珠寶！」艾瑞克說，幾乎咯咯笑出聲：「非常漂亮的珍珠，我知道現在沒人喜歡珍珠了，但這些都是真的，還有一條綠寶石項鍊！」

是喔是喔，湯姆心想，但沒有開口。

「你喜歡綠寶石嗎？」

「老實說不太喜歡。」湯姆尤其不喜歡綠寶石，可能是受赫綠思影響，她的眼珠是藍色的，所以她不喜歡綠色，湯姆也不喜歡，對喜歡綠寶石或穿綠衣的女人也沒興趣。

「我正打算拿給你看，我對這些貨很滿意。」湯姆開進麗影敞開的大門，艾瑞克好像鬆了一口氣，「我可以欣賞你美麗的房子了，我聽瑞夫斯提過。」

「你可以在這裡等一下嗎？」

「你有客人？」艾瑞克警覺地問。

「沒有。」湯姆拉了手煞車，看到他房間的窗戶透出燈光，法蘭克應該在裡面，說：「我馬上回來。」湯姆走上門階，進了客廳。

赫綠思趴在黃色沙發上看書，腳翹在沙發扶手上。「就你一個人？」她詫異地問。

「不，艾瑞克在外面，比利回來了嗎？」

赫綠思轉身坐好，說：「他在樓上。」

湯姆把艾瑞克帶進來，介紹給赫綠思，並提議帶他去看房間，此時安奈特太太走進客廳，湯姆說：「這位是艾瑞克先生，安奈特太太。不用麻煩了，我帶客人到房間就可以。」

法蘭克原本住的客房已經沒有法蘭克的蹤跡，湯姆問：「我向內人介紹你是艾瑞克沒問題吧？」

「哈哈，我的真名！當然沒關係。」艾瑞克把塑膠箱子放在床邊地板上。

「那就好，」湯姆說：「浴室在那裡，盡快下來，我們可以喝一杯。」

晚上十點時，湯姆想，艾瑞克有必要住他家嗎？他明天要從莫黑搭九點十一分的火車到巴黎，如果湯姆不方便載他去，他也可以坐計程車到莫黑。湯姆明天要帶法蘭克去巴黎，但是他不會告訴艾瑞克這件事。

吃完晚餐後，艾瑞克聊起柏林，湯姆有一搭沒一搭的聽。他說柏林很好玩，很多店家整晚營業，那兒各式各樣的人都有，柏林人很特別，隨心所欲，什麼事都可能發生。柏林的遊客不多，多半是受邀去開會的無趣外國人。艾瑞克對他們的啤酒讚不絕口，那是一種叫穆茲格的法國啤酒，莫黑超市買得到，他說勝過海尼根：「但我還是最喜歡捷克的皮耳森啤酒——現裝的！」艾瑞克好像很欣賞赫綠思，努力表現出最好的一面，湯姆希望艾瑞克不會突發奇想，掏出珠寶給她看，然後又一把收回，因為不是他能做主送人的。

艾瑞克說德國可能會出現罷工，如果有的話，會是希特勒以來的第一次罷工事件。艾瑞克有一點神經質，感覺很謹慎，他二度起身欣賞大鍵琴黑色和米白色的琴鍵。赫綠思無聊得幾乎打呵欠，咖啡還沒喝就向他們致歉，先行離席。

「希望你睡個好覺，艾瑞克先生。」赫綠思微笑走上樓。

艾瑞克的目光仍無法從她身上移開，好像希望睡在她身邊。他站起身，差一點往前跌，微微欠身說：「謝謝！」

「瑞夫斯還好嗎？」湯姆隨口問。「還住在同一棟公寓！」湯姆笑著說。瑞夫斯的公寓被炸過，當時他和兼職傭人蓋碧正好不在。

「沒錯，傭人也還是蓋碧，她人很好，什麼都不怕！她很喜歡瑞夫斯，覺得他為她的生活帶來樂趣。」

湯姆改變話題：「我可以看你剛才提到的珠寶嗎？」湯姆希望藉機增長知識。

「有何不可？」艾瑞克又站起身，瞄了一眼他的空咖啡杯和酒杯，湯姆希望他沒有要再喝的意思。

他們走到樓上的客房。湯姆看到他的房門下透出光線，他要男孩把門鎖起來，不過法蘭克應該本來就打算這麼做，因為這樣比較戲劇化。艾瑞克打開小塑膠箱子中的一只，在底層摸索——也許是祕密夾層。他拿出紫色絨布，攤在床上，珠寶就包在裡面。

湯姆對裡面的鑽石和綠寶石項鍊絲毫不感興趣，即使買得起，他也不會買這種東西，不僅不會買給赫綠思，也不會買給任何人；另外還有三、四枚戒指，其中一枚鑲了大鑽石，另外一枚是綠寶石。

「還有這兩顆……藍寶石，」艾瑞克說，好像在細細品味這些字，「我不會告訴你來處，不過真的很值錢。」

伊莉莎白・泰勒最近是否遭搶，居然有人願意花錢買這麼醜陋、俗氣的鑽石和綠寶石項鍊，湯姆寧可買杜勒的版畫或林布蘭的畫作，也許他的品味提升了。他二十六歲、和狄奇一起住在蒙吉貝羅時，會不會欣賞這些珠寶？也許，但純粹是欣賞它們的價值，但那已經夠糟了。湯姆嘆口氣說：「很漂亮。沒人在戴高樂機場檢查你的箱子？」

艾瑞克笑著說：「我留那麼蠢的鬍子，人又看起來那麼乏味，怎麼會有人來煩我？穿那種便宜又缺乏品味的衣服，不會引起別人的注意。他們說過海關要憑技術，也要靠態度，我的態度就剛剛好，不會太隨便，也不會太焦慮，所以瑞夫斯很喜歡找我幫他帶東西。」

「這些東西最後會到哪裡？」

艾瑞克重新摺好紫色絨布，包妥珠寶：「我不知道，這不用我來擔心，我只需負責明天在巴黎的會面。」

「在哪裡？」

艾瑞克笑了起來。「很公開的場合，在聖傑曼區，但是我最好不要告訴你確切的地點和時間。」他揶揄地說。

湯姆也笑了，但是他根本不在乎，這幾乎和義大利貝托洛齊伯爵的事件一樣愚蠢。伯爵來麗影住了一晚，在毫不知情的狀況下，帶了一條裡面有微縮膠卷的牙膏，湯姆記得瑞夫斯要他從浴室偷走牙膏，就是艾瑞克現在住的客房的浴室。「你有鐘嗎？或者要我請安奈特太太叫醒你？」

「謝謝，我有鬧鐘。我們是不是該八點出頭就出發？我最好不要坐計程車，如果對你來說不會太早……」

「我沒問題，」湯姆打斷他，愉悅地說：「我在時間上很有彈性。你好好睡。」湯姆走出房門，明白艾瑞克察覺到他不是很欣賞那些珠寶。

湯姆發現自己忘了拿睡衣。他不喜歡裸睡，他向來認為如果有需要，晚一點再裸體還說得過去。他猶豫了一下，還是用指尖輕敲他的房門，門縫依然看得到燈光。「是湯姆。」他對著門縫小聲說，接著聽到男孩輕輕的、也許沒穿鞋的腳步聲。

法蘭克打開門，笑容燦爛。

湯姆把手指放在唇上，走進房間，鎖好門，然後輕聲說：「抱歉，我來拿睡衣。」他從浴室裡拿了睡衣和拖鞋。

「他來了嗎？是什麼樣的人？」法蘭克問，指了指隔壁房間。

「不用擔心，他明早八點左右就離開，你待在房間裡，直到我從莫黑回來，可以嗎？」湯姆注意到男孩右頰上的痣又露出來了，他可能洗過臉或洗了澡。

「是。」法蘭克說。

「晚安，」湯姆遲疑了半晌，然後拍拍男孩的手臂說：「你安全回來真好。」

法蘭克微笑說：「晚安。」

「把門鎖上。」湯姆輕聲說，又開門走出去，直到聽見鎖門聲後才離開。德國人的門縫下也透出燈光，湯姆隱約聽到浴室傳來水聲和悅耳的歌聲，是甜美感性、華爾滋風格的德語歌——「不要問我為什麼哭」，湯姆無聲地笑彎了腰。

湯姆在赫絲思的房門前停下，突然想到強尼•皮爾森也許會帶私家偵探來巴黎找弟弟，那就有點棘手了。他明天要帶男孩到美國大使館附近，那裡拍護照相片很方便。強尼會不會到大使館探聽弟弟的消息？湯姆提醒自己不要擔心尚未發生的事，果真如此的話，也沒什麼大不了的，他沒必要這麼積極地保護法蘭克，只因為法蘭克想躲藏。他會不會變得和瑞夫斯一樣，老是神祕兮兮的？湯姆敲敲赫絲思的房門。

「請進。」赫綠思說。

隔天早上，湯姆載艾瑞克到莫黑搭九點十一分的火車。他還是沒貼鬍子，心情似乎很好。他聊起路旁農地種植的供牛食用的劣質玉米，說要是品質好一點，人就可以吃，還批評接受政府補助的法國農夫效率實在非常低落。

「不過，來法國還是很開心，我今天應該會去看幾個展覽，我的工作應該很早就能完成。」

湯姆根本不在乎他多早完成工作，但是湯姆計畫帶法蘭克去波堡，那裡有「巴黎－柏林」的展覽，如果他和男孩在那裡遇到艾瑞克就太不湊巧了，因為艾瑞克很可能知道法蘭克・皮爾森失蹤的消息。好笑的是，到目前為止都沒有報紙提及法蘭克可能遭到綁架，雖然綁匪通常立刻會宣布贖金數目，顯然法蘭克的家人相信他是自己離家出走，現在仍獨自一人。現在不正是詐騙集團宣稱法蘭克在他們手上，並要求贖金的好時機？湯姆想到這裡不禁微笑。

「什麼事這麼好笑？你身為美國人不該覺得好笑。」艾瑞克刻意輕描淡寫地說，但德國人的天性仍表露無遺。他剛才說到美元貶值，以及相較於施密特政府明智的財務政策，卡特總統實在不夠稱職。

「抱歉，」湯姆說：「我在想施密特還是別人講過的話——美國的財政事務目前都操在一群業餘人士的手中。」

「沒錯！」

他們到莫黑車站了，艾瑞克沒時間再多講。他和湯姆握手，向湯姆道謝。

「祝你順利！」湯姆說。

「你也是！」艾瑞克緊抓塑膠箱，微笑離開。

湯姆開回維勒佩斯時，看到郵差的黃色箱型車在村裡送信，代表今天的郵件能準時在九點半送達，而且，這也提醒湯姆可以在鎮上的郵局辦事，不用去擁擠的巴黎郵局。他把車停好，走進郵局。那天早上他喝完第一杯咖啡後，下樓寫了一張給瑞夫斯的便箋：「……男孩約十六、七歲，五呎十吋，棕色直髮，在美國任何地方出生。請盡快寄來，多少錢再告知，先謝了。趕時間，艾瑞克到了，看來都沒問題，湯姆。」湯姆在維勒佩斯的郵局多付了九塊法郎購買快捷郵件的紅貼紙，坐在鐵格子窗後的女孩替他黏在信封上，她正準備收信時，發現信封沒封好，湯姆說他要把信封帶回家，因為還得再放東西進去。

法蘭克在客廳吃早餐，他已經梳洗完畢。

赫絲思顯然還在樓上。

「早安，你好嗎？」湯姆問：「睡得好不好？」

法蘭克站起來，仰慕的神態讓湯姆有點不自在，男孩的臉在發亮，彷彿眼前是他心愛的特瑞莎：「很好，安奈特太太告訴我你帶朋友去莫黑了。」

「沒錯，他離開了。我們大概二十分鐘後出發，好嗎？」男孩今天穿褐色的高領毛衣，這樣的裝扮應該很適合拍護照相片。《法蘭西週日報》刊登的照片很可能是他的護照相片，法蘭克在那張照片裡穿襯衫打領帶，所以這次的打扮愈不正式愈好。湯姆靠近男孩說：「今天照相時，頭髮還是可以往右分，但中間和旁邊要盡量弄亂。我到時候會再提醒你，你有帶梳子嗎？」

法蘭克點點頭：「有。」

「還有粉餅？」男孩已經用粉把痣遮住，但是得維持一整天才行。

「帶了。」男孩摸了一下右後方的口袋。

湯姆上樓時，安奈特太太正好拿掉艾瑞克昨晚的床單，換上法蘭克之前睡的。昨天男孩不讓安奈特太太換掉湯姆的床單，似乎想睡在上面，安奈特太太好像也不覺得有任何不妥。

「你和年輕人晚上會回來？」

「會的，應該會回來吃晚餐。」湯姆聽到郵差的煞車聲。他從衣櫃拿了一件藍色的休閒式西裝外套，這件外套剛買時就稍微小了一點，湯姆不希望護照相片裡出現法蘭克那件有特殊鑽石花紋的外套。

此時，他倏地發現擺在衣櫃裡的鞋子，每一雙都閃閃發亮，像士兵一樣排得整整齊齊！他從沒看過他的古馳鞋亮得那麼耀眼，皮革光潔，連他那雙有可笑緞帶蝴蝶結的漆皮拖鞋也變得好醒目。湯姆知道那是法蘭克的傑作，安奈特太太有時也會替他擦鞋，不過從來沒擦成這樣。湯姆很感動，富豪之子法蘭克・皮爾森居然替他擦鞋！湯姆關好衣櫃門，拿著外套走下樓。

好像沒什麼有趣的郵件，有兩、三封銀行寄來的信，湯姆連拆都懶得拆，一封是赫綠思的信，信封上有她朋友諾愛爾的筆跡。湯姆打開《國際前鋒論壇報》的包裝紙，走到客廳對法蘭克說：「我替你拿了這件舊外套，取代你的軟呢外套。」

法蘭克顯然很開心，他小心翼翼地穿上外套，袖子有一點長，但是男孩輕輕彎起手臂說：「太棒了！謝謝。」

「你可以留著。」

法蘭克笑得更開心了：「謝謝，真不好意思，我馬上下來。」隨即跑到樓上。

湯姆瀏覽了一遍《論壇報》，第二頁下方有一小篇文章，不大的標題寫著：「皮爾森家族雇用私家偵探」，沒有附照片：

莉莉・皮爾森，已故食品業大亨約翰・皮爾森之妻，雇用私家偵探到歐洲尋找失蹤的兒子。十六歲的法蘭克於七月底離開他們位於緬因州的家，線索顯示他曾到過倫敦和巴黎。協同私家偵探前來的是十九歲的長子強尼，其弟離家出走時取走他的護照。據了解，搜索會從巴黎地區展開，目前並未懷疑遭到綁架。

湯姆看到這篇報導，覺得有些不安，但是萬一他們今天真的撞見法蘭克的哥哥和偵探，那又如何？他的家人只想盡快找到法蘭克。湯姆不會跟法蘭克提這篇文章，他要把《論壇報》留在家裡，赫綠思平常雖然不會看，但湯姆若是帶走丟掉，她反而會問起。法文報會如何報導私家偵探和哥哥的消息？他們會不會再度刊登法蘭克的照片？

法蘭克準備好了，湯姆向赫綠思道別。

「你本來可以帶我一起去的。」赫綠思說。

這是她今天早上第二次抱怨了，赫綠思平常不會這樣，她向來有事可做。「你昨天晚上跟我說就好了。」她穿粉紅色和藍色條紋的牛仔褲，無袖的粉紅色襯衫，像赫綠思這種美女八月在巴黎穿什麼衣服並不重要，但是湯姆不想讓赫綠思知道法蘭克要去拍護照相片。「我們要去波堡，妳和諾愛爾看過那個展覽了。」

「比利是怎麼回事？」她問，金色眉毛糾結在一起。

「怎麼了？」

「他好像在擔心什麼，而且他也很愛慕你，他是同性戀嗎？」

「就我所知不是，妳這麼認為？」

「他要住我們家多久？他已經在我們家一個禮拜了。」

「我知道他今天打算去巴黎的旅行社，他說過可能要去羅馬，這禮拜就會離開。」湯姆笑著說：「再見，親愛的，我大約七點回來。」

湯姆出門前，拿起《國際前鋒論壇報》，摺好，塞進褲子口袋。

8

湯姆開雷諾車，雖然他比較想開賓士。很後悔沒問赫絲思今天需不需要用車，因為賓士車還在車庫裡，而且需要車的話，赫絲思一定會說。法蘭克好像心情很好，他把頭靠在椅背上，風從敞開的車窗吹入。湯姆放了一捲錄音帶，這次換成孟德爾頌。

「我都停在這裡，市中心停車很麻煩。」湯姆開到奧爾良門的停車場，用法語對熟識的服務員說：「下午六點回來。」湯姆開過閘門，取出印有抵達時間的停車票。他們在路上攔了一輛計程車。「蓋碧葉大道，謝謝。」湯姆對司機說。他不想在大使館門口下車，卻忘了照相館在哪一條街，他打算到附近再請司機讓他們下車。

「這才是生活，和你在巴黎搭計程車！」法蘭克說，好像還在做夢——做什麼夢？自由？男孩堅持要付計程車車資，他從湯姆舊外套的內層口袋掏出皮夾。

萬一男孩被搜查，不知皮夾裡還有什麼？湯姆請司機在蓋碧葉大道附近讓他們下車。「照相館在那裡，」湯姆說，指著大約二十碼外的一家小店，門口有一面小招牌：「好像叫瑪格麗特。我不和你一起進去，痣看起來還好，不過不要去摸，把頭髮弄亂，稍微笑一下，不要看起來太嚴肅。」因為男孩大部分時間看起來都很嚴肅，「他們會請你簽名，你就隨便簽個名，像是查爾斯・強森之類的，他們不會要你出示身分證明，我最近才去過，沒問題吧？」

「沒問題。」

「我會在那裡等你，」湯姆指著對街的咖啡館：「到那裡找我，他們會告訴你要等一小時才能拿照片，但其實只要四十五分鐘。」

湯姆走到蓋碧葉大道，右轉，朝協和廣場的方向走去，他知道那裡有書報攤。他買了《世界報》、《費加洛報》和頭版顏色鮮豔俗麗的八卦刊物——《這裡是巴黎》。走回咖啡館的路上，湯姆翻了一下《這裡是巴黎》，有一整頁都在講克莉斯汀娜・歐那西斯跌破眾人眼鏡，下嫁俄國的貧民的消息，另一頁則報導瑪格莉特公主的新歡是比她年輕的義大利銀行家，很可能是空穴來風。依舊和性愛有關——誰和誰上床、誰可能和誰上床、誰和誰分了。湯姆坐下來，點了咖啡，仔細翻閱這份報紙，沒看到關於法蘭克的報導——這種新聞和性愛扯不上邊。最後幾頁刊登了很多小廣告：如何找到靈魂伴侶——「生命短暫，尋夢要及時」，另外還有各式各樣的充氣娃娃，從便宜到昂貴都有，廣告上表示，娃娃運送時會包裝妥當，而且娃娃什麼事都辦得到。娃娃要怎麼吹氣？應該會吹到沒力吧。如果管家或朋友在公寓裡看到腳踏車打氣筒，卻不見腳踏車，不知會做何感想？假設男人把娃娃載到修車廠，請車廠的人幫他打氣，那又更好笑了。管家在床上看到娃娃，會不會以為是女屍？或是打開衣櫃，娃娃就砸到她身上？男人可以買很多娃娃，除了妻子之外，還有兩、三個小老婆，那他的幻想生活就十分精采了。

他的咖啡來了，湯姆點了一根菸，《世界報》和《費加洛報》都沒有法蘭克的相關報導。法國警方會不會派人在照相館埋伏，監視法蘭克或其他罪犯？通緝犯很需要換護照和身分證。

法蘭克微笑地走回來：「他們說一個小時，和你說的一樣。」

「像你說的一樣。」湯姆糾正他。男孩的痣被粉蓋著，頭髮依然豎立。「你簽什麼名字？」

「查爾斯・強森。」

「我們可以去散步，四十五分鐘，」湯姆說：「除非你想在這裡喝咖啡。」

法蘭克還站在那裡，他凝望對街，身體突然一僵，湯姆也向對街望去，只見呼嘯而過的車子。男孩坐下來，別過臉，緊張地揉著額頭：「我剛才看到……」

湯姆站起身來，對街的人行道上有兩個人，其中一名正好轉過身——是強尼・皮爾森。湯姆又坐下來，說了聲「啊哈」，並瞄了一眼站在吧檯後的侍者，好像沒有注意他們，他站起身，走到門口張望了一下。私家偵探（應該是）穿灰色的薄西裝，沒戴帽子，紅髮微捲，身材結實；強尼比法蘭克高，髮色比較金，白色的外套及腰。湯姆想看看他們有沒有走進照相館——招牌上沒有如此標明，看起來只是販售相機兼拍護照相片的小店。他們直接走過去，湯姆鬆了一口氣。他們剛才八成是到街角的美國大使館打聽消息。湯姆坐回椅子上：「他們應該沒有從大使館得到什麼消息，反正不會有我們不知道的事。」

男孩一言不發，臉色蒼白。

湯姆從口袋裡掏出五法郎，絕對夠付一杯咖啡，然後向男孩示意。

他們走出咖啡館，朝左轉，向協和廣場和希佛里路的方向走去。湯姆看了一下手錶，照片應該十二點十五分會好。「不要緊張，」湯姆的腳步不急不徐：「我先到店裡看看他們有沒有在裡面，不過他們剛才是沒有進去。」

「是嗎？」

湯姆微笑說：「是的。」當然，如果他們詢問大使館一般人通常在哪裡照相，也可能走回店裡。他們也許會問照相館最近有沒有法蘭克模樣的客人，但是湯姆不想再擔心無法控制的事了。他們望著希佛里路商店的櫥窗，有絲巾、迷你貢多拉船、搭配法式袖扣的華麗襯衫，還有擺在門口架子上的明信片。湯姆平常很喜歡逛史密斯書店，但是他沒有帶法蘭克進去，因為那裡很多美國人和英國人。湯姆希望法蘭克覺得這種神祕兮兮的遊戲很有趣，但是法蘭克自從看到哥哥後，就一副備受打擊的模樣。走到照相館時，湯姆叫法蘭克沿著人行道慢慢向前走，如果看到哥哥和偵探就走回希佛里路的騎樓，湯姆會去找他。

湯姆走進店裡，一對看似美國人的夫妻坐在椅子上。湯姆幾個月前看過的瘦高年輕人，也就是攝影師，正把簽名本拿給另一名顧客，是一位美國女孩，然後年輕人和女孩一起消失在布簾後，湯姆知道那裡是攝影棚。湯姆假裝欣賞了一下玻璃櫃裡的相機，然後走出小店，告訴法蘭克裡面沒有危險。

「我會在那邊等，」湯姆說，「你付過錢了，對不對？」湯姆知道男孩已經先付了三十五法郎：「放輕鬆，我就在這裡。」湯姆報以鼓勵的笑容，「走慢一點。」

法蘭克順從地放慢腳步，沒有回頭。

湯姆朝街尾走，腳步不快，但彷彿很有目標。他邊走邊留意強尼和偵探有沒有回頭，還好沒看到他們。湯姆走到路底，一回頭，正好看到法蘭克出了店門，朝他走來。法蘭克過了馬路，從外套口袋裡拿出白色的小信封，遞給湯姆。

相片裡的男孩的確和《法蘭西週日報》刊登的不太一樣，頭髮較為凌亂，也有湯姆建議的若隱若現的笑容，痣看不到了，不過眼睛和眉毛還是一個樣，如果仔細看，相片裡當然是同一名男孩。

「還可以，」湯姆說：「我們來招計程車。」

聽到湯姆這麼說，法蘭克好像有點失望。他們運氣不錯，還沒到協和廣場就來了一輛計程車。湯姆把一張照片放入準備寄給瑞夫斯的信封，將信封封好，鬆了一口氣。他請司機開到波堡，讓他們在看起來像有零食攤和郵筒的地方下車，結果兩者都離龐畢度中心的球狀建築很近。

「很驚人吧？」湯姆說，意指博物館怪異的藍色外觀：「我覺得很醜——至少從外觀來看是如此。」

藍色的長管相互交疊，像是汽球打到幾乎爆破，很像某種管路系統，不知直徑十呎的汽球裡有沒有灌水或空氣？這又讓湯姆想到，充氣娃娃會不會在男人的身體下爆裂，這種事必然會發生，那不是很令人失望！湯姆緊咬嘴唇、強忍笑意。他們在一間咖啡館吃了不怎麼樣的牛排和薯條。湯姆把快捷信封丟入咖啡館外的黃色郵筒，收信時間是下午四點。

他們去看了「巴黎－柏林」展，法蘭克似乎最喜歡德國畫家諾爾德（Emil Nolde）的《圍著金牛跳舞》，畫裡有三、四名扭動身軀的粗俗女人，其中一名幾乎全裸。法蘭克問：「金牛？是指錢吧？」他的眼神看起來更茫然了。

「對，是錢。」湯姆說，這不是能讓人心情平靜的展覽，而且他還不時得留意強尼和偵探，讓他益加緊張。這種感覺很奇怪，他一邊要思考藝術家對於一九二〇年德國社會的詮釋，包括第一次世界大戰時的反德皇海報、克胥納、狄克斯*的人像畫和他精采的《三名阻街女》，一邊要擔心一對隨時可能出現、打斷他欣賞展覽的美國人。去他的美國人！湯姆對法蘭克說：「你留意一點，看看你哥哥有沒有出現，我想好好欣賞。」湯姆的語氣有點嚴厲，但是他身旁的畫作不斷像無聲的音樂湧入他耳中，或者該說是湧入眼簾。湯姆深吸了一口氣。啊，貝克曼*！

「你哥哥喜歡看展覽嗎？」湯姆問。

「不像我這麼喜歡，」法蘭克回答：「但是也滿喜歡的。」

聽起來不太樂觀。法蘭克凝望著一幅畫，那是以炭筆描繪的房間，左後方有一扇窗，一名男子站在前方，線條陽剛，好似很疲倦，牆和地板的角度營造出禁錮感。也許不是很棒的畫，但是藝術家的信念和強烈的感情十分明顯。無論那是什麼房間，感覺都像監獄，湯姆明白法蘭克為何深受其吸引。

湯姆得把手放在男孩肩上，把他拉開。

「抱歉。」法蘭克微微搖頭，望著展覽室的兩扇門：「父親以前會帶我們去看畫展，他很喜歡法國的印象派畫作，例如巴黎街道的暴風雪，我們家就有一幅那樣的雷諾瓦，我是指《暴風雪》。」

「所以那是你父親很棒的一點，他喜歡畫，也買得起畫。」

「至少是吧，他喜歡畫……花個十幾萬美元……」法蘭克輕描淡寫地說，好像那些錢微不足道。「我發現你一直在說我父親的好話。」他略帶忿恨的加了一句。

有嗎？展覽似乎帶出法蘭克的情緒。「死者為大。」湯姆聳聳肩說。

「他買得起雷諾瓦？當然啦！」法蘭克揮舞手臂，好像準備打人，卻眼神空洞地望著前方：「他的市場遍及全世界，顧客包括每一個買得起的人。很多都是高級食材，他曾說：『美國一半以上的人都太胖。』」

他們緩緩往回走，回到他們剛才看過的展覽室。展覽室左邊有三、四間小劇場，其中一間在播放影片，大約七、八個人坐在椅子上欣賞，也有人站著。螢幕裡的俄國坦克車正在攻擊希特勒的軍隊。

「我告訴過你，」法蘭克繼續說：「除了一般的食品和高級食材，還有一模一樣，但減低熱量的食物，就像賭博和召妓，同樣是利用別人的惡習發財。你餵肥他們，再讓他們變瘦，如此這般，不停循環下去。」

* 譯注：克胥納（Ernst Ludwig Kirchner 1905-1913），德國表現主義畫家。狄克斯（Otto Dix, 1891-1969），德國「頹廢藝術」畫家之一。

✣ 譯注：貝克曼（Max Beckmann, 1884-1950），德國新寫實派和表現主義畫家。

男孩這麼激動憤慨，讓湯姆覺得很有趣，他是否在替自己謀殺父親找藉口？就像茶壺放出一點蒸氣，蓋子浮起又放下。不知法蘭克如何找到最終的赦免，帶走所有的罪惡感？他也許永遠找不到，不過他可以找到一種態度，湯姆認為，生命中犯下的每一個錯，都必須用某種態度面對，無論是錯的或對的、有建設性的還是自我毀滅的態度，一個人的悲劇不會是另一個人的悲哀，只要他找到正確的態度去面對。法蘭克覺得罪惡，才來找湯姆・雷普利，奇妙的是，湯姆從未有過這種罪惡感，從不為此煩憂。湯姆明白這一點很不尋常，大部分的人會失眠、做惡夢，尤其在犯下狄奇・葛林里這種謀殺案之後，湯姆卻不會。

法蘭克倏然握緊了拳頭，但是他什麼也沒看到，這個動作反映出他的心理狀態。

湯姆拉拉他手臂：「看夠了？我們從這裡出去。」湯姆帶他往看似出口的方向走，又進了另一間展覽室，一幅接一幅的畫作好似一排排全副武裝的士兵，即使畫中有些人物穿著晚禮服。不知為何，湯姆覺得自己被征服了，他不喜歡這種感覺。怎麼會這樣？他很確定不是因為畫的關係，得想辦法把男孩送走了，他放太多感情進去，更糟的是，他變得太情緒化。

湯姆驀地笑出聲來。

「怎麼了？」法蘭克問，他還是很在意湯姆的一舉一動，他四處張望，看看是什麼事那麼好笑。

「沒事，」湯姆說：「我腦中常出現瘋狂的念頭。」湯姆剛才想到，如果私家偵探和強尼看到湯姆和法蘭克在一起，他們可能會以為湯姆綁架了他，因為湯姆的聲名狼藉，更別提萬一偵探找上他家，得知有個男孩住在那裡；另一方面，除了安奈特太太之外，維勒佩斯又有誰知道這件事？而且湯姆也沒有提出贖金要求。

他們搭計程車到了停車場，六點多就回到麗影。赫綠思正在樓上洗頭，可能還要再洗二十分鐘，因為她還得吹頭髮。這樣很好，因為他想再試探法蘭克，男孩坐在客廳裡看法語雜誌。

「你要不要打電話給特瑞莎，告訴她你沒事？」湯姆以輕鬆的語氣說：「你不用告訴她你在哪裡，反正她一定知道你在法國了。」

一聽到她的名字，法蘭克坐直了些：「你好像……很希望我離開，我可以理解。」法蘭克站起身來。

「如果你想待在歐洲，當然也可以，那是你的事，不過打電話給特瑞莎，告訴她你沒事，你會比較開心，不是嗎？難道她不擔心？」

「也許吧，希望她會。」

「現在是紐約的中午，她在紐約？你撥十九，一，然後二一二，我可以上樓，就不會聽到你講電話。」湯姆朝電話比了一下，走向樓梯。湯姆知道男孩會打這通電話。湯姆上樓，關上房門。

不到三分鐘後，男孩來敲湯姆的房門，湯姆請他進來，法蘭克說：「她出去打網球了。」語氣像在宣布可怕的消息。

法蘭克無法想像特瑞莎那麼不關心他，居然還出去打網球，更令他痛苦的是，和她打網球的一定是男孩——她更喜歡的男孩。湯姆問：「你跟她母親講話？」

「不，是僕人，露易絲，我認識她。她要我一小時後再打，露易絲說她和幾個男生出去了。」法蘭克以悲慘的語氣引述最後一句。

「你跟她說你沒事？」

「沒有。」男孩沉吟了一下，又說：「有必要嗎？我聽起來應該還好。」

「你不能再從這裡打了，」湯姆說：「如果那位露易絲提起這件事，他們也許會追蹤電話，等著你打回去，我不能冒這個險。楓丹白露的郵局已經關了，不然我可以載你去那裡打電話，你今晚可能無法和特瑞莎聯絡了。」湯姆原本希望男孩今晚可以和特瑞莎講到話，她也許會說：「噢，法蘭克，你沒事！我好想你！你什麼時候回家？」

「我了解。」男孩說。

「比利，」湯姆堅決地說：「你要決定下一步怎麼走，你沒有嫌疑，不會被起訴，蘇西似乎沒有任何影響力，因為她什麼也看不到。你到底在畏懼什麼？你要面對事實。」

法蘭克移動身體，把手插到褲子後方的口袋：「怕我自己，我說過了。」

湯姆知道：「如果我不在這裡，你會怎麼做？」

男孩聳聳肩說：「也許自殺，也許睡在倫敦的皮卡迪利大道，你知道遊民都會聚集在噴水池和雕像附近。我會把強尼的護照寄回去，然後就不知道要做什麼了——也許等人發現我的身分，把我送回去……」他又聳聳肩：「然後我不知道，也許我永遠不會說出實情……」他強調「實情」

那兩個字，但是聲音幾乎變成耳語，「不過，也許我過幾個禮拜就會自殺，但又會想到特瑞莎……我承認我猶豫不決，萬一我將來出什麼事——或者已經出了什麼事，她也不能寫信給我，所以真的很難熬。」

湯姆不想跟法蘭克說，他在結婚之前，可能還會和十七個女孩談戀愛。

禮拜三中午剛過，湯姆驚喜地接到瑞夫斯的電話，瑞夫斯說他要的東西當晚就會準備好，明天中午前會送抵巴黎，如果湯姆急著要，想自己拿的話，可以到巴黎的某個公寓領取，不然有人會用掛號信從巴黎寄給他。湯姆說要自己拿，瑞夫斯便給了他地址和名字，是一棟公寓的三樓。湯姆也要了電話號碼，以備不時之需。「瑞夫斯，你很有效率，謝謝。」湯姆心想，瑞夫斯大可從漢堡直接寄過來，不過用飛機運送能省下一天。

「這個東西，」瑞夫斯用老人般嘶啞的聲音說，雖然他還不到四十歲：「二千塊美金，很便宜，因為不是很容易，算很新的。我想你朋友應該負擔得起。」瑞夫斯以意味深長、友善的語氣說。

湯姆知道瑞夫斯認出法蘭克了。「不能多講，」湯姆說：「我會用老方法匯錢給你，瑞夫斯。」意思是透過瑞士銀行，他又問：「你接下來幾天在家嗎？」湯姆沒有特定的計畫，只是想先知道，也許能派上用場。

「會啊，為什麼問？你要來嗎？」

「沒……沒有。」湯姆很謹慎，擔心電話可能被監聽。

「你會按兵不動。」

瑞夫斯也許知道他在庇護法蘭克，如果不是住他家裡，也是在某處。

「為何這樣大費周章？不能說，對不對？」

湯姆掛掉電話，走到落地窗前，穿牛仔褲和深藍色工作衫的法蘭克正拿著鏟子挖掘長型的玫瑰花床，他工作的速度緩慢而穩定，像是經驗老到的農夫，而非拼命做十五分鐘就沒有力氣的生手。湯姆覺得很奇怪，也許工作在男孩心目中是某種贖罪的方式？法蘭克這兩天都在看書、聽音樂和做雜事，像是洗車和打掃麗影的酒窖，他搬起沉重的葡萄酒架，再放回原位。這些工作都是法蘭克主動想到的。

他們是不是該去威尼斯？改變環境也許能幫助男孩釐清思緒，讓他做出決定。湯姆也許能把他送上從威尼斯飛往紐約的班機，獨自一人返家。或是漢堡？但是湯姆不想讓瑞夫斯加入保護法蘭克的行列，事實上他也不想再繼續庇護法蘭克了，也許有了新護照，法蘭克會找到勇氣，一個人離開，用自己的方式完成他的冒險。

禮拜四中午，湯姆撥了電話到巴黎席亞克街的公寓，一名女子接起電話，他們用法語交談。

「我是湯姆。」

「啊，對，都準備好了，你今天下午會來？」她聽起來不像傭人，像是女主人。

「是的，如果方便的話，大約三點半？」

她說沒問題。

湯姆告訴赫綠思他要去巴黎見銀行經理，大約五點多回來。湯姆沒有透支的問題，但是摩根商業銀行的經理真的會提供他關於股市的建議，湯姆覺得沒有太大幫助，他寧願把股票放在那裡，而非浪費時間在危險的股市裡操作股票。赫綠思相信湯姆的藉口，那天下午她全部心思都在她媽媽身上。赫綠思的母親五十餘歲，平時很健康，但是醫生要她到醫院進一步檢查，也許得開刀切除腫瘤。湯姆安慰她，醫生總會講出最糟的狀況，好讓病人有心理準備。

「她看起來很健康，見到她時幫我向她問好。」湯姆說。

「比利要跟你一起去？」

「不，他待在這裡，他要替我們做些事。」

湯姆在席亞克街找到免費的停車格，停好車，走向公寓。那棟建築物雖然老舊，卻維護得不錯。湯姆按了樓下大門的門鈴，大門開啟後，湯姆沒有理會走廊上的門房，直接搭電梯上三樓，然後按了左手邊標示著「胥斯利」的門鈴。

一名有濃密紅髮的高大女人稍微開了一點門。

「我是湯姆。」

「請進！這裡請。」她領他到面對走道的客廳：「你們應該見過。」

艾瑞克手插著腰，站在客廳向他微笑。沙發旁的茶几擺了一只盛咖啡的托盤，艾瑞克說：「沒錯，又是我。你好嗎？」

「很好，謝謝，你呢？」湯姆驚訝地笑著。

紅髮女人已經離開了，公寓的另一個房間傳出縫紉機單調的聲音，這裡不知是什麼地方，也許和瑞夫斯漢堡的公寓一樣，也是銷贓犯的補給站，以女裁縫師作為掩護？

「在這裡。」艾瑞克打開米白色的公文夾，解開繩子，拿出白色的信封。

湯姆拿著信封，四處張望了一下，房裡沒有別人，信封沒有封住，不知艾瑞克有沒有看過護照？也許有。湯姆不想在艾瑞克面前看，又很想知道漢堡那邊做得如何。

「你會滿意的。」艾瑞克說。

法蘭克的照片蓋了官方的浮水印，還印了「國務院紐約護照辦事處」，部分印在照片上，部分在下面，名字是班傑明・高瑟瑞・安德魯斯，在紐約出生，身高體重和出生日期都和法蘭克相近，雖然這樣他就成了十七歲，不過沒關係。湯姆覺得做得還不錯，出自於老手，也許要用放大鏡才看得出照片上的浮水印沒有完全對齊？不過湯姆看不出來。內頁第一頁的紐約住址顯然是他父母的住所，護照大約五個月新，入境處蓋著倫敦希斯洛機場的印章，接著是法國，然後是義大利，那名倒楣鬼一定在此丟了護照。上頭沒有最近的法國入境證明，但是除非海關因為法蘭克的外表而生疑，不然不會有人檢查出入境的章。「很好。」湯姆說。

「只要在照片上簽名就可以了。」

「你知道這名字有改過嗎？還是真正的班傑明・安德魯斯正在找他的護照？」湯姆看不出封面內頁的名字有塗改的痕跡，任何之前的簽名都清得一乾二淨。

「瑞夫斯說姓改過了，要喝咖啡嗎？這壺喝完了，但是我可以請傭人去煮。」艾瑞克比湯姆三天前看到他時更苗條了，連社會地位都更高了，彷彿他可以隨心所欲改頭換面。他穿輕薄的深藍色西裝褲、質料很好的白色絲質襯衫，鞋子是湯姆之前看過的那雙。「坐吧，湯姆。」

「謝謝，不過我告訴家人我馬上回去。你好像經常到處跑？」

嘴唇紅潤的艾瑞克笑了笑，露出雪白的牙齒：「瑞夫斯都會給我工作，柏林那邊也是，我這次是賣高傳真音響用品。」他瞄了一眼湯姆身後的門，壓低聲音說：「照理說是如此。哈哈！你什麼時候來柏林？」

「不知道，目前沒有計畫。」湯姆把護照放回信封，在塞進外套內層口袋之前比了一下，說：「我會再給瑞夫斯錢。」

「我知道。」艾瑞克從沙發上的藍外套拿出皮夾，抽出一張名片，遞給湯姆，說：「有機會來柏林的話，歡迎你來找我。」

湯姆瞄了一眼，尼布許街，湯姆不知道在哪裡，反正是在柏林，上面也有電話號碼：「謝謝，你認識瑞夫斯很久了？」

「兩、三年了。」他又微笑了一下，露出整齊的牙齒說：「祝你好運，湯姆，還有你的朋友！」他把湯姆送到門口，「再見！」艾瑞克用德語說，聲音很輕，但是很清楚。

開車回家的路上，湯姆想，柏林也許是好主意，並非因為艾瑞克的關係——況且他不一定在家，而是因為柏林的觀光客很少，誰會去柏林？可能只有研究世界大戰的學者，或像艾瑞克說的，受邀開會的生意人。如果法蘭克想再多躲藏幾天，柏林也許是很合適的地方，威尼斯雖然更漂亮，也更有魅力，但也是強尼和偵探可能去找的地方，而湯姆最不希望見到的，就是他們去敲他家的大門。

9

「班傑明，班。我喜歡這個名字。」法蘭克開心地說，坐在床邊盯著新護照。

「希望能給你勇氣。」湯姆說。

「我知道這要花不少錢，你儘管告訴我，即使我現在付不出來，以後也會還你。」

「二千美金……你現在自由了，要繼續把頭髮留長，還要在照片上簽名。」湯姆讓他在打字紙上練習簽名，男孩的筆跡十分簡潔、稜角分明，湯姆要他把班傑明的班寫圓一點，然後要他再練習簽三、四次全名。

男孩用湯姆的黑色原子筆在護照上簽了名：「怎麼樣？」

湯姆點點頭說：「可以，記得你以後簽名都要簽圓一點。」

他們已經吃過晚餐，赫絲思想看電視，湯姆要男孩和他一起上樓。

男孩望著湯姆，眼睛一直眨：「如果我要離開，你會不會和我一起去？去另一座城市？」他舔了舔嘴唇：「我知道我躲在這裡給你帶來困擾，如果你和我一起到別的國家，就可以把我留在那裡。」他沮喪地望著窗外，又看著湯姆說：「從這裡回去，離開你的家，我會很難過，不過我應該辦得到。」他挺直了背，好像要證明他可以靠自己的力量站起來。

「你想去哪裡？」

「威尼斯，或是羅馬，那些城市都很大，可以迷失在裡面。」

湯姆微笑，想到義大利是綁匪的溫床。「南斯拉夫呢？」

「你喜歡南斯拉夫？」

「喜歡，」湯姆說，但不表示他現在想去：「南斯拉夫可以考慮，但我不會建議威尼斯或羅馬——如果你想自由一陣子的話。柏林也可以，觀光客比較少。」

「我從沒去過柏林，你會和我一起去嗎？只去幾天？」

湯姆有些心動，柏林的確很有趣。「如果你答應會從柏林回家的話。」湯姆輕聲堅定地說。

法蘭克顯得很開心，表情就像拿到新護照時一樣：「好，我答應。」

「好，那我們去柏林。」

「你對柏林很熟？」

「去過一兩次吧。」湯姆精神一振，在柏林待個三、四天應該很好玩。他姑且相信男孩會信守承諾，直接搭機回家，而且不需他提醒。

「我們什麼時候動身？」法蘭克問。

「愈快愈好，明天也可以，我明天早上去楓丹白露訂機票。」

「我還有一點錢，」男孩的表情改變，「不多，只有相當大約五百美元的法郎。」

「不用擔心，錢的事以後再說。你去睡吧，我要下樓跟赫綠思聊天，當然，如果你想下樓也可以。」

「謝謝，我應該會寫信給特瑞莎。」法蘭克顯得很開心。

「好，但是不要從這裡寄，我們明天到杜塞道夫再寄。」

「杜塞道夫？」

「到柏林的班機得先在德國的另一座城市降落，我都去杜塞道夫，而非法蘭克福，因為杜塞道夫不用換飛機，只要下機幾分鐘、檢查護照，還有，這點很重要，不要告訴特瑞莎你要去柏林。」

「好。」

「她可能會告訴你母親，你不希望有人去柏林找你吧？她看到杜塞道夫的郵戳，就知道你在德國，但是告訴她你要去……維也納，好嗎？」

「是。」法蘭克像甫獲晉升的士兵，開心地接受指令。

湯姆下樓，赫綠思正躺在沙發上看電視新聞。「你看，」她說：「他們為什麼要不停互相殘殺？」

她並沒有期待湯姆回答。湯姆茫然地望著電視螢幕——公寓大樓遭到炸毀，紅黃色的火焰四處亂竄，一根鐵條在空中飛舞，八成是黎巴嫩。幾天前是以色列航空的班機在希斯洛機場遭到攻擊，明天就是全世界了。赫綠思可能明早十點就會得知媽媽的消息，湯姆希望檢查結果是不用動手術。湯姆打算十點前到楓丹白露，買好機票之後，再告訴赫綠思他夜裡臨時接到瑞夫斯的電話，得知有緊急工作。赫綠思房裡沒有電話，只要門關著，就聽不到他房間或樓下客廳的電話鈴聲。電視繼續轉播不幸的消息，湯姆決定改天再跟赫綠思聊天。

他上床前，去敲了法蘭克的房門，給他幾本柏林的旅遊手冊和地圖，他說：「你也許會感興趣，裡面有一些資訊，例如柏林的政治情勢。」

隔天早上，湯姆稍微改變了計畫，他決定去莫黑旅行社買他自己的機票，再以電話詢問法蘭克的機票。湯姆告訴赫綠思他半夜接到瑞夫斯的電話，要他立刻去漢堡，就一筆藝術品交易提供建議。

「我早上和比利談過，他要和我一起去漢堡。」湯姆說：「他會從那裡直接回美國。」湯姆之前告訴她，他們禮拜一在巴黎時，比利還無法決定要去哪裡。

如同湯姆所預期的，赫綠思很高興男孩要和湯姆一起去，她問：「你什麼時候回來？」

「啊，大約三天後，也許禮拜天或禮拜一。」湯姆已經梳洗完畢，在客廳裡吃吐司、喝第二杯咖啡，他說：「我幾分鐘後就要出門訂機票。希望妳十點鐘會接到好消息。」

赫綠思十點會打電話到巴黎的醫院詢問媽媽的病情，她說：「謝謝你，親愛的。」

「我有預感妳媽媽不會有事。」湯姆是真心的，因為她母親看起來很健康。此時，湯姆看到恩立出現了——今天不是禮拜二，也不是禮拜四，是禮拜五，他懶洋洋地站在溫室旁，把儲水池的雨水接到金屬製的大水罐裡。「恩立來了，真好！」

「我知道。湯姆——漢堡的工作會不會有危險？」

「不會，親愛的，瑞夫斯知道我參與過巴克馬斯特畫廊的一筆交易，有點類似漢堡的這宗交易。比利正好也可以從那裡搭機回美國，我會帶他到處逛逛。我從來不做危險的事。」湯姆微笑著，回想他從前也以為自己從不會涉入槍戰，但是有一天晚上，兩名黑手黨人士就流著血，倒在他們家客廳的大理石地板上，湯姆還得拿安奈特太太的灰抹布擦拭，他們身上都有槍，不過他拿木柴用力敲其中一個人的頭。湯姆不太希望回憶起這件事。

湯姆從房間打電話到戴高樂機場，得知當天下午三點四十五分起飛的法國航空還有座位，他替班傑明·安德魯斯訂了位，在機場取票。然後又開車到莫黑，用自己名字買了來回機票。他回到家時，告訴法蘭克他們大約一點要出門。

還好赫綠思沒跟他要瑞夫斯在漢堡的電話，湯姆以前一定給過她，但是她也許弄丟了，要是赫綠思打電話給瑞夫斯，可能會有些尷尬，所以湯姆決定一到柏林就馬上打電話給瑞夫斯，但他就是不想現在打。法蘭克在打包行李，湯姆四處環顧了一下，彷彿這裡是他即將遺棄的沉船，雖然安奈特太太會把房子照顧得很好。只有三、四天吧？沒什麼大不了的。湯姆本來打算把雷諾車停在機場的停車場，但赫綠思說要開修好的賓士載他們去，或至少和他們一起去，最後，他們決定由湯姆開賓士車到戴高樂機場。一、兩年前，他們還可以使用友善方便、正好位在維勒佩斯和巴黎之間的奧利機場，直到巴黎北邊的戴高樂機場啟用，連往倫敦的飛機都改從那裡起飛。

「赫綠思，謝謝妳收留我這麼多天。」法蘭克用法語說。

「是我的榮幸，比利！你也幫了很多忙，無論是花園或屋裡，祝你好運！」她從車窗伸出手，法蘭克俯身過去，湯姆驚訝地看著她親了法蘭克的兩邊臉頰。

法蘭克露出羞赧的笑容。

赫綠思把車開走後，湯姆和法蘭克提著行李走入機場。赫綠思熱情的道別讓湯姆想到，她從來沒問過他付多少錢給男孩。一毛也沒付。湯姆知道男孩不會願意接受任何酬勞。今天早上湯姆給了男孩五千法郎——離開法國所能攜帶的上限，湯姆也帶同樣的數目，雖然他出境時從沒被搜查過。如果他們在柏林把錢花光（可能性不大），湯姆可以從蘇黎士銀行匯錢過去。他要法蘭克去法航的櫃台買機票。

「班傑明・安德魯斯，七八九號班機，」湯姆提醒他：「我們不會坐一起，你不要看我，我們到杜塞道夫或柏林再見。」他本來想把行李拿去托運，但還是決定留在那裡看法蘭克買票有沒有問題。法蘭克前面排了一、兩個人，輪到他了，從櫃台小姐寫字和收錢的模樣看來，應該沒問題。

湯姆把行李拿去托運，搭乘上樓的手扶梯，抵達六號登機門。在英國和別處都稱做登機門的地方，這裡卻可笑地標示著「衛星」，彷彿此處即將升空，在機場上空盤旋。湯姆在最後的吸菸區點了一根菸，四處張望，乘客幾乎是男性，一個人的臉埋在《法蘭克福廣訊報》後頭。湯姆很早登機，沒回頭看法蘭克有沒有走到登機門。湯姆坐在吸菸區，半閉著眼，瞄著拿手提行李在走道間跌撞前進的乘客，沒看到法蘭克。

抵達杜塞道夫了，機上的廣播宣布乘客可以留下手提行李，但每個人都要下機。他們像一群羊，被趕到未知的終點，但是湯姆來過一次，知道他們只是要檢查護照和蓋章。

他們再度聚集到狹小的候機區。湯姆看到法蘭克了，他在買郵票，準備寄信給特瑞莎，湯姆忘了給男孩一些德國紙鈔和硬幣，他口袋裡還有上次旅遊剩下的馬克，不過那名德國女人微笑著收下法蘭克的法郎，他把信交給她。湯姆又搭上飛往柏林的班機。

湯姆對法蘭克說過：「你會喜歡柏林的泰格爾機場。」湯姆自己就很喜歡，因為那座機場很人性化，沒有贅飾、手扶梯、三層樓高的建築，也沒有讓人眼花撩亂的金屬。接待大廳是黃色系的，中間有一座圓形櫃台，販售咖啡和飲料，不到一公里就有一間廁所。湯姆提著行李站在櫃台旁，趁法蘭克接近時對他點了點頭，但是法蘭克顯然嚴守指令，看也不看湯姆，湯姆只好攔下他。

「很高興看到你！」湯姆說。

「午安。」法蘭克微笑說。

在柏林下機的四十幾名乘客似乎只剩十來個，又是賞心悅目的景象。

「我來訂旅館，」湯姆說：「你在這裡看著行李，等我一下。」湯姆走到幾碼外的電話亭，翻開自己的電話簿，找到佛蘭可旅館的電話，撥了上面的號碼。湯姆到這間平價旅館找過朋友，當時他就記下地址，以備將來之需。旅館說沒問題，他們有兩間房間，湯姆用他的名字訂了房，說大約半小時後到。還留在溫馨機場的幾個人看起來很安全，湯姆決定和男孩搭同一部計程車離開。

他們的目的地是庫坦大道附近的愛伯區。車子先經過綿延數公里的平原、倉庫、田野和穀倉，接著出現了城市嶄新的建築、米色和奶油色的高樓、天線般的尖塔。車子朝南開，湯姆漸漸意識到這座像島一樣的小城市——西柏林，是被蘇聯控制的領土包圍，他覺得有些不自在。他們已經在柏林圍牆裡，受法、美和英國軍隊保護——至少目前是如此。湯姆看到一棟鋸齒狀的老舊建築，霎時覺得很開心，他自己都吃了一驚。

「那是威廉大帝紀念教堂！」湯姆得意地對法蘭克說，好似他是當地人：「非常重要的地標，看得出來被炸過，他們讓它維持原狀。」

法蘭克望向敞開的窗，一副心移神馳的模樣，好像在欣賞威尼斯的風光，不過，柏林的確和威尼斯一樣，都是獨樹一幟的城市。

車子開過威廉大帝紀念教堂破損的紅棕色塔樓，湯姆說：「這一帶本來目光所及之處都一片平坦，所以建築物看起來才都那麼新。」

「沒錯，而且以前很殘破！」中年的計程車司機以德語說：「你們是觀光客？來玩？」

「對。」湯姆說，很高興司機願意和他們聊天，他問：「天氣怎麼樣？」

「昨天下雨，今天像這樣。」

天色陰沉沉的，但是沒有下雨。車子在庫坦大道上飛馳，然後停在紅燈前。

「你看這些店有多新，」湯姆對法蘭克說：「我其實不是很喜歡庫坦大道。」他記得第一次獨自一人來柏林時，沿著又長又直的庫坦大道來回行走，努力要感受從陳列著瓷器、手錶和皮包的漂亮櫥窗及小攤販所感受不到的氣氛。柏林老舊貧民區——十字山區，現在都是土耳其工人，還比較有個性。

司機左轉到愛伯區，經過街角的比薩店，這間店湯姆還有印象，又經過右手邊的超市，不過現在沒有營業。佛蘭可旅館在左邊，湯姆把口袋裡剩下的六百馬克付給司機。

他們各自拿出護照，把護照號碼填在櫃台接待員交給他們的白色小卡片上。他們的房間位於同一層，但沒有相連。湯姆不想住威廉大帝紀念教堂旁、比較高級的皇宮旅館，因為他住過一次，他們也許還記得他，可能會注意到他和一位不是親戚的青少年在一起。不過湯姆不在乎其他人的想法，他只覺得這種平價旅館應該比較認不出法蘭克・皮爾森。

湯姆掛好褲子，拉起床罩，把睡衣丟在塞滿羽毛、兼作毛毯的白被單上——德國的老慣例。窗外是無趣的灰色庭院和一棟約六層樓高的水泥建築，遠處可見幾棵樹的樹頂。湯姆有一種無法解釋的快樂，他覺得好自由，也許是錯覺。他把護照夾和法郎塞到行李箱底層，接著蓋上行李，走出房門，把門鎖上。他剛才告訴法蘭克五分鐘後會去接他，湯姆敲敲法蘭克的房門。

「湯姆嗎？請進。」

「班傑明！」湯姆微笑說：「還好嗎？」

「你看這張床有多誇張！」

他們一起放聲大笑。法蘭克也把床罩往後拉，睡衣放在羽絨被上。

「我們出去走走，你的兩本護照呢？」湯姆看著男孩收好護照，又從行李箱找出強尼的護照，放入寫字桌抽屜找到的信封，塞進行李箱的底層。「這樣才不會拿錯護照。」湯姆很後悔沒在麗影燒掉強尼的護照，反正強尼一定申請了新護照。

他們出了房門，沒有走樓梯，因為法蘭克想再看看電梯，他好像和湯姆一樣開心，為什麼？

「按E，代表一樓。」

他們把鑰匙留在櫃台，走出旅館，往右轉，朝著庫坦大道的方向走去。法蘭克什麼都盯著看，連烘乾臘腸狗都看得津津有味。湯姆提議到街角的比薩店喝啤酒，他們買了餐券，在櫃台排隊買啤酒，然後把大馬克杯端到已經坐了兩名正在吃比薩的女孩的桌上，女孩對他們點了點頭，表示同意讓湯姆和男孩坐下。

「我們明天去夏洛特堡，」湯姆說：「那裡有博物館，還有很漂亮的公園，我們可以去蒂爾公園。」還有今天晚上，柏林有很多地方可去，湯姆看了一眼男孩的臉頰，痣已經用粉蓋住了。「保持下去。」湯姆指指自己的臉頰說。

約莫午夜，他們到了荷米海格酒吧。法蘭克又喝了三、四杯啤酒，有一點醉意，他在酒吧外的丟球攤子贏到一隻玩具熊。湯姆替他拿著小棕熊——柏林的象徵。湯姆上次來過荷米海格，這裡是酒吧兼舞廳，觀光客很多，稍晚有變裝秀。

「你不去跳舞？」湯姆對法蘭克說：「去邀請其中一位。」湯姆意指坐在吧檯邊的兩名女孩，女孩面前放了飲料，但視線都盯著舞池上方的旋轉灰球。灰球不比海灘球大，旋轉時陰影和光點交錯打在牆上，球體本身很醜，像是三十年代的遺跡，好像回到希特勒之前的柏林，卻有一種迷人的美。

法蘭克侷促地扭動身子，彷彿沒有勇氣接近女孩，他和湯姆站在吧檯前。

「她們不是應召女。」湯姆在樂聲中大嚷。

法蘭克走進門旁的廁所，回來時經過湯姆身邊，到了舞池旁。湯姆好一陣子看不到他，後來才發現他在旋轉的灰球下和一名金髮女孩跳舞，夾雜在其他幾對男女，也許一些形單影隻的人當中。法蘭克跳得很開心，湯姆不禁微笑了起來。音樂連續播放，沒有間斷，幾分鐘後，法蘭克得意地走回來。

「如果我沒去請女生跳舞，你可能覺得我是不好種！」法蘭克說。

「女孩不錯吧？」

「不錯，很漂亮！不過她在嚼口香糖。我用德語說晚安，還說我愛妳，我只從歌詞裡學到這些，她應該覺得我喝醉了，不過她笑得很開心！」

他的確喝醉了，湯姆扶著他的手臂，協助他坐上凳子：「如果不想喝，就不要把啤酒喝完。」

舞台傳來一陣鼓聲，三名體格壯碩的男人大步走出，他們穿著有褶飾的及地禮服，分別是粉紅色、黃色和白色，還戴著寬邊花帽，巨大的塑膠乳房毫無遮掩，露出紅色的乳頭。觀眾報以熱情的掌聲！他們唱了歌劇《蝴蝶夫人》裡的一首歌，又演了幾齣滑稽短劇，湯姆聽不太懂，但觀眾似乎很捧場。

「他們的模樣真好笑！」法蘭克在湯姆耳邊大吼。

最後，三名壯男隨著《柏林氣息》的樂曲揮動裙子、把腳踢得老高，觀眾不停向他們拋擲花束。

法蘭克鼓掌大叫：「太棒了！」差一點從凳子上跌下。

幾分鐘後，湯姆勾著男孩手臂——主要是為了攙扶法蘭克，走在暗暗的人行道上，深夜兩點半仍有三兩行人。

「那是什麼？」法蘭克問，兩名奇裝異服的人朝他們走來。

看起來像一對男女，男人穿滑稽的緊身衣，戴著前後帽簷都尖尖的帽子，女人裝扮成撲克牌，靠近時，湯姆看到她是黑桃A。「也許剛從派對出來，」湯姆說：「或正要去。」湯姆之前就注意到柏林人喜歡穿很極端的衣服，甚至會偽裝自己。「他們在玩猜猜我是誰的遊戲，」湯姆說：「整座城都像這樣。」湯姆還可以說下去——柏林城本身就很怪異、很不自然，至少政治情況如此，所以，柏林市民想用他們的穿著和行徑壓過它，也就是柏林人表達「我們存在！」的方式，但是湯姆現在不想整理思緒，只說：「你想想，這裡被無趣又毫無幽默感的蘇俄人包圍！」

「湯姆，我們可不可以去東柏林？我很想去看看！」

湯姆抓著柏林熊，思考那裡對法蘭克有沒有危險，好像沒有。「當然可以，他們對從遊客身上賺錢比知道遊客的身分有興趣……計程車來了！我們走吧！」

10

隔天早上九點，湯姆從房裡打電話給法蘭克，問班傑明還好嗎？

「還好，謝謝，我兩分鐘前才起床。」

「我會點兩人份的早餐，送到房間，你過來吧，四一四號房，出來記得鎖門。」

凌晨三點回旅館時，湯姆檢查過護照是否還在行李箱裡。還在。

吃早餐時，湯姆提議他們可以先去夏洛特堡，再去東柏林，如果還有精力，就去西柏林動物園。他拿了一篇倫敦《週日泰晤士報》的文章給男孩看，作者是法蘭克・吉爾斯。湯姆當時剪下這篇文章，小心保存，因為他用很短的篇幅討論了許多關於柏林的事。標題為「柏林是否永遠分裂？」，法蘭克一邊吃果醬吐司一邊讀，湯姆說沾上牛油也沒關係，反正剪報已經很舊了。

「離波蘭邊界才五十哩！」法蘭克以驚喜的語氣說：「還有，柏林近郊二十哩內有九萬三千名蘇聯兵，」法蘭克看著湯姆：「他們為什麼這麼擔心柏林？還要蓋柏林圍牆？」

湯姆正在享用咖啡，不想長篇大論地說教，也許法蘭克今天會了解。「柏林圍牆遍及全德國，不只柏林，只是柏林圍牆最常被提及，因為柏林圍牆包圍了西柏林。但是圍牆一直延伸到波蘭和羅馬尼亞，你今天就會知道。我們明天可以搭計程車去格利尼克橋，看看西德和東德交換囚犯的地方——我是指間諜。他們甚至把那裡的河從中間分成兩半，河面可以看到鐵絲。」他至少理解一部分了，因為男孩很仔細地讀那篇文章。文章解釋了英法美三邊軍事佔領（或說是對柏林的控制）的原由，這就解釋了（但湯姆還是不懂，他總覺得關於柏林的一些事他就是無法理解）為什麼德航不能直接在柏林泰格爾機場降落。柏林很人工，也很特別，甚至不算西德的一部分，也許他們根本不希望如此，因為當地居民總以身為柏林人而自豪。

「我要換衣服，大約十分鐘後去敲你的門，」湯姆站起身：「記得要帶護照，去圍牆需要。」男孩已經換好衣服，但湯姆還穿著睡衣。

湯姆和法蘭克搭上老式的街車，從庫坦大道坐到夏洛特堡。他們參觀了展覽古文物和畫作的博物館，待了大約一小時。法蘭克在模擬遠古時代柏林地區生活的模型前駐足許久，模型是西元前三千年穿著動物毛皮、挖掘銅礦的男人。如同在波堡時一樣，湯姆也一直觀察有沒有人特別注意法蘭克，不過他只看到盯著展示櫃、喋喋不休的好奇小孩和他們的家長。柏林到目前為止都很溫和無害。

他們又搭另一輛街車回夏洛特堡捷運站，再換車到佛德里許街的柏林圍牆站。湯姆手持地圖，雖是地鐵式的列車，但車子一直在地面上行駛。法蘭克望著窗外，單調老舊的公寓代表那裡未曾遭到轟炸。接著就是灰撲撲的圍牆了，果真高達十呎，上方是帶刺的鐵絲網，許多地方被東德士兵噴了油漆。湯姆記得那是數月之前，卡特總統來此參觀時發生的事，因為他們不希望東柏林人看到西德電視台拍攝噴在牆上的反蘇聯標語——很多東德人可以收看西德電視節目。

湯姆、法蘭克和大約五十名觀光客及西柏林人在一間房裡等待，其中很多人提著購物袋、水果籃、罐頭火腿和狀似服飾店的紙盒，這些人大多是老年人，也許正要探望從一九六一年就被圍牆分隔的兄弟姐妹或親戚，可能已去過好多趟。鐵格子窗後的女孩終於唸到湯姆和法蘭克的七位數號碼，代表他們可以隨著隊伍走到另一間房間。那個房間裡擺了一張長桌，幾名身穿灰綠色制服的東德士兵在一旁看守。女孩把護照發還給他們，要他們去跟一名軍人兌換東德幣——西德馬克比東德馬克來得值錢。湯姆連碰都不想碰，厭惡地塞進後方口袋。

現在他們「自由」了，湯姆想到這點不禁微笑，他們在圍牆外，沿著圍牆另一頭的佛德里許街散步，湯姆指了指殘破的普魯士王室宮殿，他們為何不清理一下？不然也可以在周圍種一些樹籬。難道他們不想給世人留下好印象？

法蘭克四處張望，好一陣子講不出話。

「普提樹大道。」湯姆的語氣不帶喜悅，自我保護的本能促使他去尋找開心的事物，他抓起法蘭克手臂，把他拉到右邊，說：「我們走這裡。」

他們走回街上，沒錯，又是佛德里許街。街上有好幾家小吃店，長形的櫃台延伸到人行道，客人站著吃三明治、喝湯或啤酒，有些人穿著沾滿灰泥的連身工作服，看起來像建築工，也有一些女人和女孩，應是辦公室職員。

「我想買一枝原子筆，」法蘭克說：「在這裡買點東西應該很好玩。」

他們靠近前方擺著空書報攤的文具店，只見門口掛了一個牌子：今日不營業，因為我不想開門。湯姆笑著替法蘭克翻譯。

「這裡一定還有別間店。」湯姆說，繼續往下走。

還有另一家，但也沒開，門上同樣掛了一張手寫的牌子：關門，因為宿醉。法蘭克覺得很好笑。

「也許他們真的很有幽默感，不然就是我之前看過的——有點懶散。」

湯姆漸漸覺得沮喪，他記得第一次來東柏林時就是這種感覺，這裡的人衣服都鬆垮垮的，湯姆第二次來這裡，要不是男孩說要來，湯姆絕不會再來。「我們去吃午餐，轉換一下心情。」湯姆指著一間餐廳說。

餐廳很大，看來價格適中、很有效率，裡面擺了幾張鋪著白色桌巾的長桌。湯姆心想，如果他們身上的錢不夠，收銀員應該很樂意收西德馬克。他們坐下後，法蘭克仔細研究餐廳裡的客人——穿深色西裝、戴眼鏡的男人，獨自一人在吃飯；兩名豐滿的女孩在附近的桌子聊天、喝咖啡。法蘭克好像在觀察動物園的新種生物一樣，湯姆覺得很有趣。也許在法蘭克的心目中，他們是「蘇俄人」，是所謂的共產黨。

「他們不全是共產黨，」湯姆說：「他們是德國人。」

「我知道，但是一想到他們不能隨心所欲地搬去西德……他們可以嗎？」

「沒錯，」湯姆說：「他們不能。」

笑容親切的金髮女侍幫他們端來餐點，湯姆等她離開後，又說：「但是蘇俄人說他們蓋圍牆是為了不讓資本主義進來，反正那是他們的說詞。」

接下來，他們到亞歷山大廣場的電視塔頂樓喝咖啡、欣賞風景，那裡是東柏林的驕傲。過沒多久，兩人都突然很想離開。

離開圍牆區，到了被圍牆包圍的西柏林，反而覺得海闊天空。湯姆和法蘭克搭上駛往蒂爾公園的高架火車。他們剛才又換了幾張十元馬克紙鈔，法蘭克倒出他的東柏林硬幣。

「我要留下來當紀念，或寄幾枚給特瑞莎。」

「不要從這裡寄，」湯姆說：「留著，等你回家再說。」

獅子在蒂爾公園裡自由走動，老虎在游泳池旁慵懶地對著遊客打呵欠，牠們和遊客中間只隔了一道壕溝，感覺很新鮮。水裡的塘鵝在湯姆和法蘭克經過時，抬起長脖子高聲鳴叫。他們緩步朝著水族館走去，法蘭克就是在這裡愛上了藍吊帶。

「太神奇了！」法蘭克詫異地張大了嘴，頓時像十二歲的小孩：「這些睫毛！好像化了妝！」

湯姆微笑地望著漂亮的藍色小魚，牠們長度不到六吋，不急不徐地游動，顯然漫無目標，圓圓的小嘴不停張合，好似在發問。牠們的眼睛很大，眼瞼上有一圈黑線，上下都有宛如黑色長睫毛的優雅曲線，彷彿漫畫家以油彩筆在牠們藍色的魚鱗上畫了一筆，真是大自然的傑作。他以前看過這種魚，現在再看到，還是覺得很驚豔。法蘭克喜歡藍吊帶，勝過知名的畢卡索魚，讓湯姆覺得很高興。黃色的畢卡索魚也很小，身上有黑色的曲線，很像畢卡索立體派時期的畫風，牠們的頭上有一道藍色條紋，還有突出的觸鬚，的確很不尋常，但遠遠比不上藍吊帶的睫毛。湯姆把目光移開水底世界、邁步往前走時，覺得自己好笨拙，他用力吸了一口空氣。

接下來是住在加熱玻璃櫃裡的鱷魚，上方有供遊客行走的天橋，鱷魚身上有幾處傷口在流血，顯然是被同伴所傷，不過牠們現在都在打瞌睡，臉上掛著可怕的微笑。

「看夠了嗎？」湯姆問，「我想去火車站了。」

他們離開水族館，走了幾條街到火車站，湯姆用法郎換了更多德幣，法蘭克也換了一些。

「班，你知道嗎？」湯姆一邊收錢一邊說：「再待一天，你就要考慮回家的事吧？」湯姆望了一眼火車站，這裡聚集了不法之徒、買賣贓物的人、同性戀、皮條客、吸毒者，還有天曉得做什麼的人。他快步前進，想盡快離開這裡，以防在這裡閒晃的人當中有人對他或男孩感興趣。

「我可能會去羅馬。」法蘭克說，他們正朝著庫坦大道走去。

「不要去羅馬，下次再去，你去過羅馬了吧？」

「小時候去了兩次。」

「先回家，把事情處理好，包括特瑞莎的事。你今年夏天還是可以去羅馬，現在才八月二十六日。」

大約半個鐘頭後，湯姆在房間休息，瀏覽德文報紙，法蘭克從房裡打電話給他。

「我訂了禮拜一飛往紐約的機票，」法蘭克說：「十一點四十五分出發，法國航空，在杜塞道夫轉搭德航。」

「很好。」湯姆鬆了一口氣。

「我想先跟你借一點錢，我有錢買機票，但是手頭可能有點緊。」

「沒問題。」湯姆耐著性子說。五千法郎相當於一千多美元，如果男孩直接回家，為何需要那麼多錢？還是他習慣身懷鉅款，不然就不自在？或者湯姆借他錢，對法蘭克而言象徵了關愛？

他們晚上去看電影，影片還沒播完就走出戲院。已經十一點多，他們還沒吃晚飯。湯姆領著法蘭克，走到緊臨戲院的餐廳。吧檯的啤酒龍頭下排了至少八杯半滿的啤酒杯，等待客人點用，德國人倒一杯啤酒要花好幾分鐘，湯姆十分欣賞這點。湯姆和法蘭克在櫃台挑選食物，包括自製濃湯、火腿、烤牛肉和羊排、捲心菜、炸薯條或水煮馬鈴薯，以及六種麵包。

「關於特瑞莎，你說得沒錯，」他們找到座位後，法蘭克說：「我應該和她把事情說清楚。」法蘭克吞了一口東西，雖然他還沒開始吃：「她也許喜歡我，也許不喜歡，而且我發現我太小了，還要五年才唸完大學，天啊！」

法蘭克彷彿突然對教育制度極度不滿，但是湯姆知道他的問題是摸不透女孩的心。

「她和其他女孩不一樣，」男孩繼續說：「我無法用言語形容。她不笨，很有自信，這點有時會讓我害怕，因為我看起來不像她那麼有自信，也許我真的沒那麼有自信……也許你有機會見到她，希望你能見到她。」

「我也希望，趁熱吃吧。」湯姆不認為他會見到特瑞莎，但是支持人們走下去的，不正是男孩努力想抓住的這種希望和幻想嗎？自我、士氣、精力，還有人們所謂的未來，不都是建築在別人身上的想像？所以很少人可以獨自生存。他自己呢？湯姆想像麗影沒有赫綠思的日子，除了安奈特太太之外，沒有任何交談的對象；沒有人打開留聲機，讓屋裡突然充滿搖滾樂或寇派崔克（Ralph Kirkpatrick）演奏的大鍵琴樂聲。即使湯姆生活中有很多事不讓赫絲思參與，包括他那些危險的非法活動——如果被揭穿，麗影極可能不保，但她已是他生命的一部分，幾乎成了他的血肉，就像結婚誓言描述的一樣。他們不常做愛，即使睡同一張床也不一定會，機率幾乎不到一半，但是只要他們在一起，赫絲思總是熱情溫暖。她好像不在乎他們的性生活這麼不頻繁，這一點很不尋常，因為她才二十七、八歲。但是他喜歡這樣，他無法忍受一個禮拜有好幾次需求的女人，那會讓他倒盡胃口。

湯姆鼓起勇氣，刻意以輕描淡寫的口吻問道：「你和特瑞莎在一起過嗎？」

法蘭克抬起頭，露出虛弱的笑容：「有一次，我……當然很美好，也許太美好了。」

湯姆讓他繼續說下去。

「我只跟你一個人講，」法蘭克小聲說：「我表現不是很好，可能太興奮了，她也很興奮，但什麼也沒發生……真的，我們在她家位於紐約的公寓，大家都出去了，我們鎖上所有的門……她笑了。」法蘭克望著湯姆說，像在陳述事實，並非令他傷心的往事，只是事實。

「她笑你？」湯姆問，假裝不太有興趣，他點了一根近似於高盧牌的德國菸。

「我不知道是不是笑我，也許吧，我覺得很難過、很丟臉，我想和她做愛，卻無法完成，你知道嗎？」

湯姆可以想像，他說：「也許是和你一起笑。」

「我努力要笑。別告訴任何人好嗎？」

「我不會，況且我要跟誰講？」

「學校其他男生都會吹牛，我不認為是真的，彼得——他大我一歲，我很喜歡他，但是我知道他講的不全是真話，我是說關於女孩的事。如果你不是很喜歡對方，那當然很容易……吧，只顧自己高興，粗暴地完事就好了。但是……我愛特瑞莎好幾個月了，自從我見到她的那天晚上，到現在已經七個月了。」

湯姆在心中構思一個問題——特瑞莎有沒有其他可能跟她上床的男友？湯姆還沒開口，響亮的音樂就蓋過了啤酒館鼎沸的人聲。

離他們較遠的牆邊出現騷動，湯姆看過這場表演。燈光亮起，老舊的留聲機開始播放歌劇《魔彈射手》喧鬧的序曲。一棟鬼屋的剪影映照在牆上，樹上停了一隻貓頭鷹，月光搖曳，燈光閃爍，右側有雨水滴落，配上像是有人在後台搖晃大鐵罐的雷聲。幾個人站起來看。

「太瘋狂了！」法蘭克笑著說：「我們去看！」

「你去。」湯姆說完，男孩便往前走。湯姆想從遠處觀察法蘭克，看看有沒有人在監視他。

法蘭克穿著湯姆給他的藍色外套和棕色燈芯絨褲，褲子有點短，男孩一定長高了，他雙手叉腰，欣賞舞台上的演員表演靜止的畫面。沒有人注意男孩。

音樂在一陣銅鈸聲中結束，燈光變暗，雨不再下，觀眾又回到座位上。

「真是聰明！」法蘭克緩步走回，好像很放鬆，他說：「你知道嗎？他們讓雨滴到前面的小溝裡。我幫你再買一杯啤酒？」法蘭克很想替他服務。

將近一點時，湯姆請計程車司機載他們到一間酒吧，叫做「開心的手」。湯姆不確定在哪一條街上，不知道誰跟他提過這間酒吧，好像是瑞夫斯。

「你可能是指『開心的屁股』。」司機用德語笑著說，雖然酒吧名稱仍是英語。

「您說的是。」湯姆說，他知道柏林人私下聊天時會替酒吧改名字。

這間酒吧沒有招牌，只有在門外牆上的玻璃櫃裡擺了打著燈的酒單和點心菜單。湯姆推開咖啡色的大門，一名高大的男子——看起來像鬼，開玩笑地把湯姆推回去。

「不行，不行，你不能進來這裡！」那個人說，然後又抓住湯姆毛衣，把他拉進去。

「你好美！」湯姆大聲對拉他進去的男人說。那人身高超過六呎，穿了一身寬大及地的穆斯林長袍，臉上塗了粉紅色和白色的油膏。

湯姆一邊朝吧檯移動，一邊確定法蘭克沒有跟丟，看來幾乎不可能辦到，人實在太多了——全是男人和男孩，都在互相嚷嚷。裡面好像有兩、三間讓人跳舞的房間，很多人盯著竭力跟在湯姆身後的法蘭克，向他打招呼。「算了吧？」湯姆對法蘭克說，開心地聳聳肩，意指他不可能走到吧檯點啤酒或其他飲料。牆邊有幾張桌子，但是都坐了人，更多人站在旁邊和坐著的人聊天。

「哎呀！」一名穿女裝的男人對著湯姆的耳朵大叫，湯姆知道也許是因為他看起來不像同性戀，覺得有些不好意思，他們沒被丟出去真是奇蹟，或許全得感謝法蘭克。這也讓他想到，他身邊跟了一名英俊的十六歲男孩，當然會遭人嫉妒，湯姆恍然大悟，不禁微笑。

一名穿皮衣的男子邀請法蘭克跳舞。

「去吧！」湯姆大聲對法蘭克說。

法蘭克起先有些不知所措，也有點畏懼，後來似乎鎮定下來，和皮衣男子一起走到舞池。

「……我表哥在達拉斯！」一名操美國口音的男人在湯姆的左側，湯姆離他遠一些。

「達拉斯沃爾斯堡！」他的德國同伴回答。

「不對，那是他媽的機場！我是說達拉斯！那間酒吧叫禮拜五，同性戀酒吧！男同志和女同志！」

湯姆轉身背對他們，走到吧檯邊緣點了兩杯啤酒。三名笑得很嫵媚、身穿破舊藍色牛仔褲的酒保也戴了假髮、擦口紅，襯衫上有褶飾。好像沒有人喝醉，但是大家都興高采烈。湯姆一隻手扶著吧檯，踮起腳尖尋找法蘭克，他看到法蘭克在跳舞，跳得比在荷米海格和女孩共舞時更狂熱，好像又有一個人加入他們，不過湯姆不確定。此時，一座比人還高、宛如希臘天神阿多尼斯的金色雕像從天花板降落，在舞池上方旋轉，從上面飄下來的彩色氣球因為人群的活動而盤旋、上升，其中一顆汽球印有哥德式黑色字體的「幹你娘」，其他汽球上面也有圖案和文字，不過從湯姆的角度看不到。

法蘭克走回湯姆身邊：「你看！掉了一顆扣子，抱歉，我在舞池裡找不到，我找的時候還被撞倒。」他是指外套中間的鈕釦。

「沒關係！你的啤酒！」湯姆說，把細長的玻璃杯遞給男孩。

法蘭克啜飲著泡沫：「他們真的好開心……」他大聲說：「沒有女生。」

「你為什麼回來？」

「另外兩個人在吵架……有一點！原先那個人，他說我聽不懂的話。」

「沒關係，」湯姆說，他可以想像：「你應該請他用英語說！」

「他說了，我還是聽不懂！」

湯姆身後有一對男人在瞄法蘭克，法蘭克告訴湯姆今晚很特別，是某人的生日，所以才有氣球。音樂大聲到無法交談，但是也沒必要交談，顧客都能看到彼此的商品，不是相偕離開就是交換地址，法蘭克說他不想再跳舞了，他們只喝了一杯啤酒就離開。

禮拜天早上十點，湯姆醒來，打電話問樓下還有沒有供應早餐。還有。他又打到男孩房間，沒人接。法蘭克出去散步了嗎？湯姆聳聳肩。他對自己聳肩？那是無意識的動作？男孩會不會在街上遭遇麻煩，被警察盤問？「請問你叫什麼名字？可不可以看你的護照或身分證？」他和法蘭克之間有臍帶相連嗎？沒有。即使有，也該剪斷了。湯姆心想，反正明天就會切斷了，男孩就要搭機到紐約。湯姆把香菸空盒揉成小塊，往垃圾桶丟，沒丟中，他又走過去撿起來。

湯姆聽到門上有用指尖輕輕敲門的聲音，敲法和他一模一樣。

「我是法蘭克。」

湯姆打開門。

法蘭克手上提了一袋裝在綠色透明塑膠袋裡的水果：「我出去走走，他們說你點了早餐，所以我知道你醒了，我用德語問的，厲害吧？」

將近午時，他們握著罐裝啤酒，站在十字山區的快餐車旁，法蘭克還拿著肉餅（就是沒有麵包的漢堡）。肉餅是冷的，但是已經煮熟，可以沾芥末吃。一名土耳其人拿著啤酒和德國香腸站在他們身旁，他穿著夏季最流行的裝扮——光著上身，毛茸茸的小腹突在短褲外，綠色的短褲不僅破舊，可能還被狗咬過，他髒兮兮的腳趿著涼鞋。法蘭克不動聲色地打量他，說：「柏林很大，一點都不覺得擁擠。」

這讓湯姆想到他們下午可以去哪裡——古耐沃德森林，不過他們可以先去格利尼克橋看看。「我永遠不會忘記這一天——我和你在一起的最後一天。」法蘭克說：「我們不知何時能再相見。」

湯姆心想，這不是對戀人說的話嗎？如果湯姆十月去美國時順道去找法蘭克，他的家人——尤其是母親，會不會喜出望外？湯姆可不這麼認為。他母親知不知道德瓦特畫作疑遭仿冒之事？很可能。因為法蘭克的父親也許在晚餐時提過這件事，法蘭克的母親會不會對他的名字留下不好的印象？湯姆不想提這件事。

過了午餐時間，他們才在地勢較高的露天餐廳用餐，餐廳俯瞰著藍色萬湖中的小島，他們的腳下踩著小石子和泥土，頭上綠蔭環繞，魁梧的侍者十分友善。他們點了酸甜燉肉佐馬鈴薯餃子和紫色萵苣。這裡是西柏林的西南區。

「天啊，德國好美，對不對？」法蘭克說。

「真的？比法國美？」

「這裡的人好像比較友善。」

湯姆也這麼認為，但是好像很少人這樣形容柏林。那天早上，他們坐車經過一大段看不到衛兵的圍牆，那段圍牆和佛德里許街的圍牆一樣高達十呎，牆後有拴著活動頸圈的狗，牠們聽到計程車聲，便開始吠叫。司機好像很高興載到他們，一直滔滔不絕。他用德語告訴他們，在圍牆後方看不見的地方，也就是狗的後面，有一片地雷區：「有五十公尺寬！」再後面是幾乎深達九呎的壕溝，用來阻隔車輛，更後面還有一條整理過的路，只要有人經過便會留下足跡。「他們花好多工夫！」法蘭克說。湯姆心血來潮，試著用德語對司機說：「他們稱自己是革命份子，但現在卻是最退步的一群，他們說每個國家都需要革命，但為何有些團體仍和莫斯科掛鉤……」司機說：「莫斯科現在只能到處展現武力。理念，沒有了。」一副聽天由命的口吻。湯姆在格利尼克橋替法蘭克翻譯寫在大海報上的標語：

將此橋命名為統一橋之人，也立起圍牆，裝上鐵絲網，製造了「死亡帶」，同時阻礙了統一。

湯姆如此翻譯，但是男孩想記下德文的原文，湯姆便替他寫下來。司機賀門十分友善，湯姆問他想不想吃午餐，請他午餐後再載他們去別的地方，賀門同意了，不過很有禮貌地說他想自己坐另一桌吃。

「古耐沃德森林，」湯姆付好帳單，對賀門說：「可以嗎？然後你就可以走了，因為我們想四處逛逛。」

「當然可以！」賀門說，吃力地離開座椅，彷彿午餐下肚立刻多了幾公斤，天氣還算溫暖，他穿短袖白襯衫。

車子朝北開了四哩，湯姆把柏林地圖放在腿上，給法蘭克看他們人在哪裡，他們過了萬湖橋，朝北轉，經過小屋群聚的林子，最後終於到了古耐沃德森林。湯姆告訴法蘭克，法、英、美軍時常在此進行坦克和射擊演習——玩戰爭遊戲。

「賀門，可以讓我們在垃圾山下車嗎？」湯姆問。

「垃圾山，好的，就在惡魔山旁邊。」

賀門把計程車開上斜坡，便到了垃圾山，這座山是以戰爭的廢棄物堆成，上面覆蓋了土。湯姆把車資付給賀門，另外多給了二十馬克。

「謝謝你，祝你們玩得愉快！」

一名小男孩站在高處玩遙控飛機，山上彎曲的凹槽可以讓人滑雪和玩平底雪橇。

「他們冬天在這裡滑雪，」湯姆對法蘭克說：「好玩吧？」湯姆不知道現在有什麼好玩的，沒有雪，但他覺得神清氣爽，放眼望去，一邊是廣大的森林，另一邊可以看到遠處的柏林市。一條碎石小徑通向森林，看起來很原始，從地圖判斷，這裡的佔地大約十二平方哩。柏林城裡居然有這麼一座森林，實在很幸運，因為整座西柏林城都被包圍了，當然也包括古耐沃德森林。

湯姆說：「我們走這裡。」

他們沿著小徑走入森林，幾分鐘後就被大樹包圍，樹蔭隔絕了大部分陽光，一對年輕情侶在幾碼外的地方野餐，把毯子鋪在松葉上，法蘭克出神地望著他們，也許有點嫉妒。湯姆撿起一顆小松果，吹一吹，放進褲子口袋。

「樺樹很棒吧！我喜歡樺樹！」法蘭克說。

斑駁的樺樹四處林立，各種尺寸都有，另外也有松樹和幾棵橡樹。

「我記得有一區是軍事區域，圍了有刺的鐵絲網，也有紅色的警告標示。」湯姆有些心不在焉，不太想講話，男孩好像有點悲傷。

明天此時，法蘭克就要坐上飛機，朝著西邊、向紐約飛去。他即將回到什麼樣的世界？摸不透心思的女孩和曾問他有沒有殺死父親的媽媽？他母親在他否認時似乎相信了他。美國那邊的情況是否有變化？有沒有發現對法蘭克不利的證據？這很有可能，湯姆猜不到是什麼證據，但確實有此可能。法蘭克真的殺了父親？或那只是他的幻想？湯姆不是第一次這樣懷疑。難道是因為陽光照射下的森林實在太美，那天也實在太美好，讓他不願相信男孩殺了人？湯姆注意到他們的左邊有一棵斷落的大樹，湯姆走了過去，男孩跟在他身後。

湯姆走近一看，才知道樹是被砍斷的。他靠在樹上，點了一根菸，瞄了瞄手錶，想要回垃圾山，他知道那裡招得到計程車，再走下去很可能迷路。湯姆問：「要菸嗎？」昨晚男孩抽了一根。

「不了，謝謝，我去上個廁所。」

男孩走過湯姆身邊，湯姆站直身子，對男孩說：「我在那裡等。」指了指他們剛才走過的小徑。湯姆想，他可以明天下午回巴黎，除非他決定去找艾瑞克，也許在他家住一晚，看看艾瑞克在柏林的公寓長什麼樣、他過什麼樣的生活，也許很有意思。這樣一來，他也有時間替赫絲思買禮物，到庫坦大道替她挑個皮包。湯姆隱約聽到聲音，他往右看，好像有人在講話。「班？」他高聲叫，往回走幾步，又叫：「班，你迷路了嗎？在這裡！」湯姆走回剛才那棵斷樹：「班！」前面的林子好像有樹枝斷裂的聲音？或者只是風？

一片靜謐。

湯姆想，法蘭克又在耍花招了，就像麗影那次一樣，在路旁等著湯姆去找他。湯姆不想走進林子，因為樹叢可能割破他的褲管，他知道男孩聽得見他：「好了，班！別鬧了！我們走！」

湯姆吞了一口唾液，驀地覺得難以吞嚥。他在擔心什麼？湯姆自己也不確定。

湯姆往左前方跑，他好像聽見樹枝發出唏唏嗦嗦的聲音：「班！」

沒有回應，湯姆拼命往前跑，只停下一次腳步，回頭望了一眼空盪茂密的樹林，他又繼續跑：「班？」

眼前出現泥巴路，他沿著泥巴路朝左走。走了一會兒，路稍微往右彎，他該繼續前進，還是回頭？受到好奇心驅使，他決定往前走，而且開始用跑的，同時決定如果再過三十碼還看不到男孩，他就要回頭去林子裡找。男孩又想逃跑？要是他這麼做，就太不明智了，護照在旅館裡，他哪兒也去不了。或許法蘭克被人擄走了？

答案出現在前方一處比路稍低的小平原上：一部深藍色的轎車，車頭正對湯姆，兩扇前門都開著，駕駛忽然發動引擎，用力關上門；另一名男子從車後跑來，正準備跳入司機旁的座位時，看到湯姆，遲疑了一下，然後把一隻手放在門上，另一隻手往夾克裡摸。

湯姆確定他們抓走法蘭克了，他走過去：「你們在搞什……」

湯姆看到距離他大約五碼遠的地方，一把手槍的槍口指著他的臉。男人雙手握槍，滑進車裡，關上門，車子開始往後退。車牌是B-RW-778，司機的頭髮是金色的，跳進車裡的男人體型壯碩，黑色直髮，有鬍子，湯姆應該被他們看得很清楚。

車子漸漸駛遠，車速不快，湯姆可以跳上去，但那又為了什麼？他想肚子挨槍？湯姆・雷普利的性命和身價好幾百萬的男孩相比，算得了什麼？法蘭克在後車箱？嘴巴是否被塞住？或是頭被敲昏？後座還有人嗎？很有可能。

他在那輛奧迪車靜靜地轉了一個彎，開出他視線時想到這些。

湯姆身上有原子筆，但是找不到紙，他取出菸盒，拿掉玻璃紙，趁著記憶猶新，把車牌號碼寫在粉紅色的包裝紙上。他們知道他看見了車牌，很可能棄車逃逸或把車牌換掉，或許車根本是偷來的。

也有可能他們認出他是湯姆・雷普利，或許他們從昨天開始就跟蹤他和法蘭克，除掉他對他們來說有沒有好處？機率大約一半。他此刻真的無法思考，記下車牌號碼時手不停顫抖。林子裡果然有人聲！綁匪也許佯裝發問，趁機接近法蘭克。

最好打消在柏林多待一天的念頭。湯姆又走進茂密陰鬱的林子裡，抄近路走到小徑，因為他擔心綁匪決定回頭射他一槍。

11

湯姆沿著剛才和法蘭克一起走過的路，回到垃圾山，心煩氣躁地等了將近二十分鐘，才招到一輛正好駛來的計程車，因為大部分遊客都是自己開車來古耐沃德森林。湯姆請司機載他到愛伯區的佛蘭可旅館。

套句法蘭克常說的話——那該有多好？如果男孩在旅館的房裡等他，告訴他又是個玩笑；如果湯姆看到的車和槍都是惡作劇的一部分，那該有多好？但事實並非如此，法蘭克的鑰匙還掛在旅館櫃台的掛鉤上，和湯姆的一樣。

湯姆拿了鑰匙，走進房間，緊張地從裡面把門鎖上。他坐在床沿，拿起電話號碼簿，翻到最前面找警察局的電話。果然找到了！他撥了「緊急專線」，把寫了車牌號碼的菸盒放在眼前。

「我好像看到有人被綁架。」湯姆說，然後回答男人的問題，什麼時候？在哪裡？

「請告訴我你的名字。」

「我不想說我的名字，我記下車牌號碼了。」湯姆唸了號碼，以及車子的顏色和廠牌。

「什麼人被綁架？你認識他嗎？」

「不認識，」湯姆說：「是一位男孩，看起來大約十六、七歲，其中一個人有槍。我可不可以幾小時後再打電話來問有沒有進展？」無論男人怎麼回應，湯姆都會再打。

男人說：「可以。」然後草率地說了謝謝，掛斷電話。

湯姆告訴他綁架案大約在下午四點發生，在古耐沃德森林裡，離垃圾山不遠。現在幾乎五點半了，他應該聯絡法蘭克的母親，警告她也許會有人向她要求贖金，雖然警告也許無濟於事。現在皮爾森在巴黎的私家偵探終於有事可做了，湯姆不知道如何聯繫他，不過莉莉・皮爾森一定知道。

湯姆向旅館櫃台要安德魯斯先生的鑰匙：「我朋友出去了，他要我幫他拿東西。」

他們二話不說就把鑰匙交給湯姆。

湯姆上樓，走進法蘭克房間，床已經鋪好了，房間整理得整整齊齊。湯姆先找書桌上有沒有電話簿，又想到法蘭克的皮箱裡有強尼的護照。強尼護照上的地址是紐約的公園大道，他母親應該在肯納邦克港，不過有總比沒有好。湯姆抄下地址，把護照放回皮箱，又在皮箱蓋的夾層找到咖啡色的小電話本，他連忙打開，可惜皮爾森那頁只列了「皮爾森桑富士」，是佛羅里達州的地址和電話號碼。一般人照理說不會寫下已經熟記的自己家的地址，但是皮爾森家有那麼多房子，湯姆原本抱了一絲希望。

還是去櫃台問吧，今天是禮拜天，郵局沒有營業。不過他要先回自己房間，他把法蘭克的鑰匙丟在床上，脫掉毛衣，用濕毛巾擦拭臉和上半身，再穿回毛衣，努力鎮定下來。男孩遭人擄走，給他帶來相當大的震撼，湯姆從來沒有為了自己的事感到如此震驚，因為以前一切都在他的掌控中，但現在的情勢他完全無法掌控。他離開房間，鎖好門，從樓梯下樓。

他在旅館櫃台拿了一張便箋，寫下：約翰・皮爾森，緬因州（班戈市）肯納邦克港——班戈市是最近的大城，也許有肯納邦克港的號碼。湯姆問櫃台人員：「可否請你打電話到緬因州的班戈市，詢問皮爾森的電話號碼？」對方看了一下便箋說：「好，我們馬上打。」隨即交給湯姆右手邊、坐在總機旁的女孩。

男人回頭對湯姆說：「也許要兩、三分鐘，你要和特定的人通話嗎？」

「先給我電話號碼就好了，謝謝。」湯姆在大廳等了一會兒。不知道總機能不能成功？美國的接線生會不會告訴她電話號碼沒有登記，所以沒辦法給她？

「雷普利先生，我們問到了。」櫃台的男人說，手裡拿著一張紙。

湯姆向他微笑，把號碼謄到另一張紙上：「可以請你們幫我打電話嗎？我到房間接，請不要報我的名字，說是柏林打去的就好。」

「好的。」

湯姆回房，等了不到一分鐘，電話就來了。

「這裡是緬因州肯納邦克港，」一名女子說：「我在跟德國柏林通話？」

佛蘭可旅館的接線生向她確認。

「請說。」緬因州的接線生說。

「早安，這裡是皮爾森家。」一名操英國口音的男人接起電話。

「你好，」湯姆說：「我可以跟皮爾森太太說話嗎？」

「請問您是？」

「是和她兒子法蘭克有關的事。」對方的語氣很正式，讓湯姆稍微冷靜了些。

「請稍等。」

湯姆等了好一陣子，不過法蘭克的母親應該在家。湯姆聽到女人和男人的聲音，也許名叫尤金的管家陪著莉莉・皮爾森一起走過來。

「喂？」聲音很尖銳。

「喂，皮爾森太太，可以麻煩妳告訴我，妳的兒子強尼和私家偵探住在巴黎哪一間旅館嗎？」

「你為什麼要問？你是美國人？」

「對。」湯姆說。

「可以請教貴姓大名嗎？」她的語氣很謹慎，也很害怕。

「那不重要，重要的是……」

「你知道法蘭克在哪裡？他和你在一起？」

「沒有，他沒和我在一起，我只想知道怎麼聯絡你們在巴黎的私家偵探，他們住哪一間旅館？」

「可是你為什麼要知道？」聲音變得更尖銳：「你挾持了我兒子？」

「真的沒有。皮爾森太太，我只要打電話給法國警方，就可以問出妳的私家偵探在哪裡，所以妳可以省下我的麻煩，現在就告訴我嗎？他們住哪一間旅館不是祕密吧？」

對方猶豫了一下：「他們住露特西亞旅館，但是我想知道你為什麼問。」

湯姆得到他要的資訊了，他不希望皮爾森太太或私家偵探通知柏林警方。「因為我好像在巴黎見過他，」湯姆說：「不過我不確定，謝謝妳，皮爾森太太。」

「在巴黎的哪裡看到他？」

湯姆很想掛電話：「聖傑曼德佩區的一間美國藥房，我剛離開巴黎。再見，皮爾森太太。」

湯姆放下聽筒。

他開始打包行李，佛蘭可旅館忽然變得很不安全，那兩或三名挾持法蘭克的綁匪很可能從禮拜五晚上就開始跟蹤他和法蘭克到旅館，也許不認為趁他走出旅館時對他開一槍有什麼大不了的，甚至還可能上來房間下手。湯姆以電話通知櫃台他幾分鐘後要離開，請他們準備好他和安德魯斯的帳單，然後關上行李箱，拿了法蘭克的鑰匙，進入法蘭克房間。他靈機一動，想到可以打電話問艾瑞克願不願意收留他，即使他不願意，任何柏林的旅館都比這間安全。湯姆收拾好法蘭克的行李，包括地上的鞋子、浴室裡的牙膏和牙刷，還有柏林熊，他關上皮箱，抬出房間，把鑰匙留在鎖上。湯姆把皮箱搬到自己的房間，發現艾瑞克的名片還在外套口袋裡，便撥了上面的號碼。

一名聲音比艾瑞克低沉的德國人接起電話，問他是誰。

「湯姆・雷普利，我在柏林。」

「啊，湯姆・雷普利！請稍等，艾瑞克在洗澡！」

湯姆不禁微笑，艾瑞克在家洗澡！幾秒鐘後，艾瑞克接起電話。

「湯姆！歡迎你來柏林！我們什麼時候可以見面？」

「現在——如果可以的話，」湯姆盡量以平靜的口吻說，「你忙嗎？」

「不會，你在哪裡？」

湯姆告訴他：「我正準備退掉旅館的房間。」

「我們可以去接你！你有時間嗎？」艾瑞克開心地說：「彼得！愛伯區，沒問題……」他說著德語，聲音漸漸變遠，然後又回來：「湯姆！我們十分鐘後見！」

湯姆放下電話，覺得安心多了。

湯姆向櫃台要帳單時，對方好像不覺得奇怪，但是他們看到他拿走男孩的行李也許會起疑，湯姆事先想了一套說詞，他打算告訴他們安德魯斯先生已經先到了機場。湯姆付好兩人的帳單，也付了電話費，對方並沒有多問，這樣也好。他很可能被誤認為綁走法蘭克的人，或是和綁匪同夥，正準備拿走法蘭克的東西。

「祝你旅途愉快！」櫃台後的男人微笑說。

「謝謝！」艾瑞克正好走進大廳。

「湯姆，你好！」艾瑞克的語氣很愉悅，深色頭髮好像還是溼的。「你好了嗎？」他瞄了一眼櫃台：「我替你拿行李？只有你一個人？」

旅館有一位服務生，不過他都待在一名有三件行李的男子身旁。

「目前是如此，我朋友在機場等我。」湯姆故意說給櫃台或任何聽得見的人聽。

艾瑞克接過法蘭克的行李：「來吧！彼得的車就停在右邊，我的在修理，明天才能拿，暫時壞掉了，哈！」

路邊不遠處停了一部淺綠色的歐寶，艾瑞克替湯姆介紹了彼得・舒伯勒（聽起來像這樣）。彼得高高瘦瘦的，年約三十，下巴細長，黑色的頭髮剪得很短，好像不久前才理過。他們把行李放在後座和位子下，艾瑞克堅持要湯姆坐前座。

「你的朋友呢？他真的在機場？」艾瑞克的身子向前傾，一副很感興趣的模樣。彼得發動車子。

艾瑞克並不知道他的朋友是誰，雖然他也許猜到是法蘭克・皮爾森——艾瑞克替湯姆帶護照到巴黎，就是為了給法蘭克用。「不是，」湯姆說：「待會兒再告訴你，我們可以去你家嗎？還是你覺得這樣很奇怪？」湯姆用英語說，不知道彼得聽不聽得懂。

「當然沒問題！我們回家，彼得！反正彼得也要回去了。我們本來以為你有時間。」

湯姆望了一眼兩旁的道路，走出旅館時，他也留意了人行道上的行人，甚至路旁停的車。車子開到庫坦大道上，湯姆覺得安心多了。

「你和那個男孩在一起？」艾瑞克用英語問：「他在哪裡？」

「去散步，我等一下去找他。」湯姆刻意說得輕描淡寫，突然覺得不太舒服，他搖下車窗。

艾瑞克在看似老舊，但經過整修的公寓前拉出一串鑰匙：「就像西班牙人說的——我家就是你家。」他們站在和庫坦大道平行的尼布許街上。

三人搭乘寬敞的電梯，把行李一起載上樓，艾瑞克又打開一扇門，說了更多歡迎詞。彼得幫湯姆把行李放到客廳的角落。這是單身男人的公寓，沒有多餘的裝飾，家具老舊耐用，只有餐櫃裡擦得發亮的銀壺投射出一點光亮。牆上掛了幾幅十九世紀的德國風景畫，湯姆知道那些畫很值錢，但他覺得很無趣。

「彼得，我先跟他說句話，你要不要先去拿瓶啤酒。」艾瑞克說。

寡言的彼得點點頭，拿起報紙，坐進檯燈旁的黑色大沙發。

艾瑞克向湯姆示意，要他到旁邊的房間，然後把門關上：「怎麼回事？」

他們沒有坐下，湯姆快速講了一遍事發經過，包括他和莉莉•皮爾森的電話交談：「綁匪或許會把我幹掉，他們在古耐沃德森林可能認出我了，不然他們也可以向男孩套話，所以如果能讓我在你家住一晚，我真的很感激。」

「一晚？兩晚、三晚都沒問題！怎麼發生這種事，天啊！綁匪會要贖金吧？和他母親聯絡？」

「應該會吧。」湯姆聳聳肩，拿出一根菸。

「我不認為他們會把男孩弄出西柏林，太難了，每輛車在東部的邊境都會被搜查。」

湯姆能夠想像：「我今晚想打兩通電話，一通問警察有沒有找到古耐沃德那輛奧迪車，另一通打去旅館，問法蘭克有沒有出現，綁匪可能臨陣退縮、釋放男孩，但是我……」

「但是什麼？」

「我不會把你的電話或住址給任何人，沒必要這麼做。」

「謝謝，至少不要給警察，這點很重要。」

「我也可以到外面打電話。」

「沒關係，用我的電話！」艾瑞克揮揮手，「你的電話和我的相比，簡直太單純了！我時常不得不用暗語！你盡量打，請彼得替你打！」艾瑞克聽起來很有自信，「彼得現在是我的司機、祕書兼保鏢。我們出來喝一杯！」他拉拉湯姆手臂。

「你信任彼得。」

艾瑞克低聲說：「彼得從東柏林逃出來，他逃了兩次——應該說是被丟出來。他們第一次把他丟進監獄，結果被他煩到受不了，彼得看起來雖然很溫和、沉默，但是他很有……呃……膽量。」

他們一起走到客廳，艾瑞克幫大家倒威士忌，彼得馬上到廚房拿冰塊，已經快八點了。

「我請彼得打電話到佛蘭可旅館，問他們有沒有……叫什麼名字的留言？」

「班傑明・安德魯斯。」

「對，」艾瑞克打量了一下湯姆：「湯姆，你很緊張，坐吧。」

彼得把黑色製冰盒裡的冰塊壓進銀筒，一杯蘇格蘭威士忌很快遞到湯姆手上。艾瑞克轉向彼得，以德語快速說了一遍事發經過。

「什麼？」彼得顯得很驚訝，他以尊敬的眼神望著湯姆，好像頓時發現湯姆今天經歷了許多波折。

「……警察，」艾瑞克用德語對彼得說，「還有車牌號碼。你沒有告訴他們你的名字吧？」

「當然沒有。」湯姆把菸盒上的號碼重新謄寫在艾瑞克身旁的一張紙上，在旁邊加了「深藍色奧迪」。

「現在也許還不會有車子的消息，」艾瑞克說：「如果是贓車，他們很可能棄車逃逸，除非警察採集指紋，不然車子不太可能給我們任何線索。」

「彼得，麻煩你先打給旅館。」湯姆在旅館帳單上找到電話：「最好不要讓他們聽太多次我的聲音，請你問有沒有安德魯斯先生的留言。」

「安德魯斯。」彼得重複了一次，開始撥電話。

「或是給雷普利先生的留言。」

彼得點點頭，開始和佛蘭可旅館通話，幾秒鐘後，彼得說：「好，謝謝。」又轉頭對湯姆說：「沒有留言。」

「謝謝你，彼得，可以麻煩你問警察車子的事嗎？」湯姆查了艾瑞克的電話簿，確定上面的號碼和他之前撥的一樣，然後指給彼得看：「這個。」

彼得撥了電話，和對方交談幾分鐘後，沉默了一會兒，最後掛上電話。「他們沒找到車子。」彼得說。

「我們待會兒再試一次——旅館和警察。」艾瑞克說。

彼得走進廚房，湯姆聽到盤子和冰箱門關上的聲音，彼得好像很熟悉這裡。

「法蘭克．皮爾森，」艾瑞克笑著說，露出整齊的牙齒，沒看到彼得正端著托盤走來：「他爸爸不是不久前才過世？沒錯，我看過報導。」

「對。」湯姆說。

「是自殺吧？」

「好像是。」

彼得開始擺放餐具，他拿出冷的烤牛肉、番茄和散發出櫻桃香味的新鮮切片鳳梨。他們拉出椅子，坐在長桌旁。

「你和他母親通電話，打算和人在巴黎的私家偵探聯絡？」艾瑞克把牛肉放進嘴裡，喝了一口紅酒。

湯姆不喜歡艾瑞克漫不經心的態度，好像這只是一點小狀況。艾瑞克願意幫湯姆，只因為湯姆是瑞夫斯的朋友，而且艾瑞克從沒見過法蘭克。「我不需要打電話到巴黎，」湯姆說，意思是他不需要當居中的傳話人：「我說過，他母親不知道我是誰。」

彼得聽得很專心，也許每個字都聽得懂。

「不過我希望皮爾森太太接到贖金要求時，私家偵探不會通知柏林警察，這種案子警方不一定幫得上忙。」

「沒錯，如果你希望男孩活著回來的話。」艾瑞克說。

私家偵探會不會來柏林？既然很難把男孩弄到別的地方，他很可能在柏林被釋放，綁匪打算在哪裡拿錢？實在很難說。

「你在擔心什麼？」艾瑞克問。

「不是擔心，」湯姆笑著說：「我在想，皮爾森太太也許會要私家偵探提防一名在柏林的美國人，不知道那個人是不是在耍花招，還是和綁匪勾結。我告訴她……」

「勾結？」

「和他們合作。我告訴她我在巴黎看到法蘭克，可惜她知道電話是從柏林打的，因為佛蘭可旅館的接線生已經說了。」

「湯姆，你擔太多心了，不過你可能是因為這樣才這麼成功。」

成功？他有嗎？

彼得不知用德語對艾瑞克說了些什麼，他講太快，湯姆聽不清楚。

艾瑞克聽罷，笑出聲來。他把口中的食物吞下後，對湯姆說：「彼得很討厭綁匪，說他們裝成左派份子，拿政治當藉口，其實只是要錢，和其他壞人沒兩樣。」

「我今晚還是打電話到露特西亞旅館問問有沒有消息吧，」湯姆說：「綁匪應該會打電話給皮爾森太太，不會發電報或寫信。」

「不會。」艾瑞克說，又替大家斟了更多酒。

「巴黎的偵探也許已經知道要把錢送到哪裡、男孩在哪裡被釋放之類的消息。」

「他會告訴你？」艾瑞克又坐回椅子。

湯姆微笑著說：「也許不會，但我還是可以問出一些事。對了，艾瑞克，我要付你電話錢。」湯姆可能還需要打更多通電話。

「真是的！只有英國人才要朋友和客人付電話費，我家可不來這一套。把這裡當成自己家。現在幾點？要不要我替你打電話到露特西亞旅館？」艾瑞克看看手錶，在湯姆回答之前說：「大概十點，巴黎的時間是一樣的。我們給偵探充裕的時間吃完法式大餐——花皮爾森家的錢，哈哈！」

彼得煮咖啡時，艾瑞克打開電視，說幾分鐘後會播新聞。在此同時，艾瑞克接了兩通電話，第二通是用很不靈光的義大利語回應。艾瑞克和彼得開始看電視，一名政治人物講了幾分鐘的話，他們從頭笑到尾，交換評論，湯姆沒興趣聽電視螢幕裡的人說什麼。

大約十一點時，艾瑞克提議打電話到露特西亞旅館，湯姆不想先提，唯恐艾瑞克又說他緊張。

「我這裡應該有號碼，」艾瑞克翻開黑色的皮製電話本：「有，在這裡……」他開始撥電話。

湯姆站在一旁：「艾瑞克，找強尼・皮爾森，我不知道偵探叫什麼名字。」

「他們現在還不知道你的名字？男孩沒說……」艾瑞克指指在電話後面的小聽筒。

湯姆把聽筒湊近耳朵。

「喂，請找強尼・皮爾森。」艾瑞克用法語說，然後滿意地對湯姆點頭，接線生答應幫他轉接電話。

「喂？」是年輕的美國人聲音，和法蘭克很像。

「喂，請問有沒有你弟弟的消息？」

「你是誰？」強尼問，旁邊一名男子在跟他講話。

「喂？」換成比較低沉的聲音。

「我想知道有沒有法蘭克的消息，他還好嗎？你們有沒有得到消息？」

「可以請教貴姓大名嗎？你是從哪裡打的？」

艾瑞克以疑問的眼神望著湯姆，湯姆點點頭。

「柏林，」艾瑞克說：「他們怎麼跟皮爾森太太說？」艾瑞克以理所當然的口吻問。

「如果你不告訴我你是誰，我為何要告訴你？」偵探回答。

彼得靠在餐具架旁聽他們講電話。

湯姆向艾瑞克示意，要艾瑞克給他電話，同時把小聽筒遞給他：「喂，我是湯姆・雷普利。」

「啊，對，就是你打電話給皮爾森太太？」

「對，我想知道男孩好不好，你們要怎麼安排。」

「我們不知道男孩的情況。」偵探冷淡地說。

「他們有沒有要求贖金？」

「呃……有。」偵探彷彿想了一下，覺得無傷大雅才回答。
「錢送到柏林？」
「我不知道你為什麼要知道，雷普利先生。」
「因為我是法蘭克的朋友。」
偵探沒有說話。
「法蘭克可以告訴你——如果你和他通話。」湯姆說。
「我們沒和他通話。」
「但是為了證明法蘭克在他們手上，綁匪一定會讓他講話吧？總之……可以請教您貴姓大名嗎？」
「我是……雷夫，我姓索羅，你怎麼知道男孩被綁架？」
湯姆無法回答，也不想回答：「你通知柏林警察了嗎？」
「沒有，他們不讓我們這麼做。」
「知道他們在柏林哪一帶嗎？」湯姆問。
「不知道。」索羅好像有些洩氣。
湯姆心想，沒有警方的協助，很難追蹤電話：「他們要怎麼證明？」
「他們說會讓他跟我們講話……也許今天晚上，他們說他吃了安眠藥……可以給我你的電話嗎？」

「抱歉，我沒辦法給，但是我可以跟你聯絡，晚安，索羅先生。」索羅還在講話，湯姆就掛斷電話。

艾瑞克開心地望著湯姆，好像這通電話很成功，他把話筒放回去。

「得到一些消息了，」湯姆說：「男孩真的是被綁架，我沒弄錯。」

「下一步要怎麼做？」艾瑞克問。

湯姆拿起銀壺，又替自己倒了咖啡：「我要待在柏林，直到情勢更明朗，直到我確定法蘭克安全為止。」

12

彼得臨走前，告訴艾瑞克他明早會去修車廠把艾瑞克的車開回來，停到公寓門口。「湯姆．雷普利，祝你順利！」彼得握手的力道很堅定。

「他很棒吧？」艾瑞克關上門：「我幫彼得逃出東德，他一直沒忘。他原本是會計師，在這裡可以找到工作，事實上他也工作了一陣子，但是他現在替我做這麼多事，根本不需要另外找工作了。他還幫我填所得稅的申報書。」艾瑞克笑著說。

湯姆心不在焉地聽，想著晚點還要再打電話去巴黎，也許在清晨兩、三點左右，他要問索羅有沒有和法蘭克講到話。安眠藥。沒錯，很有可能。

艾瑞克拿出雪茄盒，問湯姆要不要來一根，湯姆婉拒了。艾瑞克說：「你沒把我的電話給那個偵探是對的，他很可能給綁匪！很多偵探都是蠢蛋，只顧蒐集資訊，不管別人死活。蠢蛋！我喜歡美國的俚語。」

湯姆很想跟他說美國俚語中的蠢蛋（boobs）還有別的意思，「我一定要寄一本和俚語有關的書給你……蘇黎士的巴塞爾。」湯姆覺得很有意思，他可以在艾瑞克面前大聲說出平常只能私底下想想的念頭。

「你覺得錢會在巴塞爾交手？」

「你不覺得很有可能？除非綁匪需要馬克，以資助他們的反政府活動，但是瑞士比較安全——我是這麼認為。」

「你覺得他們會要多少錢？」艾瑞克輕輕吸了一口雪茄。

「一、兩百萬美金吧？索羅可能已經知道了，或許他明天會去瑞士。」

「你為什麼對這宗綁架案那麼有興趣，希望你不介意我這麼問。」

「我希望男孩安全，」湯姆把手插進口袋，在房裡踱起步來。「他是很特別的男孩，家裡那麼有錢，卻懼怕、或說是厭惡錢。你知道嗎？他幫我擦了每一雙鞋，像是這雙。」湯姆抬起右腳，雖然在古耐沃德森林走過，鞋子依然閃閃發亮。湯姆想到法蘭克殺了父親，正因如此，湯姆對他尤其同情，不過湯姆只對艾瑞克說：「他愛上一位紐約的女孩，在歐洲時她沒辦法寫信給他，因為他想隱姓埋名一陣子，不能給她地址，所以他如坐針氈，對未來很不確定，不知道女孩是否還喜歡他。他才十六歲，你知道那是什麼感覺。」不過艾瑞克談過戀愛嗎？湯姆很難想像，艾瑞克給人極度自私、很會自我保護的感覺。

艾瑞克略有所思地點點頭：「我去你家時他也在，我知道當時還有別人，我以為……是女孩，或是……」

湯姆笑：「我藏著女孩，不讓我太太發現？」

「他為什麼離家出走？」

「青少年就是這樣，也許因為父親去世而難過，也許為了女友。他想躲起來，安靜個幾天，他在我家的花園工作。」

「他在美國做了犯法的事？」艾瑞克問，好像他很奉公守法似的。

「就我所知沒有，但是他暫時不想當法蘭克・皮爾森，所以我幫他弄了護照。」

「而且把他帶來柏林。」

湯姆深吸了一口氣說：「我想勸他直接從這裡飛回家，他也答應了，訂好明天回紐約的機票。」

「明天。」艾瑞克重複了一次，不帶任何情緒。

湯姆心想，艾瑞克為何要有情緒。艾瑞克絲質襯衫上的鈕釦因為突出的小腹而緊繃，湯姆的心情就如同鈕釦：「我今晚要再打電話給索羅，可能會很晚，大約兩、三點，希望不會吵到你。」

「當然不會，電話你儘管用。」

「請問我要睡哪裡？在這裡？」湯姆指指馬毛大沙發。

「還好你提起！你看起來真的累壞了，是這張沙發沒錯，不過這是沙發床，你看！」艾瑞克拿走沙發上的粉紅色靠墊：「看起來像古董，卻是最新科技，只要按一個鍵……」艾瑞克按了一個鈕，沙發的座椅隨之上升，椅背躺平，變成雙人床大小的沙發床：「你看！」

「太棒了。」湯姆說。

艾瑞克拿了毯子和床單，湯姆在一旁幫忙。艾瑞克先拿毯子填平沙發鈕釦的凹陷處，再鋪上床單：「你該上床睡覺了，上床、下床、起床、賴床……，語言真靈活。」艾瑞克一邊把枕頭拍鬆。

湯姆脫掉毛衣，覺得他今晚一定會睡得像木頭，但是他不想跟艾瑞克討論這個形容法的來源，所以沒有說出口。他從行李箱底層拉出睡衣，想到綁匪可能強迫法蘭克說出他的名字。皮爾森太太會信任他移交贖金嗎？湯姆發現他很想揍綁匪一拳，也許那只是逞匹夫之勇，也太瘋狂，但是他真的生氣了，而且累到無法理性思考。

「浴室是你的了，」艾瑞克說：「我要先跟你說晚安，不吵你了。你要我把鬧鐘訂在兩點嗎？你可以自己打電話？」

「我起得來，」湯姆說：「謝謝你……真的很感激，艾瑞克。」

「我想到一個小問題，你們是說『叫人』、『叫醒人』，還是『喚醒人』？」

湯姆搖頭說：「我現在沒辦法思考這種事。」

湯姆淋浴，上床睡覺，提醒自己三點要起床，代表一小時二十分後就要起來。他冒著自己也被綁架，甚至被射殺的危險交付贖金值得嗎？任何人都可以做這件事。綁匪也許有指定的人選，那會是誰？綁匪會不會指定要湯姆・雷普利出面？很可能。如果綁匪抓到他，就可以拿到更多錢，湯姆試著想像赫綠思到處籌錢的模樣——會是多少？二十五萬？她去求她父親……不可能！湯姆把頭埋在枕頭裡笑。皮里松出錢贖回他的女婿湯姆・雷普利？不可能！二十五萬絕對會拿走他和赫綠思的所有資金，也許還得賣掉麗影。無法想像！

也許他想的這些事都不會發生。

湯姆從惡夢中驚醒。他夢到他把車開上極度陡峭的山坡，比舊金山任何坡都陡，車子還沒到頂就差一點往後翻。他的額頭和胸部都因為汗水而變得光滑，不過剛剛好是二點五十九分。

他拿起艾瑞克的電話簿，看到艾瑞克也把巴黎的區碼寫在上面，他撥了露特西亞旅館的電話，說要找索羅先生。

「喂，雷普利先生，我是索羅。」

「有沒有什麼消息？你和男孩講到話了嗎？」

「講到了，大約一小時前，他說他沒有受傷，不過聽起來昏昏沉沉的。」索羅好像很疲倦。

「要如何安排？」

「他們還沒講地點，他們……」

湯姆等著索羅繼續說下去，索羅可能在猶豫要不要提關於錢的事，他今天也許累壞了，湯姆問：「他們有沒有說要多少錢？」

「有，明天要從蘇黎士匯過去——應該說今天。皮爾森太太得電匯到三間柏林銀行，這是他們的要求，皮爾森太太也覺得這樣比較安全。」

也許數量太大，她不想引人注目，「你要來柏林？」

「我還沒打算。」

「誰要去銀行領錢？」

「我不知道，他們要先確定錢到了柏林，才會告訴我要送到哪裡。」

「你覺得是在柏林嗎？」

「應該是吧，我不知道。」

「警察沒有介入吧，沒有監聽你的電話？」

「沒有，」索羅說：「這樣比較好。」

「多少錢？」

「二百萬美金，換成德國馬克。」

「你覺得銀行信差有辦法處理？」想到這點湯姆覺得很有趣。

「他們……好像內部有歧見，」索羅以他低沉的美國口音說：「關於地點和時間，一名操德國口音的人跟我講話。」

「我今天早上九點再打電話給你？屆時錢應該到了？」

「應該到了。」

「索羅先生，我可以去領錢，拿去他們要求的地方，這樣可能比較快，考慮到……」湯姆頓了一下，又說：「請不要跟他們提我的名字。」

「法蘭克已經告訴他們你的名字，說你是他朋友，他也對他母親這麼說。」

「好吧，但如果他們問起，就說你沒有我的消息，既然我住法國，我可能已經回家了。請你也這樣對皮爾森太太說，因為他們可能會聯絡她。」

「他們主要是打給我，他們只讓男孩跟她講了一次話。」
「你可以請皮爾森太太通知她的瑞士銀行或柏林銀行我會去領錢的事——如果皮爾森太太同意的話。」
「我再問她。」索羅說。
「我過幾小時後再打電話給你，我很高興男孩沒事，至少除了昏昏沉沉之外都沒什麼問題。」
「沒錯，希望如此！」
湯姆掛了電話，回到床上。過了一陣子，他被艾瑞克在廚房輕聲忙碌的聲音吵醒，茶壺的匡啷聲、電動磨豆機，都是撫慰人心的聲音。還有十二分才九點，今天是八月二十八日禮拜一。湯姆走進廚房，告訴艾瑞克凌晨三點打電話的結果。
「兩百萬！」艾瑞克說：「和你猜的一樣，對不對？」
比起法蘭克還活著，可以和母親講話，艾瑞克好像對金額更有興趣。湯姆沒有深究，開始喝咖啡。
湯姆穿好衣服，盡量把床恢復原狀，把床單摺好，他今晚可能還需要這張床。客廳恢復整齊後，湯姆看了一下手錶，想到索羅，又好奇地檢視書架上一大排席勒全集。他拿出《強盜》，真的是書，封面是皮製的，湯姆本來以為那些書是假的，裡面藏著保險箱或祕密夾層。
湯姆拿起電話，撥了露特西亞旅館的號碼，說要找索羅先生。
索羅接起電話：「是，雷普利先生，我有銀行的名字了，三間都有。」索羅聽起來比較清醒，心情也好多了。

「錢已經到柏林了？」

「是的，皮爾森太太請你盡快去領，她告訴蘇黎士那是經她同意的匯款，蘇黎士也通知柏林銀行了，柏林銀行的營業時間好像很奇怪，不過沒關係，你可以打電話給每一間銀行，告訴他們你什麼時候會去，他們……」

「我了解，」湯姆知道有些銀行可能三點半才開門，有些一點就關：「所以，銀行……。」

索羅打斷他：「那些人，呃，說會再打電話給我，他們晚一點會打來，確定錢都沒問題之後，再告訴我要把錢留在哪裡。」

「我知道了，你沒有跟他們提到我的名字？」

「絕對沒有，我只說有人會去領錢，也會有人送去。」

「很好，現在跟我講銀行名字吧。」湯姆拿筆寫下，第一間是位於歐洲中心大樓的ＡＤＣＡ銀行，有一百五十萬馬克；第二間是柏林帝斯康托銀行，金額相同；第三間是柏林商業銀行，有「不到」一百萬馬克。「謝謝，」湯姆寫好之後，說：「我等一下就去領，大約中午再跟你聯絡，希望一切順利。」

「我等你電話。」

「對了，我們的朋友有說他們屬於什麼團體嗎？」

「團體？」

「或是幫派？有時他們會替自己取名字，也很喜歡宣傳，例如『紅色救星』之類的。」

索羅發出緊張的笑聲：「沒有。」

「他們在公寓裡打電話？」

「大部分不是，法蘭克跟他母親講話那次也許是，因為她好像這麼認為，但是今天早上他們是用投幣式的公共電話，他們大約八點打來，問錢是否到了柏林，我們整晚都在忙。」

湯姆掛上電話，聽到艾瑞克房間傳出打字機的聲音，湯姆不想打擾他，便點了一根菸，心想該打通電話給赫絲思了，因為他本來說今天或明天會回家，但是他現在不想花時間解釋，而且明天此時，他會在哪裡？

湯姆想像法蘭克被關在柏林公寓裡的模樣，也許沒有被綑綁，但是一整天都有人監視。法蘭克是會借機逃跑的人，如果離地面不會太高，甚至可能跳窗，綁匪也許已經發現這點。湯姆知道那些反政府人士可能有朋友提供他們住所，瑞夫斯不久前才在電話裡和湯姆提過這件事，他說他們的情況很複雜，因為那些所謂的革命人士和幫派份子宣稱自己從事左派活動，卻不被主流的左派人士接受。在湯姆看來，這些幫派似乎漫無目標，除了他們顯然意圖製造騷動，好讓政府當局鎮壓他們，進而證明他們真的是有顏色的法西斯份子。代表管理階層和工廠老闆的史萊爾（有些人譴責他有納粹背景）遭綁架謀殺後，不幸引發政府當局對知識份子、藝術家和自由派人士展開迫害。右翼份子也抓住機會，指責警方鎮壓的手腕不夠強硬。德國沒有黑白分明、簡易單純之事，法蘭克的綁匪會不會是「恐怖份子」，甚至有特定的政治傾向？他們會不會拖延談判、公開宣傳？湯姆希望不會，因為他不能再出名了。

艾瑞克走進客廳，湯姆告訴他銀行的事。

「好大一筆錢！」艾瑞克看起來很吃驚，眨了眨眼睛說：「我和彼得可以幫你，這些銀行幾乎都在庫坦大道，我們可以開我的或彼得的車。彼得的車上有槍——在這裡絕對是不合法的，我的沒有。」

「你的車不是送修了？」

「送修？」

「壞了。」湯姆說。

「噢，今天早上就好了，我記得彼得說他早上十點前會幫我開來，現在是九點三十五分，為了安全起見，我們應該一起去，對不對？」艾瑞克謹慎地說，走到電話旁。

湯姆點點頭：「我們拿到錢之後，再把錢帶回這裡——如果你同意的話。」

「當……當然。」艾瑞克瞄了一眼牆壁，好像過不久他的牆可能被拆掉：「我來打電話給彼得。」

彼得沒有接電話。

「他可能去幫我拿車了，」艾瑞克說：「他應該等一下就會在樓下按門鈴，到時候我再問他要不要和我們一起去。錢要交到哪裡？」

湯姆笑著說：「希望中午前會知道，對了，艾瑞克，我需要一只皮箱，可以跟你借嗎？我不想清空我或法蘭克的行李。」

艾瑞克走進臥室，拿出中等尺寸的咖啡色豬皮行李箱，看起來不是很新，也不會太昂貴，大小還可能剛好，雖然湯姆不知道四千張左右千元馬克紙鈔的體積為何。

「艾瑞克，謝謝你，如果彼得不能一起去，我們也可以搭計程車。我要先打電話給銀行。」

「我可以幫你打，ＡＤＣＡ銀行。」

湯姆把單子放到電話旁，翻開電話號碼簿，找到ＡＤＣＡ銀行的電話。艾瑞克打電話時，他又寫下另外兩間銀行的號碼。艾瑞克語氣鎮定，說要找銀行經理，並說是關於領取幫湯姆・雷普利先生保留的一筆錢的事。湯姆一邊把用來證明身分的護照放入口袋，一邊聽著艾瑞克和銀行通話。艾瑞克沒有和每一間銀行的經理講到話，但是三間銀行都確認錢已經準備好了，艾瑞克說雷普利先生一個鐘頭內會到。

他在講最後一通電話時，門鈴響了，艾瑞克示意湯姆去開門，湯姆按下廚房的對講機：「是哪位？」

「是彼得，艾瑞克的車在樓下。」

艾瑞克接過對講機，湯姆離開廚房。

湯姆聽見艾瑞克問彼得有沒有空處理一件「很重要的事」，接著他走進客廳說：「彼得有空，我的車已經在樓下了，他很棒吧？」

湯姆點點頭，把銀行名單放入口袋：「沒錯。」

艾瑞克穿上外套：「我們走吧。」

湯姆拿起空皮箱，艾瑞克鎖好兩道鎖，一起走下樓。

彼得坐在車裡，艾瑞克的賓士就停在離公寓大門不遠的地方。艾瑞克坐進前座，要湯姆坐後面。

「門關上了才能解釋。」艾瑞克告訴彼得，接著用德語說，湯姆現在得去三間銀行領錢，作為交付綁匪的贖金，問彼得能否載他們去？或者他們要開艾瑞克的車？

彼得微笑看了湯姆一眼：「我的車，沒問題。」

「你的槍還在吧？」艾瑞克問，又笑著說：「希望我們用不到。」

「就在這裡。」彼得說，指指置物箱，笑了一下，好像覺得這種情況怎麼可能用到槍。

他們決定先去歐洲中心大樓的ＡＤＣＡ銀行，因為另外兩間銀行都位於庫坦大道，而且在回艾瑞克公寓的路上。他們停得離ＡＤＣＡ銀行很近，因為旁邊的皇宮旅館有一處專供客人和計程車停車的彎道。銀行開門了，湯姆獨自走進銀行，沒有拿皮箱。

湯姆用英語向接待人員報上姓名，說他跟經理有約，櫃台小姐拿起電話講了幾句，接著便指指湯姆左後方的門。一名藍眼睛、年約五十歲的男子把門打開，他一頭灰髮，背挺得很直，臉上掛著友善的笑容，另一名原本在房裡的男人拿了一只箱子走出去，沒有特別留意湯姆，這讓湯姆覺得比較自在。

「雷普利先生？早安。」男人用英語說：「請坐。」

「早安，」湯姆沒有馬上坐下，而是先從口袋裡拿出護照：「這是我的護照。」站在桌子後方的銀行經理戴上眼鏡，仔細檢查護照，他比對照片和湯姆的臉，然後坐下，在本子裡寫了幾個字。「謝謝。」他把護照交還湯姆，按了桌上的按鈕，用德語說：「佛瑞得？沒問題了。」男人雙手抱胸，微笑地望著湯姆，不過他的眼神裡有一絲迷惑。之前走出去的男人又拿了兩個大信封走進來，門在他身後自動關上，發出低沉的卡嚓聲，湯姆覺得自己被鎖住了。

「你要不要數一下錢？」銀行經理問。

「我看一下。」湯姆禮貌地說，好像在宴會裡拿開胃菜，但是他根本不想數。他打開用橡皮筋綑綁的牛皮信封，看到裡面有好幾綑以棕色紙帶束起的紙鈔，兩個信封的重量差不多，紙鈔的面額都是千元馬克。

「一百五十萬馬克，」銀行經理說：「每一束有一百張。」

湯姆拿起其中一束翻了一下，看起來像一百張。湯姆點點頭，心想銀行不知道有沒有記下序號，但他不想問，讓綁匪去擔心吧，綁匪一定也沒提到面額，不然索羅一定會告訴他。湯姆說：「我相信你們。」

兩名德國人都微笑，拿信封進來的男人離開房間。

「收據在這裡。」經理說。

湯姆簽了收據，經理也簽上姓名縮寫，然後留下複本，把上面的收據交給湯姆。湯姆站起來，伸出手說：「謝謝。」

「祝你在柏林愉快。」銀行經理和湯姆握手，好像湯姆要拿這些錢去狂歡。

「謝謝。」湯姆把厚信封夾在腋下。

經理露出興味盎然的表情，他是不是想到午餐可講的笑話？還是打算告訴朋友一名美國人把一百多萬馬克夾在腋下走出銀行的故事？「要找人護送你出去嗎？」

「不用了，謝謝。」湯姆說。

湯姆走出銀行，視線沒有和任何人交會。艾瑞克坐在車裡，彼得站在旁邊抽菸，一隻手插進褲子口袋，仰望陽光。

「都沒問題吧？」彼得看到信封。

「還好。」湯姆坐進後座，打開皮箱，把信封塞進去，再把皮箱關好。艾瑞克一直掃視路上的行人，湯姆沒這麼做，他故意打了個呵欠，身體往後靠。彼得把車左轉到庫坦大道。

接下來的兩間銀行很接近，都在寬敞的庫坦大道上，兩旁種植了整齊的小樹，又是金屬建築和商店發亮的玻璃櫥窗。湯姆要去的那棟建築也很新，窗戶上方有醒目的銀行招牌，也許是防彈玻璃。他們找不到停車位，彼得只好暫時停在街角另一間銀行前面，湯姆下車時，艾瑞克說他會站在人行道上，告訴湯姆車子在哪裡。

過程和第一間銀行差不多：接待員、經理、檢查護照，然後是錢、收據，金額和ＡＤＣＡ銀行相同。這次錢是放在一個大信封裡，對方也問湯姆要不要點收，湯姆說不用。需要銀行保全陪他走出去嗎？

「不用了，謝謝。」湯姆說。

「要不要把信封黏起來，這樣比較安全？」

湯姆看了一下大信封，裡面的紙鈔也是用紙帶束好，分成好幾束。湯姆把信封交給經理，他從抽屜裡拿出褐色的寬膠帶，把信封黏好。

艾瑞克站在人行道上，好像他的朋友可能從左邊或右邊過來，但就是不可能從銀行門口出現。艾瑞克朝右邊指了指，彼得在那裡雙排停車。艾瑞克和湯姆上了車，湯姆依然坐後座，並把信封放入皮箱。

湯姆從第三間銀行領了六十萬馬克，他拿著綠色信封走出銀行，又看到站在人行道上的艾瑞克，彼得停在右邊的街角。

砰！車門關上的聲音真悅耳。湯姆把綠色信封放在大腿上，頭往後靠。彼得又轉了一個彎，湯姆知道這是往艾瑞克公寓的方向。彼得和艾瑞克在前面說笑，湯姆沒仔細聽，大概是和銀行搶劫有關的事，他們又笑了起來，湯姆把最後的信封塞進皮箱。

他們抵達艾瑞克的公寓，愉快的心情依然延續著，彼得堅持要幫他提皮箱，說因為他是司機，又是一陣笑。彼得把皮箱放在餐具櫃旁的牆邊，正對著公寓大門。

「不，不，放到衣櫃裡，原來的地方！」艾瑞克說：「看起來和其他箱子沒什麼兩樣。」

彼得照做了。

十一點四十五分，湯姆正打算打電話給索羅時，艾瑞克放了西班牙女高音安赫麗絲的唱片，說是他心情愉快一定要聽的唱片。艾瑞克的心情好像不錯，但是湯姆覺得他比較像是緊張。

「也許我今晚會見到法蘭克，」艾瑞克對他說：「希望如此！他可以住我家，睡我的床，我睡地板，法蘭克是我的貴賓。」

湯姆微笑說：「麻煩你把音樂調小聲一點，我要打電話給索羅。」

「沒問題！」艾瑞克調低音量。

彼得用托盤端啤酒過來，湯姆拿了一罐，放在電話旁，開始撥電話。

索羅的電話在通話中，湯姆告訴旅館接線生他可以等。他只等了一下，索羅就接起電話。

「事情都辦好了。」湯姆盡量以平靜的語氣說。

「都拿到了？」索羅問。

「對，你知道地點了嗎？」

「知道了，盧巴斯，他們說在柏林北部，盧森堡的盧，巴黎的巴，斯文的斯，可以嗎？街名是……」

湯姆一邊寫，一邊示意艾瑞克拿起小聽筒，艾瑞克立刻照做。

索羅唸了一條街名——札北庫格丹，他說是和一條叫做艾盧巴斯的街交會：「第一條是東西向，順著艾盧巴斯街朝北走，就會看到那條街。你沿著艾盧巴斯街，一直朝北走，會看到一條很小的泥巴路，那條路好像沒名字，繼續走大約一百公尺，可以看到左手邊有一座木棚。到目前為止都沒問題嗎？」

「沒問題，謝謝你。」湯姆記下了，艾瑞克向他點點頭，意思好像是那些街不會如湯姆想像中那麼難找。

索羅繼續說：「你要把……全部的錢裝入一個盒子或袋子裡，早上四點鐘放到那裡，也就是今天夜裡，這樣清楚嗎？」

「嗯。」湯姆說。

「把錢放在木棚後方，然後離開，他們說只能一個人去。」

「那男孩呢？」

「他們拿到錢後會再打來。你可以四點後打電話來，讓我知道是否順利嗎？」

「當然。」

「祝你好運。」

湯姆放下電話。

「盧巴斯！」艾瑞克放下小聽筒，對彼得說：「彼得，盧巴斯，凌晨四點！湯姆，那裡是老農場區，在北邊，離圍牆很近，居民不多，圍牆在盧巴斯北邊。彼得，你有地圖嗎？」

「有，我去過那一帶。」彼得用德語說：「我可以載湯姆去，那裡一定要開車才到得了。」

湯姆很感激，他信任彼得的開車技術和他的膽識，而且他的車裡有槍。

彼得和艾瑞克準備了簡單的午餐，開了一瓶酒。

「我今天下午跟人約在十字山區，」艾瑞克對湯姆說：「和我一起去吧，就像法國人說的——

轉換一下心情。可能只要一小時，甚至不用那麼久。然後我今晚要和馬克斯見面，你也可以一起去！」

「馬克斯？」湯姆問。

「馬克斯和荷洛，我的朋友。」艾瑞克邊說邊吃。

臉色有些蒼白的彼得對湯姆微笑，眉毛微挑，看起來很冷靜、很有自信。

湯姆不太有食慾，也沒專心聽艾瑞克和彼得說笑，他們在討論柏林的反狗屎運動——柏林效法紐約，要求狗主人帶小勺子和紙袋出門，柏林衛生部還打算建蓋狗廁所，尺寸要大到容得下德國牧羊犬。彼得說這樣一來狗可能因為分不清有什麼差別，開始在主人的屋裡如廁。

13

艾瑞克開車帶湯姆一起去柏林的十字山區，艾瑞克說車程不到十五分鐘。彼得已先行離開，答應大約半夜一點到艾瑞克公寓，因為湯姆說他希望早一點出發，彼得也說開車加上找路，可能要花一小時。

艾瑞克停在陰暗的街道旁，那裡有一棟紅褐色、大約四、五層樓高的舊公寓，街角是一間敞開大門的酒吧。兩名小孩——讓湯姆聯想到流浪兒童——跑來向他們要錢，艾瑞克往口袋裡掏，說如果不給他們一些，他們很可能破壞他的車，雖然男孩看起來才八歲左右。女孩也許十歲，嘴上胡亂抹了口紅，頰上擦了腮紅，穿著像是以褐紅色窗簾拼湊而成的及地長裙。湯姆一開始以為小女孩只是偷玩媽媽的化妝品和衣服，後來又認為其中必有更邪惡的內情。男孩濃密的黑髮剪成一撮一撮的，深色的眼睛有些木然，也可能是城府很深，突出的下唇彷彿代表他對周遭世界的蔑視。男孩把艾瑞克給女孩的錢收進口袋。

「男孩是土耳其人，」艾瑞克小聲說，鎖上車門。艾瑞克指指一扇門，又說：「他們不識字，這點令大家百思不解，他們會說流利的土耳其話和德語，但一個字都看不懂！」

「女孩呢？看起來像德國人。」小女孩的頭髮是金色的。怪異的小孩二人組還站在艾瑞克車旁，盯著他們看。

「德國人，沒錯，雛妓，他是她的皮條客——或者他計畫要這麼做。」

艾瑞克按了門鈴，大門應聲打開，他們走進去，在昏暗的樓梯間爬了三層，窗戶很髒，陽光幾乎射不進來。艾瑞克敲敲深咖啡色的門，門上油漆斑剝，彷彿被人踢了又敲。腳步聲漸漸接近，艾瑞克對著門縫說：「是艾瑞克。」

一名高大的男人打開門，招呼他們進去。他的聲音低沉，德語講得很含糊。又是土耳其人，髮色再深的德國人皮膚都不可能那麼黝黑。湯姆往裡面走，聞到可怕的氣味，也許是燉羊肉和白菜，更糟的是，他們被招呼到氣味的源頭——廚房，幾名小孩在塑膠地板上玩，一名老婦站在爐子前緊張兮兮地攪動一鍋菜，她的頭看起來很小，灰髮稀疏蓬亂，應該是奶奶吧，也許是德國人，因為她看起來不像土耳其人，但是湯姆其實不太會分辨。艾瑞克和高大的男人坐在圓桌旁，他們也叫湯姆坐下，湯姆不太情願地照辦了，他打算努力從他們的交談中找到樂趣。艾瑞克究竟在這裡做什麼？艾瑞克滿口俚語，加上土耳其人胡亂拼湊的德語，讓湯姆幾乎一句也聽不懂。他們在討論數字：「十五……二十三」和價錢：「四百馬克……」十五個什麼？湯姆想到艾瑞克說過，土耳其人是仲介，專替巴基斯坦人和東印度人牽線，介紹幫他們開立西柏林居留權的柏林律師。

「我不喜歡這份工作，」艾瑞克當時說：「但是如果我不稍微合作，幫他們處理一些文件，哈奇就不會替我做比臭移民更重要的工作了。」沒錯，他說的就是這個。連自己的文字都看不懂、沒有任何專長的移民，經由地下管道從東柏林來到西柏林之後，哈奇再帶他們去找律師，只要他們宣稱遭受「政治迫害」，就可以在長達好幾年的調查期間領取西柏林的救濟金。

哈奇要不是專職的騙子，就是賦閒在家，也許兩者皆是，不然這種時間怎麼會待在家裡？他看起來不超過三十五歲，和牛一樣強壯，因為腹圍過寬，他在褲腰處綁了一條繩子，露出幾顆沒扣好的鈕釦。

哈奇端出自釀伏特加（他們是這麼說）。或者湯姆比較想喝啤酒？湯姆是比較想喝啤酒，因為他試喝了一些伏特加，實在難喝。啤酒裝在半空的大酒瓶裡，平淡無味，而且是溫的。哈奇走進另一個房間拿東西。

「哈奇是建築工人，」艾瑞克對湯姆解釋：「但是因工受傷休假在家，而且他也很喜歡領失業救濟金。」

湯姆點點頭，哈奇拿著髒鞋盒，緩緩走回來，地板隨著他的腳步震動。他打開鞋盒，拿出約拳頭大小、外層包著咖啡色包裝紙的小包裹，艾瑞克搖了一下，裡面發出聲響，是珍珠嗎？還是藥丸？艾瑞克拿出皮夾，給了哈奇一百元馬克紙鈔。

「只是小費，」艾瑞克對湯姆說：「你覺得無聊嗎？我們馬上就走。」

「麻香糾走！」坐在地上髒兮兮的小女孩望著他們說。

湯姆嚇了一跳，這些孩子懂得多少？攪動鍋子的老婦也盯著湯姆看，好似馬克白的女巫或精神病院的病人。她好像在微微顫抖，神經系統似乎出了問題。

「他太太在哪裡？」湯姆低聲問艾瑞克：「這些孩子的媽？」

「她去上班了，德國人──從東柏林來的，很可憐，不過她有工作……」艾瑞克輕聲說，用光滑的手指比了一下，彷彿意味現在不能多說。

艾瑞克終於站起身來，湯姆鬆了一口氣，他們在這裡待了大約半小時，不過湯姆覺得更久。他們道了再見後便快步走出去，一下子就站在人行道上，讓乾淨的陽光輕拂他們的臉。艾瑞克的外套口袋裡塞著小包裹，看起來鼓鼓的，他四處張望了一下，接著才打開車門，發動車子。湯姆很想知道包裹裡裝的是什麼，卻覺得問這種問題實在太失禮。

「很好笑，他的太太──你這麼稱呼她，是東柏林的妓女，被美國大兵用吉普車走私進來！她在這裡的生活比較好，雖然也是當妓女，不過她有藥癮。她找到一份工作，清理公廁之類的，不過我不確定。你知道嗎？因為美金大跌，美國士兵已經買不起西柏林的妓女，他們得去東柏林召妓。共產黨很生氣，因為照理說他們不該有妓女。」

湯姆微笑，略帶興味地聽。他拼命想其他事情，好打發接下來的時間。綁匪是什麼樣的人？非專業的年輕人？還是精明的老手？裡頭有沒有女孩？有時女孩可以對外營造無辜的形象。也許正如艾瑞克所說，他們要的只是錢，根本無意傷害法蘭克或任何人。

回艾瑞克公寓後，湯姆打電話到麗影，那裡的區碼和巴黎一樣。電話響了六、七聲，赫綠思可能心血來潮，和諾愛爾跑去巴黎看下午場的電影了，安奈特太太則坐在喬治酒吧裡喝茶或冰汽水，和維勒佩斯其他管家交換最新八卦。響到第九聲時，安奈特太太接起電話：「喂？」

「安奈特太太，我是湯姆，家裡還好嗎？」
「很好，湯姆先生，你什麼時候回家？」
湯姆鬆了一口氣，笑著說：「禮拜三吧，我不確定，不用擔心，赫綠思在嗎？」
她在，不過安奈特太太要去樓上叫她。
「湯姆！」赫綠思很快接起電話，湯姆知道她在用他房間的電話：「你在哪裡，漢堡？」
「不是，我們到處玩。妳在睡午覺？」
「我手指泡在安奈特太太替我調的東西裡，所以我才讓她接電話。」
「泡手指？」
「我昨天澆花，被溫室的氣窗壓到，腫起來了，不過安奈特太太說指甲應該不會掉下來。」
湯姆同情地嘆了一口氣，她是指溫室以木條支撐的窗戶，他說：「把溫室留給恩立去整理。」
「啊，恩立……男孩還和你在一起嗎？」
「對，」湯姆說，心想不知有沒有人打電話到麗影找法蘭克：「我也許明天飛回家，」湯姆說得很快，不讓她有機會插話，「如果有人打電話問我在哪裡，就說我到維勒佩斯散步了，說我在家——只是暫時出門，只要有人打長途電話來，就這樣告訴對方。」
「為什麼？」
「因為我很快就會回家，在附近散步，禮拜三吧。我在德國搬來搬去的，所以也沒人能聯絡上我。」

聽起來很有道理。

「親妳。」湯姆掛上電話前說。

湯姆覺得安心多了。他承認有時他很有已婚男人的感覺——踏實、被愛，或任何已婚男人該有的感覺，雖然他剛才對妻子撒了一點小謊，不過不是一般丈夫會撒的謊就是了。

晚上大約十一點，湯姆到了比十字山區歡樂的地方——男同志酒吧，這間酒吧比他和法蘭克之前去的那間更時尚，有一座玻璃打造的樓梯，一直延伸到廁所，站在樓梯上的人努力吸引樓梯下的人注意。

「很有趣吧？」艾瑞克在等朋友。他們站在吧檯旁，因為沒有空桌。這間酒吧當然也是舞廳，他繼續說：「比較容易……」艾瑞克被身後的人推擠了一下。

艾瑞克也許要說在這種地方交換物品比較容易，因為所有顧客，除了在跳舞的人之外，不是忙著大聲交談，就是全神貫注地盯著他們想釣的對象，沒有人會留意非法物品。湯姆很欣賞一位男孩的裝扮，他穿著女裝，搭配黑色的羽毛長披肩，部分圍在脖子上，部分下垂，披肩隨著他的腳步輕輕搖曳。很少女人像他這樣精心打扮。

艾瑞克約的人到了，是一名很高大的年輕人，穿著黑色皮衣，手插在短外套的口袋裡。「這位是馬克斯！」艾瑞克大聲對湯姆說。

艾瑞克沒有說湯姆的名字，這樣也好。艾瑞克改用藍色緞帶和包裝紙包好的小包裹易手了，進了馬克斯的皮外套，馬克斯把拉鏈拉好。他的頭髮剪得很短，指甲塗成鮮豔的粉紅色。

「沒時間擦掉，」馬克斯對湯姆說，以德語腔的英語取笑自己：「忙了一整天。好看嗎？」

「馬克斯，要不要喝什麼？杜松子酒？」艾瑞克在震耳的音樂中大吼：「還是伏特加？」

馬克斯望向遠處的角落，表情突然改變：「謝謝，我得閃人了。」他朝那個方向點了點頭，不好意思地垂下眼，「我現在不想見的人，很麻煩。艾瑞克，不好意思，晚安。」他向湯姆點點頭，轉身走出大門。

「很不錯的年輕人！」艾瑞克用德語大聲對湯姆說，朝馬克斯消失的方向擺了一下頭：「好男孩！同性戀，但是和彼得一樣可靠，馬克斯的朋友叫荷洛！你也許會見到他。」艾瑞克把手放在湯姆的手臂上，要他再喝一杯，什麼都可以，啤酒？艾瑞克說他們最好不要馬上離開。

湯姆同意喝一杯啤酒，先把錢付給了酒保。「我喜歡這裡瘋狂的氣氛！」湯姆對艾瑞克說，他是指穿梭在人群中的穿女裝和化了妝的男人，隨處都聽得見打情罵俏、笑語不斷，讓湯姆的心情為之一振，就像《仲夏夜之夢》的序曲總能提升他赴敵前的心情。面對槍管或刀子時，體認現實不會有幫助。湯姆發現艾瑞克時常鬼鬼祟祟、緊張兮兮地四處張望，不像在人群中尋找認識的人。艾瑞克是生意人，也許他時常處理顯然範圍極廣的生意，已經習慣了東張西望。

「有被警察盯上過嗎？」湯姆湊近艾瑞克的耳朵問：「我是指這種酒吧。」

不過艾瑞克還是沒聽見，因為樂聲剛好進入高潮，銅鈸聲持續了幾秒後，又回到低沉的心跳，彷彿敲擊著牆壁。舞池裡的男人在跳躍、迷幻地旋轉。湯姆搖搖頭，端起新鮮的啤酒，他才不想扯著嗓子大嚷「警察」。

14

柏林城的燈光在他們身後漸漸縮小，彼得和湯姆的車朝著北邊，開過郊區乏味的小社區，咖啡館的燈幾乎都熄了。艾瑞克決定待在家裡，這樣也好，因為他來也幫不上忙，而且綁匪如果看到彼得車上還有另一個人，也許會懷疑是警察。

「現在開始就是盧巴斯區了。」開了四十分鐘後，彼得說：「這條路沒錯，我們來看一下地圖。」他坐得很直，好像在執行重要的任務。在艾瑞克的公寓時，他把他畫好的地圖給湯姆看，地圖現在攤在儀表板上，「我們應該走垂直那條，該死！不過沒關係，我們的時間很充裕，現在才三點三十五分。」彼得從儀表板上方拿下小手電筒，對著圖照：「我知道了，我們要回頭。」

彼得回轉時，車頭的大燈照亮種有一排排白菜或生菜的農田，綠色的圓點整齊地扣在土地上。湯姆調整一下夾在雙腿間的皮箱，那天晚上很涼爽，好像沒有月亮。

「這裡又是札北庫格丹，我應該在這裡左轉，這裡的人都早睡早起。艾盧巴斯，沒錯。」彼得慢慢往左轉，「前面右邊應該是公共綠地，」彼得用德語輕聲說：「我家的小地圖是這麼畫的，有教堂之類的建築，你有看到前方的燈嗎？」他的音調因為緊張而上揚，湯姆之前沒聽過他這樣說話，他說：「那裡是圍牆。」

前方隱約可以看到淺黃色、昏暗的燈光，照得很遠，比路面稍低，那是圍牆另一側的探照燈。路面略微往下傾斜，湯姆環顧四周，看看有沒有別的車輛，但是放眼望去都一片漆黑，只有彼得所說的公共綠地的方向有幾盞也許是規定得開的街燈。彼得的車幾乎沒在移動，湯姆看不到綁匪，他們可能還沒來。

「這條小路不是給車走的，所以我才開這麼慢，木棚應該在左邊，也許在那裡？」

湯姆看到木棚了，不是很高，長度大於高度，開口好像面朝著路面，右邊的田野間有幾棟建築，可能是小牧場。彼得把車停在木棚旁。

「去吧，把皮箱放到木棚後面，然後就離開，」彼得用德語說，又加了一句：「這裡不能回轉。」彼得已經關掉車燈。

湯姆下車時，對彼得說：「你先回去，我要待在這裡，我可以自己回柏林，不用擔心。」

「什麼，你要待在這裡？」

「我想到一個主意。」

「你要和那幫人打照面？」彼得用手扭動方向盤：「和他們拼命？這樣太不理智了！」

湯姆用英語說：「我知道你有槍，可以借我嗎？」

「當然，不過我可以等你，如果……」彼得看起來很困惑，他按了一下置物箱，拿出藏在布下的黑色手槍：「子彈裝好了，有六發，保險裝置在這裡。」

湯姆接過槍，很小，沒什麼重量，但是看起來絕對足以致命。「謝謝，」湯姆放進外套右側的口袋，他看了看手錶，三點四十三分，彼得也緊張地瞄了一眼儀表板上的時鐘，快了一分鐘。

「湯姆，你看到那邊的小山坡嗎？」彼得指著右邊後面公共綠地的方向：「我在那裡的教堂等你，我會關掉車燈。」彼得的語氣不容置喙，好像讓湯姆拿走槍他已經夠讓步了。

「不要等我，你說過這裡整晚都有公車。」湯姆開了車門，拿出皮箱。

「我說有公車，但沒有要你去搭，」彼得輕聲說：「不要對他們開槍！他們會射死你。」

湯姆輕輕關上車門，朝著木棚走去。

「這個！」彼得隔著窗戶輕聲喚他，遞給湯姆一把小手電筒。

「謝謝你，我的朋友！」手電筒絕對很有用，因為地面不是很平。湯姆覺得他害彼得身無寸鐵——沒有槍，也沒有手電筒。湯姆走到木棚角落，關掉小手電筒，向彼得揮揮手，不管彼得看不看得到他。彼得開始慢慢倒車，退到石子路上，視線一定很差。他把車開上艾盧巴斯路，緩緩轉到湯姆的左邊，朝著公共綠地開去。彼得還是要等他。

似乎能看到清晨來臨的徵兆，不過很不明顯，依然可以看到稀疏的街燈。湯姆看不見彼得的車，遠處傳來圍牆後方東柏林攻擊犬的吠叫聲，令人毛骨悚然，微風從圍牆的方向吹來，狗叫聲還算冷靜，也許狗兒只是沿著鐵絲網走動、相互交談。湯姆別過眼，不去看圍牆探照燈詭異的亮光，開始聆聽四周的動靜。

他在留意車子的引擎聲，拿錢的人該不會從他身後的田野走過來吧？

湯姆輕輕用腳把原本放在木棚後方的皮箱移到離他更近的地方。他從外套口袋拿出彼得的槍，推掉保險裝置，塞進褲子口袋。四周一片寂靜，沒有任何聲響，要是木棚還有別人，他一定聽得見那人的呼吸聲。湯姆用指尖摸了一下木板，粗糙的木板上有一些裂縫。

他很想上廁所，這讓他想到法蘭克在古耐沃德森林發生的事，不過他還是把握機會趕快小解。他到底想做什麼？為何留在這裡？想再多看一眼綁匪？在這麼暗的地方？還是想把他們嚇走，把錢留下？絕對不是。想救出法蘭克？他留下來也不一定有用，可能還有反效果。湯姆發現他對綁匪深惡痛絕，很想報復。他也知道這樣太不理性了，因為他極有可能寡不敵眾。可是他還是站在這裡，這個很可能挨子彈、綁匪也很容易逃走的地方。

艾盧巴斯路的方向傳來汽車引擎聲，他把背挺直。或者那是彼得離開的聲音？車子繼續往前開，湯姆隱約看到微弱的停車燈，車子以極慢的速度開進泥巴路，接近木棚，緩緩前進，隨著路面搖擺，然後在湯姆右手邊大約十碼的地方停下。那輛車好像是深紅色的，但是湯姆無法確定，他靠在木棚後面，從角落窺視，車燈沒有照進木棚裡。

車子左後方的門打開了，一個人走出來，車燈滅掉。下車的男人打開手電筒，他看起來很結實，身材不高，腳步很有自信，不過他離開小路走進田地時，仍然放慢了速度。他停下腳步，向車裡的人揮揮手，好像在說到目前為止都沒問題。

車裡有幾個人？一個？兩個？也許有兩個，因為男人是從後座走出來。

男人慢慢接近木棚，左手拿著手電筒，右手插進褲子口袋，掏出可能是槍的東西。他在湯姆右邊，朝著木棚後方前進。

湯姆緊抓皮箱手把，等男人一走到角落，便揮舞皮箱，往他左腦用力敲，聲音不大，卻很結實，男人的頭撞到木棚，又發出碰的一聲。男人倒下時，湯姆又對準他的左腦揮了一次皮箱。男人黑色毛衣上緣淺色的襯衫領子替他指引了方向，他用手槍的槍托猛敲男人的左太陽穴，男人已經一動也不動，也沒有叫喊。手電筒照亮湯姆左邊的地面，湯姆抓起彼得的槍，指向天空。

「逮到豬了！」湯姆歇斯底里地大叫，聽起來很像德語的：「天啊，這隻豬！」他朝天空開了兩槍。

湯姆又亂吼一通，用腳踹棚子，這才意識到自己的聲音變得尖銳刺耳，也發現自己在胡亂吼叫。

圍牆後的狗聽到槍響，激動的吠叫。

車子的關門聲嚇了湯姆一跳，他以為是槍聲。湯姆往木棚角落望去，正好看到一名男子把腳縮回司機席，車裡的燈亮了一下，車門關上，停車燈還沒亮就開始倒車。然後停車燈打開了，車子往左後方退，一直退到艾盧巴斯路上，再朝著較大的街飛快駛去。

綁匪拋棄了同伴，這是當然的，他們丟下錢不管也沒關係，因為法蘭克還在他們手上。他們可能以為是警察、現場沒錢。湯姆喘了好一會兒，如同剛打了一架。他推上手槍的保險裝置，塞進褲子右邊的口袋，撿起落在地上的手電筒，朝地上的男人照了幾秒，男人左邊的太陽穴都是血，可能被敲碎了，湯姆覺得他很像古耐沃德森林那名義大利模樣的人，雖然他現在沒有鬍子。要不要搜他口袋？湯姆就著手電筒的光，迅速摸了一下男人黑褲子後方的口袋，什麼也沒有，然後再吃力地伸到前面的口袋，掏出一盒火柴、幾枚硬幣，和一把很像大門的鑰匙。湯姆心不在焉地把鑰匙收進自己的口袋，視線避開男人太陽穴和臉上的血跡，不然他很可能頭暈目眩。前面的另一個口袋扁扁的，應該沒有東西。湯姆拿起男人手邊的槍，塞進皮箱角落，拉好拉鍊。他關掉男人的手電筒，丟到地上。

湯姆走到小路上，沒有打開彼得的小手電筒，摔了一跤。他朝艾盧巴斯路走去，背後傳來攻擊犬的叫聲。湯姆沒看到任何人走出屋子查看槍聲的來源，所以他比較敢開小手電筒了——一次只開一、兩秒，好看清前方的路。到艾盧巴斯路上就不需要手電筒了，因為路很平。湯姆沒有往左望，因為他不想看到正準備出門的村民，彼得可能還在那裡等。

他身後的一扇窗打開，有人在說話。

湯姆沒有回頭。

那個人說什麼？「是誰？」或「是什麼人？」

狗叫聲漸漸變小，湯姆走到札北庫格丹的街角，舔了舔嘴唇，皮箱好像變得沒有重量，街道旁停了車，也有幾輛車在街上奔馳。黎明真的來了，半數的街燈也已熄滅，像在跟他確認。不到一百碼遠的地方好像有公車站牌，彼得說二十號公車會開到泰格爾，也就是機場區，總之是往柏林的方向。湯姆把皮箱舉高，檢視角落有沒有紅色或粉紅色的血跡，可是天色還太暗，他看不清楚，而且泥巴看起來和血很像，不過他沒有看到任何需要擔心的東西。他刻意走得不疾不徐，彷彿很有目標。人行道上除了他之外，只有兩名男人，其中一名比較老，略顯佝僂，他們似乎沒特別注意他。

公車多久來一班？湯姆在公車站牌前停下，回頭望，一輛大燈全開的車駛過湯姆身邊。

「蘋果、蘋果！」一名小男孩跑來，撲到老人身上，抱住他。

湯姆望著他們。小男孩是從哪裡跑來？他為何大叫蘋果？他手裡又沒有拿蘋果。老人牽起男孩的手，朝著和柏林相反的方向走掉。

一輛亮著黃色車燈、很像公車的車駛近，湯姆看到前面標示了「二十，泰格爾」。付錢買票時，湯姆發現他左手的關節上有深紅色的血跡，怎麼會這樣？公車很空，湯姆坐了下來，把皮箱放在雙腿間，左手插進外套口袋，目光避開其他乘客。湯姆盯著左邊的窗戶，房子、車子和人都愈來愈多，他覺得放心了些，天已經亮到看得清楚車子的顏色。彼得不知怎麼了，湯姆希望他聽到槍聲就趕快逃跑。

屍體過多久會被發現？一小時後？被好奇的狗發現？狗會不會和農夫在一起？從路上看不到屍體——湯姆很肯定那是屍體，不是失去意識的人。湯姆嘆氣，差點倒抽了一口氣，他搖搖頭，盯著膝蓋間的咖啡色豬皮行李箱，裡面有二百萬美元的鈔票。他靠在椅背上，泰格爾一定是終點站，即使睡著也沒關係，不過他沒有睡，只把頭靠在窗戶上休息。

公車駛抵看起來比較像地鐵站的泰格爾機場。湯姆一下子就找到計程車招呼站，他請司機載他去尼布許街，但沒說門牌號碼，他告訴司機到了那裡他就能認出是哪一間。湯姆坐穩後，點了一根菸。他的關節擦傷了，不是很嚴重，而且至少那是他自己的血。綁匪會不會再打電話到巴黎，另外約時間？還是他們受到驚嚇，慌亂之餘會釋放法蘭克？這樣就顯得太不專業了，但那些綁匪有多專業？

湯姆在尼布許街下車，把車錢付給司機，另外也給了小費。他朝艾瑞克的公寓走去，艾瑞克先前給了他兩把鑰匙，他打開大門，走進電梯，敲敲艾瑞克家的門，再輕輕按一下門鈴，現在大約六點半。

湯姆聽見腳步聲，然後聽到艾瑞克以德語問：「是誰？」

「湯姆。」

「啊哈！」鐵鍊聲之後，是幾道門閂滑開的聲音。

「又回來了！」湯姆開心低聲說，把皮箱放到和客廳相連的門廊。

「湯姆，你為什麼叫彼得離開？彼得好擔心，他打了兩次電話！你還把皮箱帶回來！」艾瑞克搖頭微笑，表情和他聊到經濟政策時一模一樣。

湯姆脫掉外套，八月的驕陽從窗戶湧入。

「彼得說他聽到兩聲槍響，到底發生什麼事了？湯姆，坐下！你要不要喝咖啡？還是來點酒？」

「先來杯酒好了，琴湯尼可以嗎？」

沒問題。趁艾瑞克調酒時，湯姆走進浴室，用溫水和肥皂洗手。

「你怎麼回來的？彼得說你拿走他的槍。」

「槍還在我身上，」湯姆一手端酒杯，一手拿菸：「我搭公車和計程車，錢還在裡面。」湯姆朝皮箱擺了一下頭：「所以我才把皮箱提回來。」

「還在裡面？」艾瑞克張開粉紅色的唇：「是誰開槍？」

「是我，只是對空開槍，」湯姆的聲音變得嘶啞，他坐到椅子上：「我用你的皮箱敲了有點像義大利人的綁匪，他應該死了。」

艾瑞克點點頭說：「彼得有看到他。」

「是嗎？」

「對。我要加件衣服，這樣感覺很蠢。」艾瑞克還穿著睡衣，他快步走進房裡，然後繫著黑色絲質晨袍的帶子走出房門：「彼得一直在等你，等了大概十分鐘，然後他走回去看，以為你可能死了或者受傷，結果看到一個人躺在木棚裡。」

「沒錯。」湯姆說。

「所以你就……你為什麼不回去找彼得，他在教堂等你。」

在教堂等！湯姆笑了起來，伸直雙腿：「我不知道，我可能嚇到了，我沒有思考，我根本沒朝教堂看。」湯姆又喝了一口酒：「咖啡，謝謝，然後我要睡一下。」

話才講完，電話就響了。

「一定又是彼得，」艾瑞克接起電話。「剛回來！」艾瑞克說：「他沒事，沒受傷……他搭公車和計程車！」彼得不知講了什麼，艾瑞克笑了起來：「我要告訴湯姆。很好笑……對，至少大家都沒事……你知道嗎？」艾瑞克把話筒埋在胸口，還笑得很開心：「彼得不相信錢又回到這裡了！彼得要跟你講話！」

湯姆站起來，接過電話：「喂，彼得……對，我沒事，真的很感謝你，你幹得很好。」湯姆用德語說：「沒有，我沒有開槍射他。」

「黑暗中看不清楚……沒有燈，」彼得說：「我只看到不是你，我就走了。」

湯姆心想，彼得實在很勇敢，還回去看：「你的槍和手電筒都在我這裡。」

彼得笑著說：「我們都睡一下吧。」

艾瑞克替湯姆煮了咖啡——湯姆知道咖啡絲毫不會影響他的睡眠。然後他們一起打開沙發，鋪好床單和毛毯。

湯姆把咖啡色皮箱搬到窗戶旁，檢查有沒有血跡。沒有，但他還是在徵得艾瑞克同意後，到廚房拿了抹布，把抹布弄溼，將皮箱擦過一遍，然後洗淨抹布，掛在架子上晾乾。

「你知道嗎，」艾瑞克對湯姆說：「彼得離開小路時，有人走過去，問他有沒有聽見槍聲？彼得說有，說他就是聽到槍聲才過來的，那人又問彼得在那裡做什麼，他說他從沒見過彼得，彼得回答：『我和我女朋友在教堂那裡。』」

湯姆笑不出來。他在浴室隨便梳洗了一下，拉出睡衣。要是綁匪釋放法蘭克，也不一定會通知索羅。法蘭克可能知道他的哥哥和索羅在巴黎的露特西亞旅館，假如被釋放，他也許會去找他們。綁匪也可能給男孩吃了過量的安眠藥，讓他死在柏林的某棟公寓裡，自行逃逸。

「湯姆，你在想什麼？我們回去睡一下，睡很多下，睡多久都沒關係！我的管家明天不會來，我已經把門鎖好，也拉上鍊子了。」

「我在想是不是該打通電話到巴黎給索羅，我答應他了。」

艾瑞克點點頭說：「對，現在情況不知道怎麼樣？你打吧。」

湯姆穿著睡衣和拖鞋走到電話旁，開始撥電話。

「有幾個人？」艾瑞克問：「你看得到嗎？」

「看不太清楚。你是說車裡？也許有三個。」現在只剩兩個了，湯姆心想，他關掉艾瑞克電話旁的檯燈，從窗戶透進來的光已經夠亮。

「喂，」索羅接起電話：「發生什麼事了？」

他們和索羅聯絡了，湯姆說：「電話上不能講，他們願意再約別的時間嗎？」

「對，應該是，不過他們聽起來很害怕……緊張，而且語帶威脅，說如果有警察的話……」

「沒有警察，不會有警察，告訴他們我們願意再約時間，可以嗎？」湯姆想到見面的好地點：「他們應該還想要錢，你可以要他們證明男孩還活著嗎？然後我今天晚一點再打給你，我要先睡一下。」

「錢現在在哪裡？」

「在我這裡，很安全。」湯姆放下電話。

艾瑞克拿著湯姆的空咖啡杯，站在那裡聽。

湯姆點了最後一根菸。「他在問錢的事，」他笑著對艾瑞克說：「我打賭他們還想要錢，好過殺掉男孩，手上多一具屍體。」

「當然。我把皮箱拿回房間了，你有看到嗎？」

湯姆沒有看到。

「好好睡！湯姆。」

湯姆瞄了一眼門上的鍊子：「你也是，艾瑞克。」

15

「艾瑞克，我想借幾件變裝的衣服，也許今晚用得上，你的朋友馬克斯有沒有可能借我？」

「變裝？」艾瑞克露出神祕的微笑：「做什麼用？參加派對？」

換湯姆笑了。現在是下午一點十五分，他們正在吃早餐，至少湯姆是，他穿著睡衣和晨袍，坐在比較小的沙發上。「不是為了參加派對，但我有一個點子，可能會成功，總之一定很好玩。我想約綁匪今晚在駝峰見面，也許馬克斯可以跟我一起去。」「駝峰」是那間有玻璃樓梯的同性戀酒吧。

「你要穿女裝在駝峰交付贖金？」

「我不打算給錢，但是要穿女裝，你現在找得到馬克斯嗎？」

艾瑞克站起來說：「馬克斯可能在上班，荷洛比較有可能，他通常睡到中午。他們住在一起，我來試試看……」艾瑞克不用看電話簿，直接撥了電話，幾秒鐘後，他說：「喂，荷洛！你好嗎？馬克斯在不在？你聽我說，」他繼續用德語講：「我的朋友湯姆想……馬克斯見過他，他住在我家，湯姆想借幾件女裝，今天晚上要用……對！長禮服……」艾瑞克瞄了湯姆一眼，點點頭說：「假髮一定要有，還有化妝品和鞋子，」艾瑞克望著湯姆的拖鞋：「馬克斯的，你的太大了，哈哈！應該是在駝峰……哈哈，如果你想去，當然可以。」

「還要皮包。」湯姆小聲說。

「對，還要皮包，」艾瑞克說：「我不知道，應該會很好玩。」他繼續笑著說：「是嗎？很好，我會告訴湯姆，再見。」艾瑞克掛上電話：「荷洛說馬克斯大約晚上十點會到——到這裡。馬克斯要在美容院工作到九點，荷洛六點要出門做櫥窗裝飾，一直到十點，不過他會留字條給馬克斯。」

「謝謝你，艾瑞克。」湯姆覺得心情一振，雖然還沒有完全安排妥當。

「我今天下午三點又有約，」艾瑞克說：「不是十字山區，要不要一起去？」

這次湯姆不想去了。「不了，謝謝，艾瑞克，我想出去散步，替赫綠思買禮物，而且我要再打電話到巴黎，我應該欠你一千塊電話費了。」

「哈哈！付我電話錢！不用，我們是朋友。」艾瑞克走進房間。

湯姆點了一根菸，艾瑞克的話還在耳邊縈繞——他們是朋友，瑞夫斯也是他們的朋友，他們借用彼此的電話、房子、生活，算是互不相欠，不過湯姆還是要寄一本美國俚語字典給艾瑞克。

湯姆又打電話到露特西亞旅館。

「謝謝你打電話來，」索羅說，好像在嚼東西。「沒錯，」他回答湯姆剛才的問題：「他們今天中午打來，這次背景聽起來像有消防車的聲音。他們要另約確切的時間和地點，是一間餐廳，我會給你地址，你只要留下一個包裹……」

「我要建議一個地方，」湯姆打斷他：「一間叫駝峰的酒吧，駱駝的駝，就是駝峰，在……等一下，」湯姆遮住話筒，大聲問：「艾瑞克！不好意思，駝峰在哪一條街上？」

「溫特法吉街。」艾瑞克馬上說。

「溫特法吉街，」湯姆對索羅說：「不用給他們號碼，讓他們自己去找……只是普通酒吧，不過很大，計程車司機一定知道……大約午夜，十一到十二點之間，要他們找喬伊，喬伊有他們要的東西。」

「喬伊就是你？」索羅好像覺得很有趣。

「呃……不一定，但是喬伊一定在，男孩還好嗎？」

「他們是這麼說，我們沒和他講到話，有消防車聲，他們一定是在街上打。」

「索羅，謝謝，今晚會很成功。」湯姆的語氣很堅定，比他的感覺還堅定，他繼續說：「他們拿到錢後，一定會告訴你他們在哪裡釋放男孩，你可以要他們這麼做嗎？他們晚上應該會再打電話跟你確認？」

「希望如此，他們要我轉告你關於約在餐廳見面的事……你什麼時候會再打來，雷普利先生？」

「我現在無法告訴你確切的時間，但我會再跟你聯絡。」湯姆掛掉電話，覺得不太滿意，如果可以確定綁匪今天會再打電話給索羅就好了。

艾瑞克一副很有目標的樣子，舔著信封從門廊走來：「成功了嗎？有什麼消息？」

艾瑞克不慌不忙的神態讓湯姆冷靜了些，他們幾分鐘後都會離開公寓，無人看守那二百萬。

「我和綁匪約了十一點到十二點之間在駝峰見面，要他們找喬伊。」

「你不帶錢去？」

「不帶。」

「然後呢？」

「到時候再見招拆招，馬克斯有車嗎？」

「沒有，他們沒車。」艾瑞克調整一下深藍色外套的肩膀，微笑著說：「你今晚要穿女裝坐計程車了。」

「要一起去嗎？」

「我不知道，」艾瑞克搖搖頭：「湯姆，你不用客氣，把這裡當成自己家，但是如果你要出門，記得多鎖幾道鎖。」

「我一定會。」

「你要不要去看皮箱在哪裡？在我衣櫃裡。」

湯姆微笑說：「不用了。」

「再見，親愛的湯姆，我應該六點前會回來。」

幾分鐘後，湯姆也出了門，按照艾瑞克的要求把門鎖好。

尼布許街看起來很尋常、平靜，沒有人在街上徘徊，也沒有人特別留意他。湯姆左轉到萊本尼斯街，再左轉到庫坦大道，此處商店林立，有書店和唱片店，人行道停著四輪的快餐車，小男孩追著大紙箱跑，女孩努力不要用手刮掉靴子上的口香糖。湯姆不禁微笑，他買了早報，瀏覽了一下，不認為會看到關於綁匪的消息，的確沒有。

湯姆駐足在一間商店前，櫥窗陳列了高級的公事包、皮包和皮夾。他走進店裡，花了二百三十五馬克買了一只深藍色、有肩帶的漆皮皮包，赫絲思應該會喜歡。他買下這只皮包，也許是為了向自己證明他能夠安全回家、把皮包拿給赫絲思，雖然不是很合邏輯。他向一家小攤子買了幾包菸，這些小攤子很方便，除了販賣食物和啤酒，也有香菸和火柴。他想喝啤酒嗎？不想。他朝著艾瑞克的公寓往回走。

湯姆替拉空菜籃的女人扶住公寓大門，她向他道謝，不過目光沒有望向他。

他不喜歡回到艾瑞克寂靜的公寓，不知道會不會有人躲在艾瑞克的房間？這個想法太可笑了。不過他還是走進艾瑞克安靜的房間，床鋪得整整齊齊，他檢視衣櫃，咖啡色的皮箱放在一只大行李箱後面，大行李箱前面有一排鞋子，湯姆抬起咖啡色皮箱，感覺到熟悉的重量。

湯姆回到客廳，望著那幅森林的風景畫——他很不喜歡這幅畫。畫裡是一頭有角的公鹿，眼神恐懼，帶有血絲，牠的頭頂上有一片深藍色的烏雲。有狗在追鹿嗎？畫裡沒有狗，也看不到槍管，公鹿大概很討厭畫家。

電話響了，湯姆差一點跳起來，不知為何，電話鈴聲聽起來格外大聲。綁匪是否取得艾瑞克的電話？不可能。他該不該接？要不要裝別人的聲音？湯姆最後以正常的聲音接起電話。

「喂？」

「喂，湯姆，我是彼得。」彼得的語氣平靜。

湯姆微笑說：「彼得，艾瑞克不在，他說大約六點回來。」

「沒關係，你好嗎？在睡覺？」

「我很好，謝謝。你今晚有空嗎？大概十點半或十一點左右。」

「有……我要跟我表哥吃晚餐，今晚有什麼事？」

「我要去駝峰，也許會找馬克斯一起去，我想請你載我去，不過今晚不會那麼危險。」湯姆又加了一句：「希望如此，但那是我的問題，不是你的。」

彼得說他十點半到十一點之間會到艾瑞克家。

馬克斯把衣服排在艾瑞克的客廳，好似推銷員在向顧客展示商品，雖然他只帶了這一套。「這一套是最好的。」馬克斯用德語說，他穿著靴子和黑色皮衣在公寓裡走動，發出喀喀的響聲，又把長禮服披在身上，以最美的姿態展示。

還好是長袖。那件禮服是粉紅色和白色相間，部分是透明的，下襬有三排荷葉邊。湯姆說：「太棒了。」又加了一句：「非常漂亮。」

「當然，還有這個。」馬克斯從紅色帆布旅行包裡拉出白色的襯裙，看起來和禮服一樣長，馬克斯微笑說：「先穿上禮服，會讓我有化妝的靈感。」

湯姆馬上脫掉晨袍，露出裡面的短褲，他拉上襯裙，套好禮服，在穿像是米色幽靈的絲襪時出了問題。馬克斯說他得坐下來慢慢往上拉，不過最後又說：「管他的。」如果鞋子的尺寸剛好，沒穿絲襪也無所謂，因為禮服幾乎及地。馬克斯和湯姆的身高差不多，禮服沒有腰帶，寬鬆地垂到地上。

艾瑞克從房裡拿出一面長方形的鏡子。湯姆坐在鏡子前，馬克斯把化妝品攤在餐具櫃上，準備替湯姆化妝。艾瑞克雙手抱胸，在旁邊微笑地觀看。馬克斯在湯姆的眉毛塗了厚厚的白色乳霜，一邊哼歌一邊抹勻。

「不用擔心，」馬克斯說：「我會幫你把眉毛弄回來，眉毛很重要。」

「音樂！」艾瑞克說：「我們需要《卡門》。」

「我們不需要《卡門》！」湯姆說，他不喜歡《卡門》這個點子，主要是因為不夠好笑，也可能是他現在不想聽比才的音樂。湯姆驚訝地看著他嘴唇的變化，上唇變得比較薄，下唇豐滿，他幾乎認不出自己了。

「現在來戴假髮，」馬克斯用德語低聲說，甩了甩放在餐具櫃角落、看起來有點可怕的紅褐色假髮，馬克斯細心梳理上面的鬈髮。

「唱首歌吧，」湯姆說：「你知不知道那首關於小女孩精心打扮的歌？」

「啊！妳臉上塗的……化妝品！」馬克斯學路・瑞德唱歌：「胭脂和彩粉，香水和冰霜……」

馬克斯扭動身體，替湯姆上妝。

湯姆想到法蘭克、赫絲思，還有麗影。

「睜開眼睛！」馬克斯對他唱，開始畫湯姆的眼睛，接著停了一下，看看湯姆，又看看鏡子。

「你今晚有空嗎，馬克斯？」湯姆用德語問。

馬克斯笑了起來，幫湯姆調整假髮，檢視成果。「你是認真的嗎？」馬克斯的大嘴彎成笑容，臉好像有點紅，他說：「我頭髮剪得很短，所以假髮比較合，不過這麼挑剔太可笑了，看起來很不錯。」

「沒錯，」湯姆看著鏡中判若兩人的自己，但是此刻他對自己的模樣不是很有興趣：「說真的，馬克斯，你可以在酒吧陪我一個鐘頭嗎？今天晚上，在駝峰，大約十二點或更早？帶荷洛一起來，我請你們，只要一個小時就好。」

「只有我沒被邀請？」艾瑞克用德語問。

「艾瑞克，你想去也可以去。」

馬克斯幫湯姆穿上漆皮高跟鞋，鞋面有不少裂痕。

「十字山區的二手店買的，」馬克斯說：「這雙穿了腳不會痛，不像其他高跟鞋。你看！剛剛好！」

湯姆又坐回鏡子前，馬克斯在他的左頰上點了一顆美人痣，湯姆彷彿進入幻想中的世界。

門鈴響了，艾瑞克走到廚房。

「你真的要荷洛和我跟你一起去駝峰？」馬克斯問。

「我一個人坐在那裡或站在那裡不太好吧，不是很像壁花嗎？我需要你們，艾瑞克的型不對。」湯姆練習捏著嗓子講話。

「只是去玩？」馬克斯問，又摸摸湯姆紅褐色的鬈髮。

「對，我會放一個人鴿子，反正對方走進來時也認不出我。」

馬克斯笑了起來。

「湯姆！」艾瑞克說，走回客廳。

不要叫我湯姆——湯姆很想說。

艾瑞克盯著湯姆鏡子裡的臉，頓時講不出話：「彼……彼得在樓下，說他找不到停車位，問你可不可以下去？」

「好的，」湯姆鎮靜地拿起馬克斯的大皮包，皮包是以紅色皮革和黑色漆皮編織而成，再冷靜地把手伸進掛在艾瑞克前門的外套的口袋，拿出從義大利人身上取走的鑰匙，接著將手探進衣櫃右邊地板的角落，拿出彼得的槍。艾瑞克和馬克斯一邊聊天，一邊欣賞湯姆的裝扮，沒有注意到背對著他們的湯姆把槍放進皮包。湯姆說：「好了嗎，馬克斯？誰要陪我下去？」

馬克斯陪他下樓。馬克斯到艾瑞克家時遲了一些，他說荷洛可能已經先到駝峰，不過他得回家一趟，換掉「部分」衣服，因為他穿同一件襯衫工作一整天了。

彼得坐在車裡，嘴上的菸差點掉下來。

「我是湯姆，」湯姆說：「你好，彼得。」

彼得和馬克斯顯然認識彼此。馬克斯說他家很近，最好用走的回去，因為駝峰在反方向，他等一下再去找湯姆。彼得開著車，載湯姆到溫特法吉街。

「你為什麼打扮成這樣？為了好玩？」彼得緊張地說。

彼得的語氣是否有些冷淡？「不完全是，」湯姆想到他忘了打電話給索羅，問綁匪今晚會不會來。「趁著還有時間……你那時回到了木棚。」

彼得不知是聳了一下肩，還是因為不安而扭動身體：「我用走的，因為我不想發動車子，怕引擎聲太大。我沒有手電筒，很暗。」

「我可以想像。」

「我以為你死了……或受傷了，那樣更糟。然後我看到一個人躺在地上，不是你，所以我就離開了，你沒有開槍射他？」

「我用皮箱打他，」湯姆吞了一口唾液，他不想說他也用彼得的槍托敲那個人的太陽穴，「綁匪可能以為我不是一個人，我對空開了兩次槍，還在那裡大叫，不過躺在地上的人應該是死了。」

彼得笑了起來，也許是出於緊張，但這讓湯姆覺得好過了些。彼得說：「我沒有待在那裡確認。我沒看今天的晚報，也還沒看新聞。」

湯姆一言不發，到目前為止，他還沒有嫌疑，但是他要先處理現在的事。他敢不敢開口要求彼得在駝峰外等他？彼得今晚可能會幫很多忙。

「然後他們開走了，」彼得說：「我看到他們把車子開走，我繼續等你，等了超過五分鐘。」

「我朝大路走，回到庫格丹搭公車，我根本沒朝教堂看，是我的錯，彼得。」

彼得轉了一個彎：「錢都在艾瑞克房間裡！他們沒拿到錢會怎樣對待男孩？」

「他們寧可拿錢。」車子已經開到酒吧所在的街道，湯姆開始找寫有「駝峰」的粉紅色霓虹燈招牌，招牌是手寫的字體，下面畫了一條橫線，不過他一直沒看到。湯姆想告訴彼得今晚的計畫，卻不知如何啟口，他身上的裝扮讓他覺得很可笑、無助，他緊張地拿起膝蓋上黑紅相間的皮包——有一點重，因為裡面放了彼得的槍。湯姆對彼得說：「你的槍在我這裡，還剩四發子彈。」

「現在？你有帶槍？」彼得用德語問，瞄了一眼湯姆的皮包。

「對，我今晚和綁匪約好了，也許只會出現一個，我不確定。我和他們約在駝峰，十一到十二點之間，彼得，你願意等我嗎？現在是十一點出頭，我不會表明身分，我想跟蹤他們。他們也許會開車來，如果他們沒有車，我會盡量徒步跟蹤。」

「喔？」彼得的語氣帶著懷疑。

彼得想到他腳上的高跟鞋？「如果他們根本沒出現，至少今晚也會很有趣，那也不錯。」湯姆看到駝峰粉紅色的招牌了，比他記憶中小。彼得開始找停車位。「那邊有位子！」湯姆說，街道右邊有一個空位。

彼得把車停進去。

「你願意等一個鐘頭嗎？也許更久？」

「當然，當然。」彼得一邊停車一邊說。

湯姆解釋，如果綁匪遵守約定，他們會跟酒保或侍者說要找「喬伊」，過了一陣子，喬伊一直沒出現，他們就會離開，到時候他就可以跟蹤他們。「他們應該不會等到清晨關門才走，到午夜左右，他們就會發現自己被耍了。不過如果你想上廁所，最好現在就去。」

彼得顯得有點驚訝，笑著說：「我不用。就你一個人？」

「我看起來那麼脆弱？馬克斯會來，荷洛可能也會。彼得，待會兒見，如果過了十二點十五分還沒動靜，我會出來跟你說一聲。」

一名壯漢走出駝峰的大門，又有兩個人進去。門一打開，就傳出舞曲的節奏聲：碰……碰……，像是心跳，不快也不慢，但十分強勁，感覺不太真實，是很人工的電子音樂，不像人類的聲音。湯姆知道彼得在想什麼。

「這樣做好嗎？」彼得用德語問。

「我想知道男孩在哪裡，」湯姆拿起皮包說：「如果你不想等，我不怪你，我可以招到計程車跟蹤他們。」

「我會等你，」彼得露出緊張的笑容：「如果你遇上麻煩——我就在這裡。」

湯姆下車，過了馬路。夜晚的微風吹拂，他覺得自己好像沒穿衣服，湯姆瞄了瞄下方，確定裙子沒有被風掀起。他跨上人行道時，腳踝扭了一下。他提醒自己要走慢一點。湯姆緊張地摸摸假髮，嘴唇微張，拉開駝峰的大門。舞曲聲立刻將他吞沒，在他耳膜裡回盪。湯姆朝著吧檯移動——在至少十名顧客的注視下，其中很多人向他微笑。空氣中飄著大麻的味道。

吧檯還是沒有空位，但是四、五個人神奇地自動挪開，讓湯姆摸到吧檯邊緣發亮的金屬。

「你是哪位？」發問的年輕男人身上的牛仔褲破到看得出他沒穿內褲。

「梅寶。」湯姆說，眼睫毛搧了一下。他冷靜地打開皮包，想掏出底層的零錢買酒，這才發現他忘了擦指甲油，馬克斯也沒想到，管他的。把硬幣倒在吧檯上好像太男性化了，所以湯姆沒這麼做。

男人和男孩隨著節奏在舞池裡扭動跳躍，好像他們腳下的地板在起伏或爆裂。人群聚集在通往廁所的玻璃樓梯上，或盤旋，或凝視，或飄移。一個人在樓梯上摔了一跤，由兩個人攙扶著，顯然毫髮未傷地走下樓。湯姆發現至少十名穿女裝的男人，不過他現在要專心找馬克斯。湯姆用最慢的速度，從皮包拿出香菸，點了菸，不急不徐地抓住酒保目光，向他點酒。現在是十一點十五分，湯姆四處環顧了一下，特別留意吧檯附近，如果有人要找喬伊，應該會到那裡詢問，不過到目前為止，湯姆還沒看到任何可能是異性戀的人——綁匪應該不是同志。

馬克斯出現了，他穿著西部牛仔風格的白襯衫，襯衫上有珍珠鈕釦，下身還是搭配黑色皮褲和靴子。他從酒吧後面走過來，大部分跳舞的人都聚集在那裡，他身後跟了一名穿米色長裙的高大男人，裙子的質料像是米白色的棉紙，那個人理了平頭，兩耳上方各繫了一朵細細的黃絲帶。

「晚安，」馬克斯微笑地指指穿棉紙衣的人說：「這是荷洛。」

「我是梅寶。」湯姆開心地說。

荷洛薄薄的紅唇略微上揚，他的臉除了嘴唇外，都像麵粉一樣白，藍灰色的眼睛如切割過的鑽石般閃亮。「你在等朋友？」荷洛問，他帶了長型的黑色菸夾，裡頭沒有香菸。

荷洛在開玩笑嗎？「對。」湯姆說，眼珠子又飄向牆邊的桌子，湯姆很難想像綁匪在舞池裡跳舞，不過什麼事都可能發生。

「要喝什麼嗎？」荷洛問湯姆。

「我來，湯姆，要喝啤酒嗎？」馬克斯問。

淑女好像不適合喝啤酒，但是湯姆覺得這種想法太可笑了，他正要說好的時候，看到吧檯後面擺了濃縮咖啡機。「我要咖啡，謝謝！」湯姆從皮包底層掏出零錢，放在吧檯上，他沒有帶皮夾出門。

馬克斯和荷洛要喝德國琴酒多享卡特。

湯姆面朝大門，靠在吧檯上，與馬克斯和荷洛聊天。在喧鬧中聊天不是很容易，每隔幾秒就有一兩名男人走進大門，離開的人好像比較少。

「你要放什麼人鴿子？」馬克斯在湯姆的耳邊大聲說：「你有看到他嗎？」

「還沒！」就在此時，湯姆注意到他的右手邊有一名深色頭髮的年輕人，站在吧檯最角落的彎曲處。這個人很可能是異性戀，看起來大約三十歲，穿著像帆布一樣的褐色外套，左手拿了一根菸，靠在吧檯上。他一邊喝啤酒，一邊緩慢、警覺地環顧四周，同時也在瞄門，不過很多人都在看門，所以湯姆無法確定。湯姆在找的人不久後一定會去問酒保有沒有看到喬伊，或是有沒有喬伊的留言。

「要不要跳舞？」荷洛彬彬有禮地彎身邀請湯姆，因為荷洛比湯姆還高。

「好啊。」他和荷洛走向舞池。

過沒多久，湯姆就不得不脫掉高跟鞋，荷洛殷勤地幫他拎著鞋子，然後舉在頭上敲，就像敲響板一樣。裙襬飛揚，大家都在笑，但不是笑他們，事實上沒有人在注意他們。音樂裡唱著：「嘟依……嘟依……」，也可能是別的歌詞，不過那一點也不重要。湯姆很喜歡赤腳踩在地板上的感覺。他不時得調整假髮，荷洛也替他整理了一次。湯姆注意到荷洛穿平底涼鞋，實在很明智。湯姆覺得好快樂，也覺得自己變得更強壯了，好像在健身房運動一樣，難怪柏林人這麼喜歡喬裝！感覺好自由，卻又能在喬裝時做真正的自己。

「我們回吧檯吧？」現在應該超過十一點四十分了，湯姆想再觀察一下。

湯姆走回吧檯，穿上鞋子，沒喝完的咖啡還放在那裡，馬克斯替他看著皮包。湯姆坐回看得見門的位置，之前注意到的那個人已經不在吧檯盡頭，湯姆四處張望了一下，尋找褐色外套人有沒有在桌子附近，或是站在哪裡盯著舞池或樓梯。湯姆看到他在他們身後幾碼遠的吧檯邊，幾乎被中間的顧客遮住，褐色外套人正試圖引起酒保注意。馬克斯大聲對湯姆說話，湯姆比了手勢示意他安靜，又透過幾乎遮住眼睛的假睫毛看著那個人。

戴著金色捲曲假髮的酒保身子往前傾，然後搖搖頭。

褐色外套人繼續說話，湯姆踮起腳尖，盯著他的嘴看，他是否在說「喬伊」？看起來很像。酒保點了點頭，意思也許是：「如果他出現我會告訴你」，然後褐色外套人慢慢穿越人群，走到吧檯對面的牆邊，和一名金髮男人說話。那個人穿著天藍色的開襟衫，靠在牆上，一言不發。

「你剛才說什麼？」湯姆問馬克斯。

「那是你朋友嗎？」馬克斯微笑問，頭朝褐色外套人擺了一下。

湯姆聳聳肩。他拉起粉紅色的蓬蓬袖，看到離十二點還差十一分鐘。湯姆喝完咖啡，挨近馬克斯說：「我可能等一下就要走，不一定，不過我最好先跟你說晚安，還有謝謝。免得我像灰姑娘一樣急忙跑走！」

「你需要計程車嗎？」馬克斯禮貌地問，語氣帶著疑惑。

湯姆搖頭說：「還要酒嗎？」湯姆指指馬克斯的酒杯，向酒保比了二，然後不顧馬克斯的反對，在桌上放了兩張十元的馬克紙鈔，在此同時，湯姆看到褐色外套人走向吧檯的同一個角落，現在那裡有一名男子和一位男孩交談。褐色外套人似乎放棄了，改往門口走，他舉起一隻手向站在吧檯盡頭的酒保示意，酒保對他搖搖頭，此時湯姆很確定他是在找喬伊了。褐色外套人看了一下手錶，又望向門，三名穿牛仔褲的青少年走進來，四處張望，空空的手搖來晃去。褐色外套人朝藍襯衫人看了一眼，向門口擺了擺頭，然後走出去。

「晚安，馬克斯，」湯姆拿起皮包說：「很高興認識你，荷洛！」

荷洛向他鞠了躬。

藍襯衫也朝門口移動，湯姆讓他先出去，再緩緩走出酒吧。湯姆看到他們站在右邊的人行道上，褐色外套在等藍襯衫。彼得的車停在左邊，車頭朝著和他們相反的方向，湯姆走過去。又有更多人進了駝峰，有人對湯姆吹口哨，其他人都笑了起來。

彼得的頭靠在椅背上，湯姆敲敲半開的車窗，他馬上坐直。

「又是我！」湯姆說，走到另一邊，坐進車裡：「你要調頭，我剛才看到他們，就在這條街上，兩個男人。」

彼得開始調頭，街道很暗，兩旁停滿了車，但路上沒有別的車在跑。

「開慢點，他們是用走的，」湯姆說：「假裝你在找停車位。」

他們繼續往前走，沒有回頭，顯然在交談，然後在一輛車旁停下。湯姆示意彼得再開慢一點。一輛車跟在他們後面，但是還過得去。「我要跟蹤他們，不要被發現，」湯姆說：「我們來試試，如果他們懷疑我們在跟蹤，就會故意繞路或加速開走。」湯姆想再用德語講一遍繞路，不過彼得好像懂他的意思。

車子在他們前方大約十五碼開出，然後快速地在下一個十字路口左轉。彼得尾隨在後。車子又右轉到一條比較繁忙的街上，中間插進兩輛車，不過湯姆盯得很緊，那輛車又往左彎，在另一輛車的頭燈照射下，他們看到那輛車是暗紅色的。

「暗紅色的，就是那輛！」

「你看過？」

「就是盧巴斯那輛。」

他們跟了大約五分鐘，不過也許沒那麼久，湯姆在一旁指揮，又轉了兩個彎，接著那輛車開始減速，往左靠。那裡有一排大約四、五層樓高的房子，窗戶幾乎都是暗的。

「你在這裡停一下，後退一點。」湯姆說。

湯姆想知道他們走進哪一棟房子，如果可能的話，希望也能看到哪一層樓的燈亮起。這裡是中下階層的公寓大樓，毫無特色，逃過第二次世界大戰的轟炸。藉著褐色外套人比背景亮的人影，隱約能看到他們走上階梯，進了門，消失在公寓裡。

「彼得，請你往前開大約三公尺。」

彼得向前駛去，湯姆看到三樓的燈變亮，二樓的燈暗掉，然後消失。是定時系統？還是走廊燈？三樓左邊的一盞燈變得更亮，二樓右邊的燈一直亮著沒滅。湯姆摸摸皮包底層，從硬幣和紙鈔間掏出他從義大利人身上拿走的鑰匙。

「好，彼得，放我在這裡下車。」湯姆說。

「要不要等你？」彼得低聲問：「你要怎麼做？」

「現在還不確定。」彼得的車子停在右側，靠近一排停在路邊的車，沒有擋到別人。他或許能在這裡待個十五分鐘，可是湯姆不知道他需要多少時間，也不希望危及彼得的性命，也許會有人追殺他，在彼得開車來接他時正好開槍。湯姆知道他總會想到最極端、最荒謬的情節。他的鑰匙可以開大門的鎖？還是公寓的門？或兩者皆非？湯姆想像他在樓下按了好幾家門鈴，直到某個不知情的人讓他進公寓。「我只想嚇嚇他們。」湯姆說，用指尖敲敲車門。

「要不要打電話給警察？現在，還是五分鐘後？」

「不用。」湯姆得在警察來之前離開，無論有沒有救出男孩、有沒有任何成果。湯姆不希望他的名字被牽扯進去。「到目前為止警察都不知情，我們也不要讓他們知道，」湯姆打開車門說：「不用等我，開遠一點再把車門關好。」他輕輕關上車門，只發出一點卡住的聲音。

一名穿淺色洋裝的女人走過湯姆身邊，驚懼地望了湯姆一眼，又繼續往前走。

彼得的車駛入黑暗中，開到安全的地方，湯姆聽見關車門的聲音。湯姆小心翼翼地把高跟鞋踩在階梯上，拉起長裙以免跌倒。

大門前有一片至少有十個按鈕的板子，大部分都標示不清，有些還沒有公寓的號碼。湯姆有點沮喪，要是標示清楚的話，他可能敢按二樓的門鈴，剛才燈亮的樓層以歐洲的算法是二樓，在美國是三樓。湯姆試了一下看起來很像銷栓鎖的鑰匙。門居然開了，湯姆又驚又喜，或許他們每一個人身上都帶了一把大門鑰匙，而在公寓裡一定有人替他們開門？是哪一間？湯姆按下定時燈的按鈕，照亮樓梯間黯淡的咖啡色木頭。左右邊各有一扇關著的門。

他把鑰匙放入皮包，摸到槍，打開保險栓，還是放在皮包裡，又繼續撩起裙襬爬樓梯。快爬到三樓時，他聽到關門的聲音，一名男人站在走廊按牆上的按鈕，燈亮了，是穿運動衫、壯碩的中年男子。他走下樓，看到湯姆，往旁邊靠了一下，並非出於禮貌，而是覺得湯姆很可疑。

他可能以為湯姆是應召女子，而非穿女裝的男人。湯姆繼續往上爬。

「你住這裡嗎？」男人用德語問。

「對。」湯姆輕聲回答，但語氣堅定。

「這年頭怪事還真多。」男人自言自語地走下樓。

湯姆又往上爬一層樓，樓梯發出嘰嘎嘰嘎的聲音。左右兩邊各有一扇門透出燈光，末端還有兩扇門，代表可能還有兩間公寓。湯姆靠在右邊的門上聽了一下，聽到類似電視的聲音，隨即走到左邊，門裡傳出低沉的說話聲，至少兩個人在講話。湯姆掏出彼得的槍，按下這層樓的燈，燈可能再過三十秒會滅掉，門上好像只有一道鎖，但看起來很堅固。下一步該怎麼做？湯姆不確定，但他知道最好的策略是嚇他們一跳，讓他們措手不及。

趁著燈還沒滅，湯姆把槍口對準鎖，用左手關節猛力敲門，皮包滑到左手的手肘上。

門裡一陣靜默，幾秒後，一名男人用德語問：「是誰？」

「警察！」湯姆大聲用德語說，語氣堅定而嚴肅，「開門！」

湯姆聽到有人在走動和拖椅子的聲音，不過感覺不是很驚慌，他們又低聲講話。「警察，開門！」湯姆說，繼續用拳頭敲門：「你們被包圍了！」

他們是不是正在爬窗逃逸？湯姆擔心他們朝門開槍，便謹慎地移到門的右邊，不過他還是把左手放在門把下的鎖頭上，以確定門把的位置。

燈熄了。

湯姆移到門前，槍口對準金屬和木板的裂縫，扣下扳機，槍在他手上彈了一下，不過他抓得很緊，他同時也用肩膀撞了一下門，門沒有完全打開，裡頭好像上了鏈子。湯姆又大聲說：「開門！」音量大到很可能驚嚇到同一層樓的住戶，湯姆希望他們不會出來，但是湯姆往後瞄了一眼，發現他身後的門微微開了一點。湯姆沒時間擔心身後的門，有人在開前面的門，他們可能放棄了。

開門的是穿藍襯衫的金髮年輕人，房裡的燈照在湯姆身上，男人顯得很驚訝，開始摸背後的口袋，湯姆用槍指著藍襯衫人，進入房裡。

「你們被包圍了！」湯姆用德語重複：「出來！你們不能從樓下大門出去了！男孩在哪裡？在裡面嗎？」

褐色外套男人張大了嘴站在房間中央，不耐煩地比了個手勢，對第三個人說了些什麼，那人的頭髮是棕色的，身材結實，袖子往上捲。藍色襯衫人踢了一下搖搖欲墜的門，卻關不起來，他跑進湯姆左邊的房間，窗戶應該在那裡。湯姆所站的房間擺了一張橢圓形的大桌，不知誰關掉大燈，只留了一盞檯燈。

幾秒鐘混亂間，湯姆甚至一度考慮趁著還能逃時趕快逃跑，他們很可能對他開槍，然後逃逸。他是不是該讓彼得打電話給警察的？樓下如果傳出警笛聲會比較有說服力。湯姆用英語大叫：「能逃就快逃！」

藍襯衫和捲袖子的人講了幾句話，把槍交給褐色外套人，然後走進湯姆右邊的房間，湯姆聽到重物墜地聲，很像行李箱掉落地上的聲音。

湯姆不敢去找男孩，槍口指著褐色外套人，對方手上也有槍，湯姆聽見他身後有人用德語問：

「怎麼了？」

湯姆瞄了一眼，那名男人穿著拖鞋，可能是好奇的鄰居，他眼睛圓睜，一副驚懼的模樣，準備躲回自己的公寓。

「走開！」褐色外套人大嚷。

本來在客廳的捲袖子人跑到湯姆站的房間，鄰居已經離開了。

「好，快！」捲袖子人說，抓起放在橢圓形桌旁椅子上的外套，穿好外套，往湯姆右邊的房間跑，和提著行李箱往外跑的藍襯衫人對撞。

他們看到街上有警察？警察被他的槍聲引來？不太可能！藍襯衫人提著行李箱跑過他身邊，接著是褐外套，湯姆看到他們跑向通往屋頂的樓梯，要不是他們事先打開屋頂的門，就是他們有鑰匙。湯姆知道這種房子沒有逃生巷，只有讓消防車駛進的中庭和屋頂的逃生口。捲袖子人提著像是咖啡色公事包的東西跑過湯姆身邊，跑上樓梯，滑了一跤，又爬起來，他跑過去時撞到湯姆，差點把他撞倒。湯姆想把門關上，不過門被一片木頭碎片卡住了，關不起來。

湯姆走進右邊的房間，依然舉著彼得的槍，對準前方可能出現的敵人。

這裡是廚房。法蘭克躺在地上，嘴上綁了一條毛巾，手被綑在後面，腳踝也被綁著。他躺在一條毯子上，用臉摩擦毯子，好像想把毛巾磨掉。

「法蘭克！」湯姆跪在法蘭克身旁，把綁在他下巴上的毛巾移到脖子。

男孩在流口水，眼神迷濛，不知是因為吃了毒品還是安眠藥，無法對焦。

「我的老天！」湯姆喃喃自語，四處找刀子。他在廚房抽屜裡找到一把刀，但是用手指摸了摸，太鈍了。湯姆又看到滴水板上有一把麵包刀，上面還有幾瓶可口可樂的空罐。「我馬上幫你解開，法蘭克。」湯姆開始割法蘭克手腕的繩索，繩子很結實，直徑有半吋，但是解開繩結應該更困難。湯姆一邊割，一邊留意有沒有人走進公寓。

男孩吐了一口痰到毯子上，湯姆緊張地打他臉頰。

「醒醒！我是湯姆！我們馬上要離開了！」湯姆希望他有時間泡即溶咖啡，用洗手台的冷水也可以，但是湯姆不敢花時間去找。他開始對付腳上的繩索，一度還切錯了結，他氣得大罵。終於，繩子切斷了，他把男孩拉起來，「你可以走路嗎，法蘭克？」湯姆一隻高跟鞋掉了，他踢掉另一隻，在這種情況下最好是打赤腳。

「大姆？」男孩說，看起來像喝醉。

「來吧！」湯姆把法蘭克的手臂圍在脖子上，朝門口走去。湯姆希望男孩走動後多少能清醒些，他們吃力地前進，經過客廳時，湯姆四處張望了一下，客廳沒有鋪地毯，他們什麼東西都沒留下，連筆記本和紙都看不到，顯然他們很整齊也很有效率，把東西都集中在一起。湯姆只看到角落好像有一件髒襯衫。他的皮包居然還掛在手臂上，湯姆把槍收好，背好皮包，抬起法蘭克。

走廊上有三個鄰居，二男一女，看起來很驚恐。

「沒事！」湯姆說，發現自己的聲音很尖銳，像在生氣，三個人往後退了一步，讓湯姆走到樓梯間。

「那是女人嗎？」其中一名男人問。

「我們打電話給警察了！」女人以恫嚇的語氣說。

「都沒問題了！」湯姆以德語回答，聽起來好有架勢。

「男孩被下藥了！」另一名男人說：「是什麼禽獸幹的？」

湯姆和法蘭克走下樓梯，湯姆幾乎得支撐男孩所有重量。他們很快就走出公寓大門，途中只看到兩扇門微微開啟，露出好奇的眼睛。沒有牆可靠，湯姆差一點跌到前門的石階上。

「哇塞！」人行道上一對年輕人笑得好大聲：「親愛的小姐，需要幫忙嗎？」他們故意以禮貌到誇張的語氣說。

「要，謝謝，我們需要計程車！」湯姆用德語回答。

「看得出來！哈哈！計程車，親愛的小姐！馬上來！」

「這個時候小姐最需要計程車了！」另一個人說。

在他們的幫忙下，湯姆和法蘭克沒那麼困難地走到下一個街角，年輕人發現湯姆打赤腳，又放聲大笑，在旁邊一直問：「你們到底做了什麼？」一類的問題，不過他們一直陪在湯姆和法蘭克身邊，其中一個很有活力地跑到街上攔計程車。湯姆瞄了一眼街牌，看到他們剛才走過的街，也就是綁匪公寓所在的街道叫做賓格街。湯姆聽到警笛聲，不過計程車也來了！計程車停下來後，湯姆先進了車裡，再把男孩拉進去，開心的年輕人幫了很大的忙。

「旅途愉快！」其中一人大聲說，幫他們關上車門。

「請到尼布許街。」湯姆對司機說，司機又多看了湯姆幾眼，才按下計費表，開動車子。

湯姆打開窗戶，對法蘭克說：「呼吸。」他捏捏法蘭克的手，想讓他清醒一點，不在乎司機怎麼想，他把假髮拉掉。

「派對好玩嗎？」司機問，直視前方。

「好玩。」湯姆邊說邊嘆了口氣，好像好玩得不得了。

到尼布許街了，感謝老天！湯姆開始掏錢，很快就找到一張十元的馬克紙鈔，車錢只要七塊，司機正要找錢時，湯姆告訴他不用找。法蘭克好像稍微清醒了些，但雙腿依舊軟弱無力，湯姆用力按了艾瑞克家的門鈴，他今天沒帶艾瑞克的鑰匙出門，不過艾瑞克一定在家，因為他家裡存放了鉅款。令人欣慰的開門聲響起，湯姆推開大門。

湯姆看到彼得瘦長敏捷的身影跑下來。「湯姆！」他低聲說，又看到男孩：「喔－喔－喔！」

法蘭克努力想把頭抬起，卻沒有力氣，好像脖子斷掉了似的。湯姆很想笑，也許是因為情緒過度緊繃，有點歇斯底里，他緊咬著下唇，和彼得一起把男孩扶進電梯。

艾瑞克看到他們，馬上把半開的門打開：「我的天！」

湯姆把手上拎著的假髮和皮包丟到地上，和彼得一起扶著法蘭克坐進沙發。彼得去拿溼毛巾，艾瑞克去端咖啡。

「我不知道他們給他吃了什麼，」湯姆說：「我弄丟馬克斯的鞋子……」

彼得露出緊張的笑容，直盯著男孩看。湯姆替他擦臉，艾瑞克端來咖啡。

「涼的，但是對你很好，是咖啡，」艾瑞克輕聲對法蘭克說：「我叫艾瑞克，是湯姆的朋友，不要怕！」又對站在後面的彼得說：「天啊，他真的好昏沉！」

但是湯姆看得出來男孩好一些了，他小口啜著咖啡，雖然還是無法自己拿杯子。

「肚子餓嗎？」彼得問男孩。

「不行，他會噎到，」艾瑞克說：「咖啡裡有糖，對他很好。」

法蘭克像喝醉的小孩朝著他們微笑，尤其對著湯姆。湯姆覺得嘴巴好乾，便從艾瑞克的冰箱拿了一瓶啤酒。

「發生什麼事了，湯姆？」艾瑞克問：「彼得說你到他們的公寓。」

「我開槍射鎖，不過沒有人受傷，他們害怕——嚇到了，」湯姆覺得好累：「我要去梳洗一下。」他走進浴室，先用熱水，再用冷水淋浴，還好晨袍就掛在浴室門後，湯姆摺好要還給馬克斯的禮服和襯裙。

湯姆回到客廳，法蘭克正在吃東西，彼得替他拿著，是塗了奶油的麵包。

「烏里希——是其中一個，」法蘭克說：「還有波波……」他繼續講，但是沒人聽得懂。

「我問他們的名字！」彼得對湯姆說。

「明天！」艾瑞克說：「他明天就記得了。」

湯姆檢查艾瑞克的門有沒有閂緊，有。

彼得對湯姆微笑，看起來很開心：「太棒了！他們去哪裡了？逃走？」

「好像跑上屋頂了。」湯姆說。

「三個人，」彼得以佩服的語氣說：「也許他們被你的裝扮嚇到了。」

湯姆微笑，不過他實在太累，沒力氣講話。他也許能講別的事，卻無法講述剛才的經歷，湯姆忽然笑了起來：「艾瑞克，你應該一起去駝峰的！」

「我該走了。」彼得嘴裡這麼說，感覺上卻不是真的想走。

「對了，彼得，你的槍，還有手電筒，趁我還記得！」湯姆從皮包裡拿出槍，再從衣櫃裡拿出手電筒：「真的非常感謝！開了三槍，還剩三發子彈。」

彼得把槍收進口袋，微笑著輕聲說：「晚安，好好睡一覺吧。」接著便走出去。

艾瑞克向他道晚安，掛上門閂：「我們把床打開？」

「好，來吧，法蘭克。」法蘭克坐在沙發上，一隻手撐著沙發扶手，眼睛半閉，向他們傻笑，好像在電影院裡打瞌睡的觀眾，湯姆不禁微笑。他拉起男孩，把他放到扶手椅上。

湯姆和艾瑞克一起打開沙發，鋪好床單。

「法蘭克可以和我睡，」湯姆說：「我們都會睡到不省人事。」湯姆替法蘭克脫衣服，法蘭克努力配合，卻沒幫上什麼忙，然後湯姆拿了一杯水，鼓勵法蘭克盡量多喝。

「湯姆，你是不是該打電話到巴黎？」艾瑞克問：「告訴他們男孩沒事？那幫人不知會怎麼跟巴黎說！」

艾瑞克說得沒錯，但是一想到打電話給巴黎，他就覺得很沒趣：「我會打。」他把法蘭克扶到床上，被單蓋到他的脖子，再替他蓋了一條薄被，然後湯姆撥了露特西亞旅館的電話，他得想一下才記得號碼，不過他沒有撥錯。

艾瑞克在旁邊走來走去。

索羅接起電話，聲音昏昏欲睡。

「喂，我是湯姆，一切都沒問題……對，我就是這個意思……很好，只是想睡覺，鎮定劑……我今晚不想講太多……以後再解釋，沒有動……對……中午以前不要打，我們都很累。」索羅不知還在說什麼，湯姆把電話掛斷。「也在問錢的事。」湯姆笑著對艾瑞克說。

艾瑞克也笑了：「皮箱就在我房間的衣櫃裡！晚安，湯姆。」

16

湯姆又被咖啡磨豆機溫馨的聲音喚醒。他今天早上心情更好了，法蘭克在睡覺，臉朝下，有呼吸。湯姆忍不住去看他的肋骨，檢查他有沒有呼吸。湯姆披上晨袍，到廚房找艾瑞克。

「昨晚到底發生什麼事，」艾瑞克說：「你開了一槍……」

「只有一槍，朝著門鎖開。」

艾瑞克在托盤上放了不同種類的麵包、麵包捲和果醬，也許是為了法蘭克，才準備得特別豐盛。「讓他睡吧。他長得真好看！」

湯姆微笑說：「你這麼認為？沒錯，他很好看，而且自己渾然不覺，這樣特別有魅力。」

他們坐在客廳的小沙發上，前方有一張茶几。湯姆告訴他昨晚的經過，包括馬克斯和荷洛在駝峰陪他，以及兩個人去找喬伊，最後失望離開的事。

「他們聽起來像生手——還被你跟蹤。」艾瑞克說。

「顯然是，他們看起來很年輕，才二十幾歲。」

「他們的鄰居認不認得男孩？」

「應該不認得，」他和艾瑞克把音量壓得很低，雖然法蘭克完全沒有醒來的跡象，「鄰居現在能做什麼？他們應該更熟悉綁匪的模樣，因為他們時常進出。其中一個鄰居說她要報警，可能已經報警了，反正警察一定會搜索公寓，如果仔細一點還能採集到很多指紋。但是鄰居知道發生了什麼事嗎？警察會在那裡找到馬克斯的高跟鞋，然後把鞋子丟掉！」喝了艾瑞克煮的濃咖啡，湯姆舒服多了：「我想盡快把男孩帶離柏林，我也要離開了，我想搭今天下午的飛機到巴黎，不過男孩可能還不行。」

艾瑞克看了一下床，又望向湯姆：「我會想念你。」他嘆了一口氣：「柏林有時候很無聊，也許你不這麼認為。」

「真的？艾瑞克，今天還有一件事得辦，我們要把錢還給銀行，可不可以請信差送？也許一名信差就夠了？我不想做這件事。」

「當然可以，我們來打電話，」艾瑞克笑了起來，他穿著亮面的黑色晨袍，看起來有點像東方人：「一想到那些錢，我就想到那個在巴黎的笨蛋什麼也沒做！」

「他只管拿錢。」湯姆說。

「想像一下，」艾瑞克繼續說：「如果要那個笨蛋穿女裝，他一定辦不到！真希望我昨晚有去駝峰，我可以替你和馬克斯、荷洛照相！」

「請幫我把衣服還給馬克斯，還要替我跟他說謝謝，噢——我得把皮箱裡義大利人的槍拿出來，這種東西不需要讓銀行的信差看到，我可以進去嗎？」湯姆比了一下艾瑞克的房間。

「當然！在衣櫃裡，你找得到。」

湯姆從艾瑞克衣櫃的深處拿出皮箱，打開上面的拉鍊，槍柄掉在牛皮紙袋和皮箱邊緣中間，槍口對著他。

「什麼東西不見了嗎？」艾瑞克問。

「沒有，沒有。」湯姆小心拿出槍，確定保險裝置是關好的。「我要送人，不太可能帶槍坐飛機，艾瑞克，你想要嗎？」

「啊，老式的槍！謝謝你，湯姆，柏林不容易找到槍，連超過特定長度的彈簧刀都很少見，這裡管得很嚴。」

「請笑納。」湯姆說，把槍遞給艾瑞克。

「謝謝你，湯姆。」艾瑞克拿著槍走進房間。

法蘭克動了一下，仰面躺在床上。「我……不要……」語氣好似和對方講理。

男孩緊皺眉頭。

「你說要上去的，我不知道……不要！」男孩拱起背。

湯姆搖搖他肩膀：「法蘭克，我是湯姆，你沒事了。」

法蘭克睜開眼睛，又皺起眉頭，努力坐直身子。「哇！」他搖搖頭，露出茫然的微笑：「湯姆。」

「咖啡。」湯姆替他倒了一杯。

法蘭克的目光向四處望去，又看看牆壁和天花板：「我……我們怎麼會在這裡？」

湯姆沒有回應，拿起咖啡杯，餵男孩喝了一口。

「這裡是旅館嗎？」

「不，是艾瑞克的公寓，記得你在我們家躲起來那次？一個多禮拜前？」

「嗯……記得。」

「就是那個人的公寓，多喝點咖啡，頭會痛嗎？」

「不會……這裡是柏林？」

「對，一棟公寓的三樓……我們今天應該要離開柏林，如果你可以的話，也許今天下午就回巴黎。」湯姆端來一盤麵包、牛油和果醬：「他們給了你什麼？安眠藥？打針？」

「藥丸，他們放在可樂裡——逼我喝下去。在車子裡，他們在我大腿上打針。」法蘭克緩緩說道。

也就是在古耐沃德森林的時候，手法聽起來比較專業。湯姆欣慰地看著男孩咬了一口吐司：「他們有給你吃東西嗎？」

法蘭克試著聳了聳肩：「我吐了幾次，他們不太讓我上廁所，我可能尿到褲子上……太可怕了！我的衣服……」男孩皺眉四處張望，好像這些難以啟齒的東西可能在他身邊。「我……」

「法蘭克，沒關係，真的。」此時艾瑞克走過來，湯姆說：「艾瑞克，這是法蘭克，他現在比較清醒了。」

法蘭克把蓋到腰際的被單拉高，眼皮看起來還很沉重：「早安。」

「很高興認識你，」艾瑞克說：「好一點了嗎？」

「好多了，謝謝。」法蘭克盯著床尾，看到床單沒有罩住的地方露出馬毛，顯然覺得很驚奇：「這是你家──湯姆告訴我了，謝謝。」

湯姆走進艾瑞克的房間，從法蘭克的棕色皮箱裡拉出睡衣，丟給法蘭克。「這樣你就可以下來走動，」湯姆說：「你的行李在這裡，所有東西都在──我很想帶他出去走走，呼吸新鮮空氣，但應該不太妥當。」湯姆對艾瑞克說：「接下來要打電話給銀行，ＡＤＣＡ或帝斯康托銀行，帝斯康托好像比較大，對不對？」

「銀行？」法蘭克問，在被單裡拉睡褲。「是贖金？」他的聲音仍帶有濃濃睡意，聽起來不是很關心。

「你的錢，」湯姆說：「你覺得自己值多少？猜猜看。」湯姆一直和法蘭克聊天，想讓他保持清醒。湯姆在找皮夾裡的三張收據，上面有銀行的電話。

「贖金──在誰手上？」法蘭克問。

「在這裡，要還給你們家，詳情等一下再告訴你。」

「我知道他們在約時間，」法蘭克說，穿好上衣：「我聽到一個人用英語講電話，然後他們都出去了，只留下一個。」法蘭克講話的速度還是很慢，但語氣很肯定。

艾瑞克從茶几的銀碗裡拿了一根黑色香菸。

「你知道……」法蘭克的眼眶又泛著淚光：「我一直在廚房裡……但應該是這樣沒錯。」

湯姆又替法蘭克倒咖啡：「喝吧。」

艾瑞克已經在和銀行通話，說要找經理，湯姆聽到他告訴對方是關於昨天雷普利先生領錢的事，也提到另外兩間銀行。湯姆鬆了一口氣，艾瑞克處理得很好。

「信差中午以前會到，」艾瑞克對湯姆說：「他們有瑞士銀行的帳號，可以電匯回去。」

「太好了，謝謝你，艾瑞克。」湯姆看著法蘭克爬下床。

法蘭克望了一眼皮箱裡的厚信封，問：「就是這個？」

「對。」湯姆拿了幾件衣服，準備到浴室更換，他回頭望了一眼，看到法蘭克在皮箱旁移動，好似面對毒蛇。淋浴時，湯姆想起他答應中午要打電話給索羅，或許法蘭克也想和哥哥通電話。

湯姆回到客廳，告訴法蘭克他得打電話到巴黎，說他昨晚打過，索羅已知道他安全了。法蘭克好像興趣缺缺，湯姆問：「你不想跟強尼講話嗎？」

「強尼……好啊。」法蘭克還打著赤腳走來走去，湯姆覺得這樣很好。

他撥了露特西亞旅館的電話，索羅接起，湯姆說：「男孩在這裡，你想跟他講話嗎？」

法蘭克皺眉搖頭，但是湯姆把電話塞給他。

「給他一點證明，」湯姆笑著說，又以耳語說：「不要提艾瑞克的名字。」

「喂？……我很好……當然，柏林……湯姆，」法蘭克說：「湯姆昨天晚上救我出來……我真的不知道……沒錯，在這裡。」

艾瑞克指著小聽筒叫湯姆聽，但是湯姆不想聽。

「我不確定，」法蘭克說：「湯姆為什麼會要，那很……」法蘭克聽了好一陣子，才說：「電話上怎麼講這種事，」法蘭克有點生氣：「我不知道，真的不知道……好吧，」然後法蘭克的表情柔和了些：「喂，強尼……當然，我沒事，我說過了……我不知道，我才剛醒來，不過不用擔心，我一根骨頭也沒斷！」法蘭克聽強尼講了一會兒，表情有些彆扭：「好，好，但是……你是什麼意思？」男孩皺著眉頭：「沒那麼急！」語氣變得嘲諷：「什麼意思——你是說她不會來，也不……在乎。」

湯姆聽到電話那頭傳出強尼的笑聲。

「至少她有打電話，」法蘭克臉色變得蒼白，「好吧，我知道了。」他不耐煩地說。

湯姆聽見索羅的聲音，便拿起小聽筒。

「……你來的時候。你在那裡還有事嗎？——喂，你還在嗎，法蘭克？」

「我為什麼要去巴黎？」法蘭克問。

「因為你母親希望你回家，我們希望你——安全。」

「我很安全。」

「湯姆・雷普利要你留在那裡？」

「沒有人要我做什麼。」法蘭克一字一字講得清清楚楚。

「法蘭克，我要和雷普利先生講話，如果他在的話。」

法蘭克生氣地把話筒交給湯姆：「那個王八……」他沒有繼續講下去，法蘭克瞬間成了平凡的美國男孩，在那裡發脾氣。

「我是湯姆・雷普利。」湯姆說。法蘭克走到走廊，也許是要找廁所，廁所在右邊，他找到了。

「雷普利先生，你知道我們希望男孩安全回美國，這也是我在這裡的目的。你可以告訴我們嗎——我很感激你所做的一切，但是我得告訴他母親一些消息，例如他什麼時候回家。還是我需要去柏林帶他回來？」

「不用，我會和法蘭克商量，他這幾天的經歷很不愉快，他們給他吃很多鎮定劑。」

「但是他聽起來還好。」

「他沒有受傷。」

「至於德國馬克，法蘭克說……」

「今天會交還銀行，」湯姆笑了一下：「如果你的電話被監聽，最好別討論這個。」

「為什麼會被監聽？」

「因為你的職業。」湯姆說，彷彿他的職業很不尋常，和應召女郎相去不遠。

「皮爾森太太很高興錢都還在，但是我不能在巴黎等你、法蘭克或你們兩個決定法蘭克什麼時候回家……你應該了解吧？」

「巴黎不算糟吧。」湯姆輕鬆地說：「我可以和強尼講話嗎？」

「可以。——強尼？」

強尼接起電話：「法蘭克安全回來了，我很開心，真的！」強尼聽起來很坦率、友善，口音和法蘭克一樣，不過聲音比較低沉：「警察有抓到那幫人嗎？」

「沒有，警察沒有涉入。」湯姆聽見索羅好像在一旁叫強尼不要提警察的事。

「你的意思是，你一個人救出法蘭克？」

「不……有幾位朋友幫忙。」

「媽媽好高興！她……」

本來對湯姆半信半疑，湯姆知道：「強尼，你跟法蘭克說有人從美國打電話來？」

「特瑞莎，她本來要來，現在又不來了，因為法蘭克沒事，但是——我知道她跟別人在一起，所以才改變心意。她沒告訴我，但我正好認識那個人，我介紹他們認識……我離開美國時他告訴我的。」

湯姆恍然大悟：「你這樣告訴法蘭克？」

「我想他愈早知道愈好，我知道他心神不寧，我沒告訴他那個人是誰，只說特瑞莎另有對象。」

從這裡湯姆看到強尼和法蘭克的截然不同，顯然強尼是來得容易去得快的那種。「我知道了。」湯姆懶得告訴他——你不該現在跟法蘭克講這種事。「好了，強尼，我要掛電話了。」湯姆隱約聽到索羅在旁邊說他還要講。「再見，」湯姆說，然後掛斷電話。「這兩個人都很可惡。」

湯姆大聲說。

但是沒有人聽見，法蘭克又睡著了，艾瑞克不知在哪裡。

銀行信差隨時可能會到。

艾瑞克走進客廳，湯姆說：「到凱賓斯基吃午餐好不好？你中午有空嗎？」湯姆想讓法蘭克吃大塊牛排或維也納炸肉排，恢復一點血色。

「我有空。」艾瑞克已經換好衣服。

門鈴響了，是銀行的信差。

艾瑞克按下廚房的對講機。

湯姆搖搖法蘭克肩膀：「法蘭克，起來！穿我的晨袍，」湯姆從行李箱裡抽出晨袍：「你去艾瑞克房間，有人來了，他們會在這裡待幾分鐘。」

法蘭克照做了，湯姆在被單上鋪了一條毯子，讓床看起來整齊些。

銀行信差穿著西裝，矮矮胖胖，旁邊跟了一名穿制服、身材較高的保全。信差拿證件給他們看，說樓下有司機在等，不過不用急。他提了兩只大手提箱，湯姆不想看他的證件，便讓艾瑞克去檢查。湯姆看他們數鈔票看了幾秒鐘。其中一個信封是封著的，始終沒打開，其他信封裡以紙綑綁的鈔票也沒動過，但很有可能從任何一束抽出幾張。艾瑞克在一旁觀看。

「可以交給你嗎，艾瑞克？」湯姆問。

「當然可以，湯姆！但是你要簽收據。」艾瑞克和信差站在餐具櫃旁，信封擺一邊，錢堆另一邊。

「我幾分鐘後就回來。」湯姆去找法蘭克。

法蘭克打赤腳站在艾瑞克房間，把一條溼毛巾放在額頭上：「我覺得頭有點昏，真好笑……」

「我們馬上要去吃午餐，好好吃一頓，心情也會好一些，可以嗎？——要不要洗冷水澡？」

「好啊。」

湯姆走進浴室，替他調整蓮蓬頭。「不要滑倒。」湯姆說。

「他們在這裡做什麼？」

「數錢。我替你拿衣服。」湯姆走回客廳，從法蘭克的皮箱找出藍色棉褲、高領毛衣，再拿了一件自己的短褲，因為他找不到法蘭克的。湯姆敲了半掩的浴室門。

男孩正用大毛巾擦乾身體。

「你今天想去巴黎嗎？今天晚上？」

「不要。」

湯姆發現男孩的眼睛盈著淚水，他皺著眉，看起來很成熟也很有決心。湯姆說：「我知道強尼跟你說了什麼，關於特瑞莎的事。」

「不完全是因為她，」法蘭克說，把毛巾丟到浴缸邊緣，又馬上撿起來掛好。他接過湯姆遞給他的短褲，背對湯姆穿上：「我還不想回去，就是不想！」法蘭克的眼神裡有一抹憤怒。

湯姆知道回去代表雙重的失敗：失去特瑞莎，又被抓回去。也許午餐過後，法蘭克會冷靜下來，以不同的角度看事情。不過，湯姆知道特瑞莎就是全部的原因。

「湯姆！」艾瑞克喚他。

需要他簽字了，湯姆看看收據，上面列了三間銀行的名字和金額。銀行的信差正在用艾瑞克的電話，湯姆聽他說了幾次「都沒問題」。湯姆簽了名，上面沒有出現皮爾森的名字，只有瑞士銀行的帳號。握手道別後，艾瑞克陪他們去坐電梯。

法蘭克走進客廳時，已經穿好衣服，不過沒穿鞋子。艾瑞克走回來，露出如釋重負的笑容，用手巾擦擦額頭。

「我的公寓值得拿 gedenktafel！你們是怎麼說的？」

「獎牌？」湯姆說：「我們到凱賓斯基吃午餐吧，要不要預約？」

「最好是，讓我來吧，三個人。」艾瑞克走到電話旁。

「如果能聯絡到馬克斯和荷洛，也可以邀請他們——還是他們在工作？」

「啊！」艾瑞克笑著說：「荷洛現在還不會清醒，他都很晚睡，大概早上七、八點才睡，馬克斯是自由工作者——髮型設計師，我晚上六點前都找不到他們。」

湯姆想，他可以從法國寄禮物給他們，也許寄幾頂有趣的假髮，他再跟艾瑞克要地址就好。艾瑞克替他們約了一點十五分。

他們坐進艾瑞克車裡。湯姆已經替法蘭克抹上在艾瑞克醫藥櫃裡找到的肉色藥膏，上面標明是供割傷和擦傷時使用，遮住了法蘭克臉頰上人盡皆知的痣。法蘭克不知在哪兒弄丟了褲子口袋裡的赫綠思的粉餅，不過湯姆一點也不意外。

「你要吃點東西，」湯姆在餐廳對法蘭克說，替他唸長長的菜單：「我知道你喜歡燻鮭魚。」

「我要吃我最喜歡的菜！」艾瑞克說：「湯姆，他們有一道牛肝，真的很棒！」

餐廳的天花板挑高，白牆掛著鍍金的和綠色的卷軸，配上優雅的桌巾、穿制服的侍者，營造出高級的情調。餐廳另一部分是炭烤區，提供穿著較不正式的人用餐，湯姆在等人帶位時看到幾名穿藍色牛仔褲的男人，雖然毛衣和外套都很稱頭，侍者仍然有禮地用德語告訴他們——炭烤區在那一邊。

法蘭克的確吃了點東西，湯姆努力找笑話講，他知道法蘭克還籠罩在特瑞莎的烏雲下，法蘭克認不認識特瑞莎的新對象？湯姆不可能問，他只知道法蘭克正經歷痛苦的「放下」過程，放下情感上的支持、瘋狂的想法，放下他心目中世上唯一的女孩。

「法蘭克，要不要吃巧克力蛋糕？」湯姆提議，又替法蘭克斟白酒，他們在喝第二瓶了。

「他們的巧克力蛋糕很棒，酥皮捲也是。」艾瑞克說：「湯姆，這是值得紀念的一餐！」艾瑞克仔細把嘴巴擦乾淨：「也是值得紀念的早晨吧？哈哈？」

他們坐在餐廳靠牆的凹室裡，那裡不像雅座區那麼簡陋，感覺很浪漫，也讓他們有一點隱私，能隨心所欲地觀察其他客人。湯姆沒看到特別注意他們的人。他想到一件愉快的事——法蘭克可以用班傑明・安德魯斯的假護照離開柏林，護照還在法蘭克的皮箱裡。

「湯姆，我什麼時候能再見到你？」艾瑞克問。

湯姆點了一根菸：「下一次你帶小東西到麗影的時候？我不是指小禮物喔。」

艾瑞克笑了起來，食物下肚、酒過三巡，他的臉頰變成粉紅色。「這倒提醒我，我三點鐘還有約會，不好意思。」他看了一下手錶：「才兩點十五，還來得及。」

「我們可以搭計程車回去，讓你去做自己的事。」

「不，不，我家很順路，沒問題的。」艾瑞克用舌頭剔牙，望著法蘭克，好像在思索。

法蘭克吃掉大半個巧克力蛋糕後，焦慮地轉動酒杯。

艾瑞克對湯姆挑了一下眉毛，湯姆沒有說話。湯姆結好帳，三個人走了一條街，到了艾瑞克停車的地方，陽光燦爛，湯姆微笑著拍拍法蘭克的背，但是他能說什麼？他想說：「這比廚房地板好多了吧？」但是湯姆講不出口，艾瑞克是心直口快的人，但是他也沒有說話。湯姆想走久一點，但是他不確定法蘭克走在路上是否安全，也不知道有沒有人在觀察他們。他們坐進車裡，艾瑞克讓他們在街角下車，湯姆有艾瑞克的鑰匙。

湯姆朝著艾瑞克的公寓走，警覺地留意四周有沒有可疑的人。沒有。樓下的走廊是空的，男孩很安靜。

進了公寓，湯姆脫掉外套，打開窗戶，讓新鮮空氣進來。「關於巴黎的事，」湯姆開口。

法蘭克把臉埋進手掌。他坐在茶几旁的小沙發裡，用手肘撐著膝蓋。

「算了。」湯姆說，替男孩覺得不好意思。「發洩出來吧。」湯姆知道不會太久。

幾秒鐘後，男孩把手放下，站起身來，說：「抱歉。」然後把手插進口袋。

湯姆走進浴室，慢條斯理地刷牙，足足刷了兩分鐘，再冷靜地走回客廳：「你不想去巴黎，我知道——那漢堡呢？」

「任何地方都行！」法蘭克的眼神帶著瘋狂和歇斯底里。

湯姆望著地板，眨眨眼說：「你不能像瘋子一樣說『任何地方』，法蘭克……我知道……特瑞莎的事，很……要怎麼說……很可惜。」

法蘭克像雕像一樣僵硬地站在那裡，好像在挑戰湯姆，看他會不會再說下去。你還是得面對你的家人，湯姆想說，但是那樣會不會太沒有同情心？去找瑞夫斯應該是好主意？可以改變一下心情？湯姆自己也很需要。「我覺得柏林有點悶，我想去漢堡找瑞夫斯，我在法國有提過他對不對？他是我的朋友。」湯姆盡量以開心的語氣說。

男孩彷彿比較清醒了，語氣又變得彬彬有禮：「對，你好像提過，你說他是艾瑞克的朋友。」

「沒錯，我……」湯姆猶豫了一下，目光望向男孩。男孩的手還插在口袋裡，也在回看他。湯姆大可把男孩送上往巴黎的班機，跟他道別，但是湯姆覺得男孩到了巴黎又會逃跑，不會去露特西亞旅館。「我來聯絡瑞夫斯。」湯姆朝電話走去，此時電話剛好響起，湯姆猶豫片刻，決定接起電話。

「喂，湯姆，我是馬克斯。」

「馬克斯！你好嗎？你的假髮和禮服還在我這裡——很安全！」

「我本來今天早上要打電話給你，但是我太忙了，我一小時前打了一次，沒人在家，所以昨晚怎麼樣？男孩呢？」

「他在這裡，他很好。」

「你找到他了？你沒受傷吧？沒人受傷？」

「沒有人。」湯姆眨眨眼，因為他眼前倏然出現義大利人頭破血流躺在地上的模樣。

「荷洛說你昨晚很美，我都有點嫉妒了。哈哈，艾瑞克在嗎？我有事要告訴他。」

「不在，他三點鐘和人有約，需要我轉達留言嗎？」

馬克斯說不用，他會再打來。

湯姆在電話簿上查到漢堡的區域號碼，開始撥瑞夫斯的電話。

「喂？」一名女人接起電話。

應該是瑞夫斯的兼職管家，比安奈特還魁梧、但同樣勤奮的蓋碧：「喂，是蓋碧嗎？」

「是？」

「我是湯姆・雷普利。妳好嗎，蓋碧？瑞夫斯先生在嗎？」

「沒有，但是他——我聽到聲音了，」她用德語講：「你等一下，」過了一會兒，蓋碧說：「他剛好回家！」

「喂，湯姆！」瑞夫斯上氣不接下氣地接起電話。

「我在柏林。」

「柏林！你可以來找我嗎？你在柏林做什麼？」瑞夫斯的聲音一如往常的沙啞天真。

「現在不能說，但是我想去看你，今天晚上，如果可以的話。」

「當然可以，湯姆，你的事永遠優先，我今天晚上正好也沒事。」

「我還有一個朋友，美國人，你可以讓我們待一晚嗎？」湯姆知道瑞夫斯有客房。

「兩晚都沒問題，你們什麼時候到？機票訂好了嗎？」

「還沒，不過我會想辦法訂今天晚上的機票，七、八點或九點，如果你一定在家，我就不再打電話，直接過去，如果不能到，我再打電話給你，可以嗎？」

「可以，我很高興！」

湯姆轉頭對法蘭克微笑：「講定了，瑞夫斯很高興我們要去。」

法蘭克坐在小沙發上抽菸，他很少這樣。男孩站起身，看起來好像和湯姆差不多高，他是不是這幾天長高很多？的確有可能。法蘭克說：「很抱歉，我今天的狀況很糟，我會振作起來。」

「當然。」男孩又變得斯文有禮，也許這是他看起來比較高的原因。

「要去漢堡我很高興，我不想去巴黎面對那個偵探，天啊！」法蘭克幾乎用耳語講最後兩個字，語氣帶有深深的恨意，「他們為什麼不先回去？」

「因為他們要確定你會回家。」湯姆耐著性子說。

湯姆打電話給法國航空，訂了兩張七點二十分起飛的機票。湯姆報了他們的名字：雷普利和安德魯斯。

湯姆講電話時，艾瑞克正好回家，湯姆告訴他計畫。「啊，瑞夫斯，好主意！」艾瑞克瞄了法蘭克一眼，法蘭克正在整理行李，艾瑞克示意要湯姆到他房間。

「馬克斯打電話來，」湯姆跟在艾瑞克身後說：「他說會再打來。」

「謝謝你——你看這個，」艾瑞克關上房門，拿出夾在腋下的報紙，給湯姆看頭版：「我想你應該看一下，」艾瑞克笑著說，臉在抽動，看起來像是緊張，而非覺得有趣：「好像還沒有線索——到目前為止。」

晚報的頭版是那名義大利人的照片，佔了半版，就像湯姆記得的模樣，臉向下，頭微朝左歪，左邊的太陽穴上有深色的血塊，一部分血流到臉上。湯姆迅速瀏覽了下面的說明文字：至今仍然身分不明的男人，穿著義大利製造的衣服，內衣為德國製造，禮拜三清晨在盧巴斯被人發現，太陽穴遭鈍器打碎。警方正在調查死者身分，同時詢問附近居民是否聽到任何騷動。

「你都看得懂嗎？」艾瑞克問。

「看得懂。」湯姆朝空開了兩槍，一定會有人向警察提到槍聲，即使男人並非遭到槍殺，附近居民也可能提到一名拿皮箱的陌生人。「我不想看。」湯姆摺起報紙，放到寫字檯上，瞄了一眼手錶。

「我可以載你們到機場，還有很多時間，」艾瑞克說：「男孩真的不想回家？」

「沒錯，他接到壞消息，他哥哥說他喜歡的美國女孩交新男友了，就是因為這件事，如果他是二十歲，也許比較容易釋懷。」是嗎？法蘭克謀殺父親，可能也是他不想回家的原因。

17

飛機開始在漢堡上空降落。法蘭克從瞌睡中驚醒，用膝蓋夾住差點滑落的報紙。法蘭克望向窗外，但是他們的高度還太高，除了雲什麼也看不到。

湯姆偷偷摸摸吸完一根菸，空服員在走道穿梭，忙著收拾玻璃杯和托盤。法蘭克拿起德文報，盯著盧巴斯的死人的照片，對法蘭克來說那只是報上的照片，湯姆沒有告訴法蘭克他和綁匪約在盧巴斯，只說他放了綁匪鴿子。「然後你跟蹤他們？」法蘭克當時這麼問。湯姆說不是，他是從同志酒吧跟過去的，因為他請索羅叫綁匪到酒吧找喬伊。法蘭克覺得很有意思，好像很佩服湯姆的膽識和勇氣——湯姆喜歡這麼想，因為他隻身闖入綁匪的公寓。報紙沒有提到在賓格街附近或任何地方抓到三名綁匪的消息，當然，除了湯姆之外，沒人知道他們是綁匪。他們也許有前科，沒有固定地址，不過頂多就這樣了。

海關隨便看了一下他們的護照，還給他們。他們領到行李後，招了一部計程車。

天色漸漸變暗，湯姆把還看得到的地標指給法蘭克看。包括他記得的教堂尖塔，還有上面橫跨小橋的臨時運河——或是所謂的「小河」，最後是阿斯特湖。他們在瑞夫斯白色公寓前傾斜的車道下車，公寓很大，昔日是私人宅第，現在則隔成數間公寓，湯姆以前來過一、兩次。湯姆按了樓下電鈴，向對講機報上名字，瑞夫斯馬上幫他開了門。湯姆和法蘭克搭電梯上樓，看到瑞夫斯站在門口等他們。

「湯姆！」瑞夫斯低聲說，因為同一層樓至少還有另一家住戶，「兩位請進！」

「這是……班，」湯姆替他們介紹：「這是瑞夫斯。」

瑞夫斯對法蘭克說：「你好。」然後把門關上。湯姆一直覺得瑞夫斯的公寓很寬敞，一塵不染，白色牆壁掛了印象派和較現代的畫作，幾乎都裱了框。靠牆的矮書架上擺了好幾排書，大部分是藝術類書籍，另外還有幾株高大的塑膠植物和蔓綠絨，黃色窗簾遮住正對外阿斯特湖的兩面大窗。餐桌上擺了三人份的餐具。壁爐上方依舊掛著粉紅色的德瓦特畫作（這幅是真蹟），畫中的女人顯然躺在床上，即將死亡。

「畫框換了，對不對？」湯姆問。

瑞夫斯笑著說：「湯姆，你真是觀察入微！畫框在被炸的時候掉下來，裂開了。我比較喜歡這個米白色的框，以前的太白了。來，行李放這兒。」瑞夫斯帶湯姆到客房：「希望他們在飛機上沒給你們吃東西，因為我幫你們準備好了。我們一定要先來杯冰涼的葡萄酒或其他飲料，一起聊天！」

湯姆和法蘭克把行李搬到客房。客房裡的床比單人床稍大，一側靠著牆，湯姆記得強納森．崔凡尼睡過這張床。

「你說你朋友叫什麼名字？」湯姆和瑞夫斯走回客廳時，瑞夫斯輕聲問，不過男孩應該還是聽得到。

從瑞夫斯的笑容，湯姆知道他已經認出男孩的身分，湯姆點點頭說：「待會再聊，那個……」湯姆覺得有點彆扭，但是他有必要隱瞞瑞夫斯嗎？法蘭克站在客廳角落，欣賞一幅畫作，「報紙上沒說，但是男孩在柏林被綁架了。」

「真……真的？」瑞夫斯愣了一下。他一手拿著開瓶器，另一手握著酒瓶，右頰上有一道幾乎延伸至嘴角的粉紅色疤痕，形狀可怖。他驚訝地張大了嘴，疤也顯得更長了。

「上禮拜天晚上，」湯姆說：「在古耐沃德，那片很大的森林。」

「我知道那裡，怎麼被綁架的？」

「當時我和他在一起，但是分開了幾分鐘——坐啊，法蘭克，大家都是好朋友。」

法蘭克和湯姆對望了一眼，男孩點點頭，彷彿意味湯姆可以講真話。湯姆繼續說：「法蘭克昨晚才被釋放，綁匪餵他吃鎮靜劑，他可能還有一點昏昏沉沉的。」

「幾乎不會了，」法蘭克的語氣堅定，也很有禮貌。他又站起身來，從更近的距離欣賞壁爐上的德瓦特畫作，法蘭克把手插在褲子口袋裡，微笑地看了湯姆一眼：「不錯吧，湯姆？」

「不是嗎？」湯姆滿意地說，他很喜歡畫裡灰濛濛的粉紅色，代表老婦人的床罩，也可能是她的睡袍，背景則是深灰色和渾濁的咖啡色。她是垂死或只是疲倦？還是覺得生命無趣？不過這幅畫的標題是「垂死的女人」。

「那是男人還是女人？」法蘭克問。

標題可能是巴克馬斯特畫廊的班伯瑞或康斯坦取的——德瓦特通常不會替他的畫下標題。很難辨別畫裡的人究竟是男是女。

「這幅畫是《垂死的女人》。」瑞夫斯對法蘭克說，「你喜歡德瓦特？」語氣帶著驚喜。

「法蘭克說他父親有一幅德瓦特的畫作——在美國。法蘭克，是一幅還兩幅？」湯姆問。

「一幅，是《彩虹》。」

「啊哈。」瑞夫斯說，彷彿畫就在他眼前。

法蘭克走到英國藝術家大衛・霍克尼（David Hockney）的作品前。

「你們有交付贖金嗎？」瑞夫斯問湯姆。

湯姆搖搖頭說：「沒有，在我手上，但沒有付給他們。」

「多少錢？」瑞夫斯微笑問，一邊斟酒。

「兩百萬美金。」

「哇——現在呢？」瑞夫斯朝背對著他的男孩擺了一下頭。

「準備回家。如果可以的話，我們明天晚上也會待在這裡，禮拜五再去巴黎，我不希望男孩在旅館被認出來，讓他再多休息一天比較好。」

「當然，沒問題。」瑞夫斯蹙著眉頭問：「我不是很了解，警察還在找他？」

湯姆焦慮地聳聳肩：「綁架之前是如此，但是在巴黎的偵探應該已通知法國警方男孩找到了。」湯姆也向瑞夫斯解釋警察沒有涉入綁架案。

「你要帶他去哪裡？」

「帶到巴黎，交給他們家雇用的偵探。法蘭克的哥哥也在那裡——謝謝你，瑞夫斯。」湯姆端起酒杯。

瑞夫斯也替法蘭克拿了酒杯，然後走回廚房，湯姆跟在他身後。瑞夫斯從冰箱裡拿出一碟拼盤，上面擺了切片火腿、涼拌捲心菜、各式香腸和醃黃瓜，瑞夫斯說是蓋碧幫他準備的。蓋碧住在同一棟大樓的另一位雇主家，她堅持要替瑞夫斯的客人張羅食物。「我運氣不錯，她很喜歡我，」瑞夫斯說：「她覺得我這裡比她住的地方有趣——雖然被炸過，不過她當時剛好不在家。」

他們坐在餐桌旁，談論法蘭克之外的話題，不過依然是關於柏林的事。艾瑞克好嗎？他的朋友是什麼樣的人？瑞夫斯笑著問，他有女朋友嗎？湯姆想，瑞夫斯有女朋友嗎？瑞夫斯和艾瑞克看起來都不是很熱情，女人對他們來說根本不重要？葡萄酒替湯姆帶來一股暖意，令他不禁想到，有妻子真好。赫綠思曾說過，她很喜歡（或是很愛）湯姆的一點，是他讓她做自己，給她很大的空間。湯姆覺得很開心，雖然他從沒想過要給赫綠思空間。

瑞夫斯望著法蘭克，法蘭克看起來昏昏欲睡。

剛過十一點時，他們讓法蘭克睡到客房的床上。

瑞夫斯和湯姆又坐回客廳沙發，喝了一瓶白酒。湯姆告訴他過去幾天發生的事，連法蘭克打零工，到維勒佩斯找他的部分都講了。瑞夫斯覺得在柏林穿女裝那段很有意思，想知道所有細節，然後他想到一件事：

「那張柏林的照片——今天報上那張，我記得他們說是在盧巴斯。」瑞夫斯跳起來，在書架上找到報紙。

「就是這個，」湯姆說：「我在柏林看到了。」湯姆覺得有點不舒服，放下酒杯說：「我提到的義大利模樣的人。」湯姆告訴瑞夫斯他只把他敲昏。

「沒人看到你？你確定？沒人發現？」

「沒有——要看明天的報紙才知道。」

「男孩知道嗎？」

「我沒告訴他，我沒提盧巴斯。——瑞夫斯，可以麻煩你幫我煮點咖啡嗎？」

湯姆和瑞夫斯一起走到廚房，他不想一個人坐在那裡。明白自己殺了人的感覺不是很好受，即使那個義大利模樣的人並非第一個。瑞夫斯看了他一眼，有一件事他沒對瑞夫斯說——法蘭克殺了他父親，這是他永遠不會說的事。還好瑞夫斯雖然知道約翰・皮爾森過世了，也知道尚未確定是自殺或意外，不過他沒有問湯姆是否有人把他推下懸崖。

「男孩為什麼離家出走？」瑞夫斯問：「因為父親去世太傷心？還是因為那名叫特瑞莎的女孩？」

「不是，他離家時特瑞莎還沒出狀況，他在我家寫信給她。他昨天才得知她有新男友。」

瑞夫斯露出慈藹的笑容：「世上女孩那麼多，漂亮的也不少，漢堡就很多！我們要不要分散他注意力，帶他去舞廳？」

湯姆刻意輕描淡寫的說：「他才十六歲，受到很大的打擊——他的哥哥太粗線條了，不該選在這個時間講。」

「你會和哥哥及偵探見面？」瑞夫斯講到偵探，忍不住笑出聲來，任何負責追查罪犯的工作，他應該都覺得很可笑。

「希望不會，」湯姆說：「但是我可能要把男孩帶過去，因為他不是很想回家。」湯姆端著咖啡站在廚房，「我要去睡了，你的咖啡真好喝，我想再喝一杯。」

「不會睡不著？」瑞夫斯用嘶啞的聲音問，但是關切的語氣又很像媽媽或護士。

「我實在太累了。明天我會帶法蘭克在漢堡逛一下，去搭阿斯特湖的觀光船，希望他心情能夠好起來。你可以和我們一起吃午餐嗎？」

「謝謝你，但是我明天有約了。我可以給你一把鑰匙——我現在就給你。」

湯姆端著咖啡杯走出廚房：「最近生意如何？」湯姆指的是買賣贓物的非法事業，以及挖掘有才華的德國畫家和藝術品交易的事業，後者的合法事業是用來做為幌子。

「啊……」瑞夫斯把鑰匙圈放到湯姆手上，看了一眼客廳的牆壁：「那幅霍克尼的畫，是借來的——其實是從慕尼黑偷來的，我很喜歡那幅畫，所以把它掛在牆上，畢竟我不會隨便讓人進我家。不久後就要交給別人了。」

湯姆不禁微笑，他發現瑞夫斯在這座很棒的城市裡，過著很愉快的生活，每天都有新鮮事。瑞夫斯總是一派從容，即使遇到怪事，也能安然度過，例如他有一次在法國遭人毆打，意識不清地被丟出移動的車子，結果連鼻子都沒斷。

湯姆爬上床，法蘭克完全沒動，他抱著枕頭，臉朝下躺在那裡。湯姆覺得很安全，比柏林還安全，雖然瑞夫斯的公寓被炸過，可能也被偷過，卻宛如一座隱密的小城堡。他想問瑞夫斯有什麼安全措施，除了保全系統外，他可能還雇了什麼人。瑞夫斯有沒有要求警察特別保護此地，因為他有時得經手珍貴的畫作？不太可能。但是問瑞夫斯這種問題或許太唐突了。

湯姆被輕輕的敲門聲吵醒，他睜開眼睛後，才恍然明白自己身在何處：「請進。」

身材壯碩的蓋碧走進來，表情有些羞赧。她端著放了咖啡和麵包捲的托盤，用德語說：「湯姆先生……很高興看到你。好久不見！有多久了？」她講得很小聲，因為法蘭克還在睡覺。蓋碧年約五十，黑色的直髮盤成髮髻，粉紅色的臉頰上有很多雀斑。

「我也很高興能來這裡。妳好嗎？——可以放這裡。」湯姆是指他的膝蓋，托盤下面有腳架。

「瑞夫斯先生出去了，他說你有鑰匙，」她望著熟睡的男孩，微笑說：「廚房還有咖啡。」蓋碧的語氣不帶感情，只有深色的眼睛顯露出活力和孩子般的好奇，「我還會在這裡待一小時——可能不到，如果需要什麼儘管告訴我。」

「謝謝妳，蓋碧。」咖啡和香菸讓湯姆清醒了些，他去淋浴，刮了鬍子。

走回客房時，他看到法蘭克打著赤腳，一隻腳跨在窗台上，窗戶是湯姆剛才打開的，男孩好像正準備往下跳。「法蘭克？」男孩沒聽到他進來。

「很漂亮吧？」法蘭克說，把腳踩回地上。

男孩在顫抖嗎？或者只是湯姆的想像？湯姆走到窗邊，望著阿斯特湖，左側有觀光船在湛藍的湖水上行駛，還有五、六艘小帆船急駛而過，遊客在水邊的碼頭散步，藍色的三角旗四處飛揚，陽光燦爛，宛如德國版本的杜菲*畫作。「你該不是想往下跳吧？」湯姆故意以開玩笑的語氣說：「樓層那麼低，效果不會很好。」

「往下跳？」法蘭克馬上搖搖頭，後退了一步，好像不好意思離湯姆那麼近：「當然不是……我可以梳洗一下嗎？」

「去吧，瑞夫斯不在，不過蓋碧在家。蓋碧是管家，人很好，只要跟她道早安就可以了。」男孩穿好褲子，越過走廊。他也許多慮了，法蘭克今天早上看起來還蠻有目標的，藥效可能退了。

大約十點時，他們到了聖保利的紅燈區，望著情趣用品店的櫥窗、色情電影院炫目的大門，還有商店裡各式驚人的內衣。不知從哪裡傳出搖滾樂，大白天也有人在逛街、買東西。湯姆發現自己一直在眨眼，也許是太吃驚了，也可能是因為在陽光照射下，四周都是如馬戲團般刺眼的顏色。湯姆這才發現自己也有假正經的一面，也許是因為波士頓成長的背景。法蘭克望著掛了價格標籤的假陽具和按摩棒，表情沉著，不過很可能是故作鎮定。

* 譯注：杜菲（Raoul Dufy, 1877-1953），法國畫家，擅長風景和靜物畫，以野獸派的作品著名。

「這裡晚上一定很熱鬧。」法蘭克說。

「現在也是，」湯姆說，兩名女孩別有居心地向他們走來，「我們去坐街車——或搭計程車去動物園吧，那裡很好玩。」

法蘭克笑：「又是動物園！」

「我喜歡動物園，等你看到這座動物園就知道。」一輛計程車正好駛來。

兩名女孩中的一個看起來還不到二十歲，清純的臉蛋別具魅力，她們好像以為計程車是讓他們四個人坐的，湯姆禮貌地向她們搖頭微笑。

湯姆在動物園入口買了一份《世界報》，他先瀏覽一次大標題，又翻了第二次，想看看較小的報導中有沒有關於柏林的綁匪或法蘭克的消息，他粗略地看，沒找到任何相關報導。

「沒有消息，」湯姆對法蘭克說：「就是好消息，我們進去吧。」

湯姆買好門票，拿到一條橘色的帶子，上面打了洞，有這張票就可以搭乘玩具般的火車遊覽哈根貝克動物園。法蘭克看起來很開心，湯姆覺得很欣慰。小火車沒有屋頂，大約十五節車廂，不用開門就可以上車。火車幾乎無聲地開過兒童遊戲區，孩童或拉著橡皮圈從高處滑下，或在兩層樓高的塑膠遊樂器材的山洞、隧道和斜坡中爬上爬下。火車經過獅子和大象的園區，動物和遊客間看不到任何圍欄。他們在鳥園下車，到小攤子買了啤酒和花生，又跳上另一輛火車。

接著他們搭計程車到港邊的餐廳。這間餐廳很大，湯姆來過，四面皆以玻璃打造，可以俯瞰港口的油輪、白色郵輪和正在裝貨、卸貨的平底貨船，水從貨船的自動水泵流出。海鷗時而在空中滑翔，時而潛入海中。

「我們明天去巴黎，」餐點上桌後，湯姆問：「你覺得如何？」

法蘭克馬上起了戒心，但是可以看出他慢慢控制住情緒。湯姆想，他們不是明天去巴黎，就是男孩又崩潰，堅持一個人從漢堡到別的城市。「我不喜歡告訴別人該怎麼做，但你終究要面對家人吧？」湯姆一邊輕聲說話，一邊四處張望，他們的左側就是玻璃牆，最近的桌子在法蘭克身後約一碼遠的地方：「你總不能接下來幾個月一直飛來飛去吧？吃你的農夫早餐。」

男孩又繼續吃，不過速度變得很慢。剛才他看到菜單上有「農夫早餐」，覺得很有趣，便點了那道菜。魚、家常炸薯條、培根、洋蔥，全放在一個大盤子上。他問：「你明天也會回巴黎？」

「當然，我反正要回家。」

午餐後，他們散步到一座很像威尼斯的小港灣，水畔林立著美麗的老式尖頂房舍。他們走到商店街時，法蘭克說：「我要換一些錢，可以進去嗎？」

他是指銀行。「好。」湯姆和他一起走進銀行，男孩排在標記「外幣兌換」的窗口後，隊伍不太長。法蘭克應該沒有帶班傑明・安德魯斯的護照，但是以法郎兌換馬克不需要護照。湯姆沒有在旁邊觀看。那天早上湯姆也在法蘭克的痣上塗了藥膏。他為何老想到那顆該死的痣？即便有人認出法蘭克又如何？法蘭克微笑著走回來，把馬克收進皮夾。

他們又去了民族和史前博物館，湯姆來過一次，這裡有第二次世界大戰期間燃燒彈幾乎把漢堡港區夷為平地的模型，九吋高的倉庫冒出黃藍色的火焰。法蘭克仔細地欣賞模型船，長約三吋的小船停泊在沙灘上，下面是數公尺寬的海水。他們還看了穿著富蘭克林時代裝束的漢堡市長簽署這個、紀念那個的油畫，看了大約一小時後，湯姆又開始揉眼睛，很想抽菸。

幾分鐘後，他們站在大街上，街上有很多商店和販售鮮花水果的推車。法蘭克問：「可以等我一下嗎？五分鐘？」

「你要去哪裡？」

「我馬上回來，在這棵樹下見。」法蘭克指指他們身旁的行道樹。

「但我想知道你要去哪裡。」湯姆說。

「相信我。」

「好吧，」湯姆轉身，半信半疑地慢慢往前走了幾步，同時提醒自己不能永遠當法蘭克的保姆。法蘭克在銀行裡換了多少錢？他還剩多少法郎或美金？如果他不見了怎麼辦？湯姆得把法蘭克的行李帶回巴黎，送到露特西亞旅館。法蘭克有沒有把護照帶在身上？湯姆回頭，朝著約定的行道樹走去，還好樹下有一位老先生坐在椅上看報紙，不然他很可能認不出是哪一棵樹。男孩不在那裡，已經不只五分鐘了。

過了一陣子，他看到法蘭克的笑臉夾雜在一小群行人裡，手上提了一只紅白相間的大塑膠袋。「謝謝。」法蘭克說。

湯姆如釋重負：「買東西？」

「對，待會兒再給你看。」

他們又去了少女堤，湯姆對這裡記憶深刻，因為瑞夫斯曾告訴他這裡是昔日漢堡漂亮女孩出沒的地方，阿斯特湖觀光船便是從此處的碼頭出發。湯姆和法蘭克登上其中的一艘。

「最後自由的一天！」法蘭克說，風把他的棕髮往後吹，褲子打到腿上。

他們都不想坐下，而是站在沒有擋到其他乘客的角落。戴白帽的男人興高采烈地拿著擴音器介紹經過的景點，包括俯瞰湖水、建在綠地上的大型旅館，男人向大家保證那裡的房價是「數一數二的貴」，湯姆覺得很有趣。男孩的目光遙望遠方，也許在看海鷗，也許是特瑞莎，湯姆不知道。

六點出頭，他們回到瑞夫斯家。瑞夫斯不在，但他在客房整齊的床上留了一張字條：「七點前回來，瑞。」還好瑞夫斯沒回來，湯姆想單獨跟法蘭克說話。

「你記得我在麗影說過的話嗎？關於你父親的事？」湯姆說。

法蘭克愣了一下：「我記得你說的每一句話。」

他們人在客廳，湯姆站在窗前，男孩坐在沙發上。

「當時我說，不要告訴任何人你做了什麼，千萬不要承認，連一秒鐘都不要考慮。」

法蘭克看了湯姆一眼，又將目光垂下，盯著地板。

「你有考慮告訴別人嗎？你哥哥？」湯姆隨口說了一個人，希望能引他開口。

「沒有。」

男孩的聲音堅定而低沉，但湯姆還是半信半疑，他很想揪著男孩肩膀，把他搖醒。他敢這麼做嗎？不敢。他在怕什麼？搖不醒他？「你要知道一件事——在哪裡？」湯姆從沙發旁一小疊報紙中，抽出昨天的報紙，翻到頭版，亮出盧巴斯的男人的照片。「你昨天在飛機上看過，這是……我在柏林北邊的盧巴斯殺的人。」

「你？」法蘭克十分詫異，聲音高了八度。

「你沒問過他們要我在哪裡交贖金，不過這不重要。我敲了他的頭，結果就是這樣。」

法蘭克眨眨眼，望向湯姆：「你之前為什麼沒告訴我？我認出來了，他是那間公寓裡的義大利人！」

湯姆點了一根菸：「我告訴你這件事，是因為……」為什麼？湯姆整理了一下思緒。把自己的父親推下懸崖，和打碎拿著上膛手槍走向你的綁匪的頭骨，根本無法相提並論，但都是奪走別人的性命。「我殺了那個人，可是我的生活並沒有因此改變。他本來也許就是作奸犯科的人，況且他也不是我殺的第一個人。這一點應該用不著我講。」

法蘭克驚訝地看著他：「你殺過女人嗎？」

湯姆笑出聲來，他很需要好好笑一場。法蘭克沒問及關於狄奇・葛林里的事，也讓湯姆鬆一口氣，因為那是他唯一覺得有罪惡感的一次。「我沒殺過女人，從來沒必要。」湯姆說，這讓他想起那樁關於英國人告訴朋友他要埋了死去的妻子的笑話。「從來沒遇到那種情況，女人？你沒在考慮吧，法蘭克……是誰？」

換法蘭克笑出聲來：「沒有啦！怎麼可能！」

「很好，我提那件事是因為……」湯姆又不知該如何措辭，但他還是繼續說：「這……我的意思是……」他朝報紙比了一下：「不要太把這件事放在心上……你不需要一輩子為此一蹶不振，」這個年紀的男孩懂不懂一蹶不振的感覺？因為自覺遭受了挫敗，無法振作。很多年輕人就是如此，因為遇到無法面對的問題——有時只為了學校課業，甚至還自殺。

法蘭克用右拳的指節摩擦茶几的尖角，桌面是玻璃製的嗎？茶几黑白相間，但並非以大理石製成。法蘭克的動作讓湯姆覺得很緊張。

「你懂我的意思嗎？你可以讓一件事破壞你的一生，也可以不要受其影響，決定權操之於你——法蘭克，你很幸運，這一次是由你決定，因為沒有人指控你犯罪。」

「我知道。」

湯姆了解，男孩滿腦子都是特瑞莎——他失去的愛人，但是湯姆有多了解？殺人的事他可以安慰，但是他無法處理失戀的傷心。湯姆緊張地說：「不要用關節敲桌子好嗎？這無法解決任何問題，只會讓你帶著流血的關節到巴黎。不要那麼傻好嗎！」

男孩作勢要敲桌子，卻沒有敲下去。湯姆努力放鬆心情，決定不再看他。

「我沒那麼笨，不用擔心。」法蘭克站起來，把手插進口袋，走到窗戶旁，轉身對湯姆說：「明天的機票我來訂？可以用英語訂位吧？」

「當然可以。」

「德航，」法蘭克拿起電話號碼簿：「什麼時間，明早大約十點？」

「更早也行。」湯姆鬆了一口氣，法蘭克好像終於振作了，至少他正朝著這個方向努力。

法蘭克訂機票時，瑞夫斯正好走進門。他訂了九點十五分起飛的班機，法蘭克報出他們的名字：雷普利和安德魯斯。

「今天好嗎？」瑞夫斯問。

「很好，謝謝。」湯姆說。

「你好，法蘭克。我得先洗手。」瑞夫斯用嘶啞的聲音說，把灰灰的手掌攤給他們看：「是畫，不是……」

「辛苦了一天？」湯姆說：「你的手看起來很棒！」

瑞夫斯清了清喉嚨，不過顯然沒多大幫助：「我正要說不是糟糕的工作天，是幹了一天的粗活。你們有沒有自己找東西喝？」瑞夫斯走進浴室。

「你想不想出去吃飯？」湯姆跟在他身後：「今天是我們待在這裡的最後一晚。」

「我真的不想，如果你不介意。家裡一定有食物可吃，蓋碧都會準備，她應該燉了一點東西。」

湯姆想起來了，瑞夫斯向來不喜歡到餐廳吃飯，他也許想在漢堡保持低調。

「湯姆，」法蘭克把湯姆請到客房，從紅白相間的塑膠袋拿出一個盒子：「給你的。」

「給我？謝謝你，法蘭克。」

「你還沒打開呢。」

湯姆解開藍色和紅色的緞帶，打開白色盒子，裡頭塞了一堆白色皺紋紙，他在裡面找到紅紅亮亮、金色的東西，拉出來看，是一襲晨袍。腰帶是深紅色的絲綢，搭配黑色流蘇，紅色晨袍上有金色箭頭狀的花紋。「真的很漂亮，」湯姆說：「很好看，」湯姆脫掉外套：「我來試一下？」他穿上晨袍，大小剛好，或是裡面搭睡衣，而非毛衣和褲子會更合身。湯姆瞄了一眼袖長，說：「完美。」

法蘭克低垂著眼離開湯姆身邊。

湯姆小心脫下晨袍，放在床上，晨袍發出好聽的沙沙聲，顏色和柏林綁匪的車子一樣，湯姆不喜歡，但他若是勉強自己把它和多寶力酒聯想在一起，也許可以忘了那輛車。

18

飛往巴黎的班機上，湯姆注意到法蘭克的頭髮留得好長，幾乎遮住臉頰上的痣，自從八月中旬湯姆建議他留長之後，法蘭克就沒剪過頭髮。大約十二點到一點之間，他會把法蘭克送到露特西亞旅館，交給索羅和強尼・皮爾森。昨晚在瑞夫斯家，湯姆提醒法蘭克應該辦一本真正的護照，除非索羅替他把護照帶來，或是請他媽媽從緬因州寄來。

「你有沒有看到這個？」法蘭克給湯姆看一本亮面的航空雜誌：「我們去過的地方。」是一篇介紹荷米海格和它變裝秀的文章。「他們一定不會介紹駝峰！這是給觀光客看的雜誌。」湯姆笑著說，盡量把腳伸直。飛機的座椅愈來愈不舒服。他大可搭頭等艙，但是花那麼多錢也許會有罪惡感，因為歐洲的利率膨脹了好多，而且湯姆也不希望被別人看到他坐在頭等艙裡，他每次登機時，經過頭等艙豪華寬敞的機艙，看到還沒起飛就拔開軟木栓的香檳，都很想偷踩頭等艙乘客的腳。

這一次，因為對露特西亞旅館完全不抱期待，湯姆提議他們從機場搭火車到北站，再搭計程車到旅館。他們在北站排隊等計程車時，看到三名穿著白鞋罩、臀部掛配槍的警察在一旁維持秩序。車子開往露特西亞旅館時，法蘭克神情緊張、一言不發地凝視窗外。他在計畫他的態度嗎？

會是什麼態度？對索羅是「不要碰我」？對哥哥是找藉口解釋，還是違抗？法蘭克會不會堅持要待在歐洲？

「你應該會喜歡我哥哥。」法蘭克緊張地說。

湯姆點點頭。他希望法蘭克安全回家，回去過他的生活，好好上學，面對他該面對的事，學習和它和平共存。十六歲的孩子，至少像法蘭克那種出身的孩子，還不能離家生活，像貧民窟或不幸家庭出身的孩子一樣獨自適應社會。計程車駛抵露特西亞旅館的大門了。

「我有法郎。」法蘭克說。

湯姆讓他付了車資，門房替他們搬下二只行李箱，不過他們一走進裝腔作勢的旅館大廳，湯姆就對門房說：「我不會住下來，所以麻煩你幫我寄放半小時就好。」

法蘭克看著他的行李也寄放妥當後，門房走回來，給了他們兩張單子，湯姆收進口袋。法蘭克問了櫃台，得知索羅和他哥哥出去了，一小時內會回來。

他們居然不在。湯姆看看手錶，十二點七分。「也許他們出去吃午餐了？我要到旁邊的咖啡館打電話回家，一起去？」

「當然！」法蘭克先出了大門，然後低著頭走在人行道上。

「抬頭挺胸。」湯姆說。

法蘭克馬上把背挺直。

「幫我點杯咖啡好嗎？」走進咖啡館時，湯姆對法蘭克說，接著便從旋轉樓梯下樓，走到電話間。他投了兩塊法郎，不希望因為來不及投錢使電話被切斷。他撥了麗影的號碼，是安奈特太太接的。

「唉呀！」她聽到他的聲音彷彿快昏倒。

「我在巴黎，一切都好嗎？」

「都好！不過女主人不在，她和朋友出去吃午餐了。」

湯姆注意到安奈特太太是指女性朋友。「告訴她我今天下午會回家，希望可以在四點之前……總之六點半前一定會回去。」他加了一句，因為他想起里昂車站兩點多到五點之間並沒有班次。

「要不要赫綠思太太去巴黎接你？」

湯姆說不用，便掛了電話，回去找法蘭克和他的咖啡。

法蘭克坐在吧檯前，面前放了一杯幾乎沒動的可口可樂，他把口香糖吐到大菸灰缸裡壓爛的空菸盒裡。「抱歉，我很討厭嚼口香糖，不知道為什麼要買，這個也是。」他推開可口可樂。

男孩走向門旁的點唱機，點唱機在播放改編為法語歌詞的美國歌曲。

法蘭克又走回來：「家裡一切都好嗎？」

「應該是，謝謝。」湯姆從口袋裡掏出硬幣。

「已經付過了。」

他們離開咖啡館，男孩又低著頭，湯姆沒說什麼。

湯姆讓法蘭克去櫃台詢問，得知索羅已經回來了。他們走進裝飾花俏、令湯姆聯想到演出失敗的華格納歌劇的電梯。索羅是不是冷酷自大的人？如果是，那就很有意思了。

法蘭克敲了六二〇號房的房門，門立刻開了。索羅熱情地迎接男孩，沒有說話，他的目光望向湯姆，臉上依然掛著微笑。法蘭克優雅地朝內比了一下，請湯姆進去。門關上前，都沒人開口。索羅穿著襯衫，沒有打領帶，袖子往上捲，他看起來大概快四十歲，身材矮胖，微捲的紅髮剪得很短，一張臉稜角分明。

「我的朋友湯姆‧雷普利。」法蘭克替他介紹。

「你好嗎，雷普利先生？請坐。」索羅說。

房間很寬敞，也有很多椅子和沙發，但是湯姆沒有馬上坐下。右邊有一扇關閉的門，左邊窗戶旁的門開著，索羅走過去叫強尼，接著對法蘭克和湯姆說強尼應該在淋浴。桌上擺了報紙和手提箱，更多報紙散落在地上，還有一台電晶體收音機和錄音機，這裡不是臥房，而是連接兩間臥房的小客廳。

身材高大的強尼走進來，臉上掛著微笑，乾淨的粉紅色襯衫沒紮進褲子裡。棕色的直髮，髮色比法蘭克稍淡，臉也比較窄。「小法蘭！」他拉起弟弟的右手，幾乎環抱著他：「你好嗎？」他講話帶著純正的美國口音，讓湯姆覺得踏進六二〇號房，就好像到了美國。法蘭克向強尼介紹湯姆，他們握手寒暄。強尼看起來很坦率，也很快樂隨和，感覺不到十九歲。

接著要來談正事了，索羅結結巴巴地起了頭。他告訴湯姆，錢已經回到蘇黎士銀行，皮爾森太太十分感激。

「所有的錢，除了銀行手續費之外，」索羅說：「雷普利先生，我們不知道細節，但是……」

你永遠不會知道，湯姆心想，幾乎沒聽索羅接下來講了什麼。他不太情願地坐進米色沙發，點了一根菸。強尼和法蘭克在窗戶旁低聲交談，講得很快。法蘭克好像很生氣緊張，強尼有沒有提到特瑞莎的名字？好像有。他看到強尼聳了一下肩。

「你說警察沒有介入，」索羅說：「你闖入他們的公寓——怎麼辦到的？」索羅大聲笑了起來，也許那是他心目中男子漢對男子漢的笑聲，「太厲害了。」

湯姆完全不想理索羅了。「業務機密。」湯姆說，他還能忍受多久？湯姆站起來說：「我得走了，索羅先生。」

「走？」索羅人還沒坐下：「雷普利先生，除了和你見面、向你道謝——我們還不知道你的地址！」

要寄錢給他？「電話本裡找得到，塞納－馬恩省，維勒佩斯市，七十七號。法蘭克？」

「是！」

男孩焦慮的表情就像湯姆八月中在麗影看到他時一樣。「我們可以到裡面一下嗎？」湯姆問，意思是強尼的房間，房門還是開的。

徵得強尼同意後，湯姆和法蘭克進了房間，湯姆關上房門。

「不要告訴他們那天晚上在柏林的所有細節，」湯姆說：「尤其不要告訴他們那個人死掉的事，好嗎？」湯姆四處張望，沒有看到錄音機，床邊的地板上有一本《花花公子》，還有幾瓶橘子汽水擺在托盤上。

「當然不會。」法蘭克說。

男孩的眼神似乎比哥哥成熟。湯姆又說：「你可以說我沒有如期赴約，所以錢還在，好嗎？」

「好。」

「我是在第二次會面時跟蹤其中一名綁匪，才知道你被關在哪裡，但是不要提瘋狂的駝峰酒吧！」湯姆放聲大笑，笑得彎下了腰。

法蘭克也在笑，幾乎笑到歇斯底里。

「我知道。」法蘭克低聲說。

湯姆揪住男孩外套，又不好意思地放開：「千萬別提有人死掉的事！你保證？」

法蘭克點點頭說：「我知道，我懂你的意思。」

湯姆開始往回走，又轉過身，低聲說：「我的意思是，不能說太多——如果提到漢堡，也不要說瑞夫斯的名字，就說你忘了。」

男孩一言不發，但是以堅定的眼神望著湯姆，點了點頭。他們走回剛才的房間。

索羅坐在米白色的椅子上：「雷普利先生，如果可以的話，請您再來坐一下。」

出於禮貌，湯姆坐了下來，法蘭克也坐在米色沙發上，強尼還站在窗戶邊。

「我幾次在電話上的語氣不是很好，真的很抱歉，」索羅說：「我不知道你知道……」他沉默了一會兒。

「請問一下，」湯姆說，「法蘭克失蹤和搜索的情況目前為何，你有沒有通知警方？」

「呃……我先告訴皮爾森太太法蘭克在柏林很安全——和你在一起，徵得她同意後，我通知了這裡的警察。當然我不需她的同意。」

湯姆咬了咬下唇：「我希望你或皮爾森太太沒有對任何警察提到我的名字，沒有這個必要。」

「這裡的沒有，」索羅向湯姆保證：「皮爾森太太……我……我當然有告訴她你的名字，但我也請她不要向美國的警方提起你。美國警察沒有涉入這次的案件，純粹是私家偵探在調查。我要她跟記者說——她很討厭記者——我們發現男孩在德國度假，甚至要她不要提是德國哪一座城市，因為很可能引來另一宗綁架！」索羅笑出聲來，靠在椅背上，用大拇指整理皮帶的黃銅扣。

他面帶微笑坐在那裡，好像想到另一宗綁架案可以讓他有機會去其他美麗的城市，例如西班牙的馬約卡島。

「希望你能告訴我你們在柏林發生了什麼事，」索羅說：「至少描述一下綁匪，也許……」

「你該不是想去找他們吧，」湯姆詫異地問，又笑著說：「不可能找得到。」湯姆站起身。

索羅也站起來，表情不是很滿意：「我錄下和他們通話的內容，也許法蘭克可以告訴我更多。雷普利先生，你們為什麼去柏林？」

「噢——法蘭克和我想離開維勒佩斯，轉換一下環境，」湯姆說，覺得很像旅遊紀錄片或旅遊手冊裡的句子，「柏林觀光客比較少，加上法蘭克想隱姓埋名一陣子……對了，你有法蘭克的護照嗎？」湯姆搶在索羅可能問他為何收留法蘭克之前問。

「有，我媽媽用掛號寄來。」強尼說。

湯姆對法蘭克說：「你最好丟掉安德魯斯那本，如果你和我一起下樓，我可以幫你拿。」湯姆想把護照寄回漢堡，以後絕對還派得上用場。

「什麼護照？」索羅問。

湯姆朝門口移動。

索羅好像放棄護照的事，走向湯姆：「也許我不是典型的私家偵探，也許世上沒有所謂典型的私家偵探，我們都不一樣，不是每個都有辦法和人打架。」

但他不正是典型的偵探嗎？湯姆瞄了一眼索羅營養充足的體態，還有他肥厚的手掌，小指上戴了一枚代表學校的戒指。他有沒有幹過警察？但是湯姆根本不在乎。

「你有和黑社會交手的經驗吧？」索羅以親切的語氣問。

「大家不都是嗎？」湯姆說：「任何買過東方地毯的人都是。——法蘭克，你有護照了，看來都沒問題了。」

「我今晚不會住這裡。」法蘭克站起來說。

索羅望著男孩：「法蘭克，你是什麼意思？你的皮箱在哪裡？你沒有行李？」

「樓下，和湯姆的在一起，」法蘭克回答：「我今晚要和湯姆回家，我們今天不會回美國吧？至少我不會。」法蘭克彷彿已經下定決心。

湯姆微微笑了一下，靜待下一步的發展。他早預料會發生這種事。

「我們明天回去，」索羅雙手抱胸，以同樣堅定，但有些困惑的語氣說：「你要不要現在打電話給你母親？她在等你電話。」

法蘭克搖頭說：「如果她打來，就說我沒事。」

索羅說：「我希望你待在這裡，法蘭克，只有一個晚上，我希望你在我視線內。」

「別這樣嘛，小法蘭，」強尼說：「你當然要跟我們住！」

法蘭克瞄了哥哥一眼，好像不喜歡他叫他小法蘭，他右腳踢了一下，雖然沒東西可踢，然後走近湯姆身邊，說：「我要離開這裡。」

「就一個晚上……」索羅說。

「我可以和你去麗影嗎？」法蘭克問湯姆：「可以吧？」

接下來，除了湯姆之外的每一個人都在講話，湯姆把電話號碼寫在電話旁的本子上，在下面加上他的名字。

「我們告訴媽媽就沒關係，」強尼對索羅說：「我了解法蘭克。」

是嗎，湯姆想，顯然強尼很信任弟弟。

「……造成延誤，」索羅不高興的說：「用你的影響力，強尼。」

「我沒有影響力！」強尼說。

「我走了，」法蘭克挺直了背站在那裡，彷彿和湯姆一樣高：「我看到湯姆寫下他的電話了。

索羅先生，再見。強尼，再見。」

「明天早上？」強尼問，跟著湯姆和法蘭克走出房間：「雷普利先生……」

「你可以叫我湯姆。」他們一起朝著電梯走去。

「不是很愉快的會面。」強尼以認真的口氣對湯姆說：「這陣子很混亂，我知道你一直在照顧我弟弟，你救了他一命。」

湯姆可以看到強尼鼻子上的斑點，他的眼睛形狀和法蘭克一樣，但看起來快樂多了。

「索羅講話很直接。」強尼繼續說。

索羅也過來了：「雷普利先生，我們明天要離開，我可以明天早上大約九點打電話給你嗎？我會訂好機位。」

湯姆冷靜地點頭，法蘭克按了電梯：「好的，索羅先生。」

強尼伸出手說：「謝謝，瑞……湯姆，我媽媽一直……」

索羅比了一下手勢，好像要強尼不要說。

強尼繼續說：「她不知道你是什麼樣的人。」

「好了啦！」法蘭克尷尬地扭動身子。

電梯門打開，如同張開雙臂說：「歡迎光臨！」湯姆趕緊踏進電梯，法蘭克緊跟在後。湯姆按了電梯按鈕，電梯開始下降。

「好險！」法蘭克用掌心敲了一下額頭。

湯姆笑了起來，靠在華格納風格的電梯上。電梯下了兩層樓，一男一女走進來，女人擦了刺鼻的香水，雖然也許很昂貴。她身上黃藍條紋的洋裝看起來很高級，黑色的漆皮皮鞋讓湯姆想起他留在柏林綁匪公寓的那隻、也許是兩隻鞋子——鄰居或警察發現了，一定覺得很驚奇。湯姆到大廳取回行李，覺得自己走到人行道上才能好好呼吸。旅館的門房幫他們招計程車，很快就駛來一部，兩名女子下了車，湯姆和法蘭克隨即坐上。他們趕得上里昂車站兩點十八分的火車，不用等五點那班。法蘭克盯著窗外，眼神焦慮，像在做夢，他的身體如雕像般僵硬，如同教堂門口茫然卻盡忠職守的天使雕像。湯姆買了頭等艙車票，又向車站旁的書報攤買了一份《世界報》。

火車開動，法蘭克拿出《愛德華時代婦人的鄉間日記》，湯姆記得那是法蘭克在漢堡書店買的平裝書，書那麼多，他偏偏選了這本。湯姆讀完《世界報》一篇討論左派的專欄，好像沒什麼新鮮事，便把《世界報》放在法蘭克的座位旁，把腳跨在上面，法蘭克沒有看他，他在假裝專心看書嗎？

「為什麼……」法蘭克說。

湯姆把身子往前傾，火車喧囂的行進聲淹沒接下來的問題：「什麼事為什麼？」

法蘭克認真地問：「共產主義之所以失敗，有什麼簡單的原因嗎？」

火車即將進站，但還沒開始煞車，屆時一定更大聲。走道對面一個小孩開始哭，他的父親輕輕拍他。「你為什麼想到這件事？因為那本書？」

「不，是柏林。」法蘭克皺起眉頭。

湯姆深吸了一口氣，他不喜歡在火車的噪音中聊天：「並不算失敗，社會主義是成功的，只是少了個體的主控權——他們是這麼說的。蘇俄的體制不容許人民有自主的精神，人民因此變得沮喪。」湯姆四處張望了一下，還好沒有旁人在聽他的即席演說：「不同之處在於……」

「一年前，我覺得我相信共產黨，甚至支持莫斯科，要看你讀了什麼，如果你看的是對的東西……」

法蘭克所謂「對的東西」是指什麼？「如果你看……」

「蘇俄人為何需要圍牆？」法蘭克皺著眉頭問。

「沒錯，就是選擇的自由——如果你想申請共產國家的公民權，也許拿得到，但如果你是共產國家的公民，想出去可就困難囉！」

「所以很不……公平啊！」

湯姆搖搖頭，火車繼續在喧囂聲中前進，好像已經過了梅朗，但是不太可能。他很高興男孩在問天真的問題，孩子就是這樣才學得到東西，湯姆又把身子往前傾：「你看過圍牆，屏障是在他們那邊，他們卻宣稱建造圍牆是不讓資本主義進去。本來可以成功的，但是蘇俄愈來愈像警察國家，他們彷彿認為人民需要那種控制。」結論要怎麼下？耶穌基督是最早的共產黨？「但是他們的理念當然很棒！」湯姆大聲說。這是教導年輕人的正確方法？大吼陳腔爛調？

到梅朗了，男孩又繼續看書，幾分鐘後，他指著書中的一個句子給湯姆看：「我們在緬因州的花園有種，我父親從英格蘭訂的。」

句子在描述一種湯姆從沒聽過的英國野花：黃色，有時為紫色，早春時開花。湯姆點點頭。他擔太多心了，想了太多，反而等於白想。

他們在莫黑車站下車，坐上路邊排班的計程車。湯姆心情好多了，這裡是他的家，可以看到熟悉的房屋，甚至熟悉的樹，還有橫跨盧萬河的塔橋。他記得第一次帶男孩回布婷太太家時，還對男孩的故事半信半疑，不知道男孩為何找他。計程車駛進麗影敞開的大門，開到石子路，停在階梯前。湯姆看到停在車庫裡的紅色賓士，不禁微笑，另一邊的車庫門是關的，雷諾應該也在裡面，代表赫絲思在家。湯姆付錢給司機。

「日安，湯姆先生！」安奈特太太站在階梯前：「比利先生，歡迎！」

湯姆發現她看到比利好像不是太吃驚。「一切都好嗎？」他在安奈特太太臉頰上親了一下。

「都很好，但是女主人很擔心——擔心了一兩天，進來吧。」

赫絲思從客廳走來，臉埋在他臂彎裡說：「你終於回來了！」

「我離開很久了嗎？比利也來了。」

「你好，赫絲思，我又來打擾了，」男孩用法語說：「我只待一晚——如果可以的話。」

「不會打擾。」她眨了一下眼睛，伸出手。

她眼這麼一眨，湯姆就明白她知道男孩是誰了。「發生了很多事，」湯姆愉快地說：「但我要先把行李拿上樓，所以……」他向法蘭克比一下手勢，一時之間不知該叫他什麼。他們把行李箱抬上樓。

湯姆聞到柳橙和香草的香味，安奈特太太正在烤東西，不然她一定會來提行李，還好，湯姆不喜歡看女人提男人的行李。

「啊，回家真好！」湯姆站在樓上走廊說：「法蘭克，你住客房吧，除非……」他看了一下客房，確定裡面沒人，「但是用我的廁所，我要和你談談，等一下來找我。」湯姆走進房間，取出行李箱裡的衣服，掛好，有些丟在一堆準備清洗。

男孩心神不寧地走進來，湯姆知道他留意到赫綠思的態度了。

「赫綠思知道了，」湯姆說：「但又有什麼好擔心的？」

「只要她不覺得我很虛偽。」

「這點也不用擔心——那個聞起來很香、像蛋糕的東西不知是下午茶吃，還是晚餐吃？」

「安奈特太太呢？」法蘭克問。

湯姆笑著說：「她好像想叫你比利，但是她應該比赫綠思更早發現你的身分，安奈特太太會看八卦小報。等你明天拿出護照，大家都知道了——怎麼了？覺得不好意思？我們下樓吧，把要洗的衣服丟到這裡，我會請安奈特太太洗，明天早上之前就會好了。」

法蘭克回房間，湯姆下樓，走到客廳。天氣很宜人，面對花園的落地窗敞開著。

「我看照片就知道了，有兩張照片，」赫綠思說：「第一張是安奈特太太拿給我看的。他為什麼離家出走？」

安奈特端著下午茶的托盤走進來。

「他想離家一陣子，便拿了哥哥的護照離開美國，但是他明天就要回家了，回美國。」

「是嗎？」赫綠思驚訝地問。

「我剛才和他哥哥見面，還有他們請的偵探，他們住在巴黎的露特西亞旅館，我在柏林就和他們聯繫上了。」

「柏林？我以為你們都在漢堡？」

男孩走下樓。

赫綠思幫大家斟茶，安奈特太太走回廚房。

「艾瑞克住在柏林，」湯姆繼續說：「艾瑞克・藍茲，上禮拜來我們家的那個人。坐下，法蘭克。」

「你們在柏林做什麼？」赫綠思問，語氣好像意味著那種軍事據點是一般觀光客不想去的地方。

「就到處走走。」

「你要回家高不高興？」赫綠思問，遞給法蘭克一片橘子蛋糕。

男孩心情不佳，湯姆假裝沒看到。湯姆起身，走到電話旁、安奈特太太平常放信的地方。只有六、七封信擺在那裡，幾封看來像帳單，一封是傑夫寄來的，湯姆很好奇他寫了什麼，不過他沒打開。

「你在柏林有和媽媽聯絡嗎？」赫綠思問法蘭克。

「沒有。」法蘭克說，嚥了一口蛋糕，彷彿在吞沙子。

「柏林好玩嗎？」赫綠思望著湯姆。

「獨一無二的城市，就像人們形容威尼斯一樣，」湯姆說：「每個人都可以做自己的事，對不對，法蘭克？」

法蘭克用指節揉揉左眼，扭動身體。

湯姆放棄了。「法蘭克，你去樓上睡一下。」他對赫綠思說：「昨晚在漢堡，瑞夫斯很晚才讓我們睡——我晚餐時再叫你，法蘭克。」

法蘭克站起身，向赫綠思微微鞠了躬，顯然喉嚨太緊繃，講不出話。

「怎麼了？」赫綠思輕聲問：「漢堡——昨天晚上？」

男孩已經上樓了。

「呃……不是漢堡，法蘭克上禮拜天在柏林被綁架，我禮拜二早上才有辦法救他出來，他們給他……」

「綁架？」

「我知道報紙上沒寫，綁匪給他很多鎮定劑，他還沒完全恢復。」

赫綠思睜大眼睛，又眨了眨眼，但這次眨眼的方法不一樣了。她眼睛睜得好大，可以看到她的瞳孔放出深藍色的射線，映出藍色的虹膜：「我沒聽說綁架的事，他的家人有沒有付贖金？」

「沒有，有贖金，但沒有付給綁匪，我私底下再告訴妳。妳好像柏林水族館的藍吊帶，牠們是最神奇的小魚！我買了幾張明信片，待會兒再拿給妳看！那些眼睫毛——好像有人畫在牠們眼睛旁邊，又黑又長！」

「我沒有黑色的長睫毛！湯姆，關於綁架的事，你說禮拜二才有辦法救他，是什麼意思？」

「細節以後再告訴妳，我們都沒受傷，妳也看到了。」

「他媽媽知道嗎？」

「一定得知道，因為要籌錢，我只……我告訴妳這些，是為了解釋男孩今晚為什麼這麼奇怪，他……」

「他很怪，他為什麼離家出走？你知道嗎？」

「我不知道。」湯姆永遠不會告訴赫綠思男孩告訴他的事。赫綠思能知道的事是有限度的，湯姆了然於心，像心裡有把尺。

19

湯姆看過傑夫的信，彷彿吃了定心丸，因為傑夫保證會把貝納德後繼者的半成品或失敗的德瓦特贗品「撕毀」，那些畫匠的作品似乎源源不絕。湯姆檢查了溫室，採收安奈特太太遺漏的成熟番茄，也淋了浴，換上乾淨的牛仔褲，還幫赫綠思剛買的衣帽架上了亮光膏。架子上方是彎曲的木鉤，尖端以黃銅打造，很像美國西部的牛角，赫綠思告訴他架子真的是從美國進口的，湯姆覺得很驚奇，這必然會反映在價格上，不過湯姆沒問價錢。赫綠思很喜歡這組衣帽架，因為這種美式的粗獷鄉村風格替房子增添了喜感。

大約八點，湯姆開了兩瓶啤酒，叫法蘭克下樓吃晚餐。湯姆原本希望法蘭克睡個午覺，但是他沒睡。赫綠思說她的母親很好，毋須動手術，但是醫生幫她開了無鹽、無脂肪的飲食處方，湯姆心想，法國醫生不知還能做什麼或說什麼時就會用這一套。赫綠思說她下午已經打電話回家，告知她晚上無法依約和父母吃飯，因為湯姆剛回家。

他們在客廳喝咖啡。

「我來放你喜歡的那張唱片，」赫綠思對法蘭克說，播起路・瑞德的《改造者》，第二面的第一首歌是「化妝」。

妳沉睡的臉如此美，
然後妳睜開眼……
拿出一號粉餅，
眼線，玫瑰紅唇，噢，真有趣！
妳真是人工美女……

法蘭克埋著頭喝咖啡。

湯姆到電話旁找雪茄盒，不在那裡，也許那盒抽完了，新的在他房裡，可是湯姆懶得上樓拿。赫絲思放這張唱片，湯姆覺得很不好意思，因為他知道男孩會想起特瑞莎。法蘭克一副心在淌血的模樣，他會不會先行告退？還是他寧可有他們的陪伴？也許第二首歌會比較好。

衛——星……
射向火星……
他們說妳很大膽……
哈利、馬克和約翰……
那種事讓我失去理性……
我看了一會兒……

我喜歡電視裡的東西……

音樂裡的美國人徐徐唱道，歌詞簡單而輕鬆，但是——如果有人要這麼解讀——歌詞是關於個人的危機。湯姆向赫絲思示意，請她關掉唱機，湯姆從扶手椅站起來說：「很好聽，但是……來點古典樂吧？阿爾班尼士（Isaac Albeniz）？應該不錯。」他們有米歇爾・布洛克（Michel Block）新發行的唱片《伊貝利亞組曲》，根據最權威樂評家的說法，他在這支曲子上的表現超越其他同時期的鋼琴家。赫絲思換了唱片，好多了！相形之下，這種音樂就像詩一樣，不受歌詞箝制。法蘭克向湯姆投以感激的目光。

「我要上樓了，」赫絲思說：「晚安，法蘭克，希望明天早上能再見到你。」

法蘭克站起身：「好的，晚安，赫絲思。」

她走上樓。

湯姆察覺到赫絲思在暗示他也早點上樓，她當然還有更多問題想問。

電話響了，湯姆把音樂調小聲，接起電話。是索羅從巴黎打來，想知道湯姆和男孩有沒有到家，湯姆要他放心。

「我訂了明天十二點四十五分從戴高樂機場起飛的班機，」索羅說：「你可以幫我確定法蘭克來得及嗎？他在不在？我要跟他講話。」

法蘭克在旁邊拼命搖手。「他在樓上，應該已經睡了，但我一定會確定他去了巴黎，哪一家航空公司？」

「環球航空，五六二號班機，法蘭克最好能在明天早上大約十點到十點半間抵達露特西亞旅館，我們再搭計程車到機場。」

「沒問題。」

「雷普利先生，我今天下午沒提，但是你一定花了不少錢，只要告訴我，我一定會處理。請皮爾森太太轉交給我，法蘭克可以給你地址。」

「謝謝。」

「明天早上也會見到你？我希望你……帶法蘭克來。」

「好，索羅先生。」湯姆微笑掛斷電話，轉頭對法蘭克說：「索羅訂了明天中午的機票，你大約十點要到旅館。不會有問題，早上很多火車，我也可以開車載你去。」

「不用了。」法蘭克禮貌地說。

「可是你會去？」

「我會去。」

湯姆努力隱藏內心的如釋重負。

「我想問你可不可以跟我一起去……但又覺得這樣要求太過分了。」法蘭克的手在褲子口袋裡握成拳頭，下巴似乎在顫抖。

和他去哪裡？「坐下，法蘭克。」

男孩不想坐下：「我要面對一切，我知道。」

「一切指的是什麼？」

「告訴他們我做了什麼——關於我父親的事。」法蘭克的語氣彷彿替自己判了死刑。

「我告訴過你不要這麼做，」湯姆輕聲說，雖然他知道赫綠思在樓上房間，或在後方的浴室。「你知道你不需要這麼做，為什麼又提這件事？」

「如果我有特瑞莎，我保證我不會，但連她我都沒得到。」

又是這個死胡同——特瑞莎。

「我可能去自殺，不然還能怎樣？我不是想威脅你，那樣太愚蠢了，」他望著湯姆的眼睛：「我只是在講道理，今天下午，我在樓上思考我的一生。」

十六年的一生，湯姆點點頭：「你不一定失去了特瑞莎，也許她這幾個禮拜對別人有興趣，或者她這麼以為。你也知道，女孩都很貪玩，但是她一定知道你是認真的。」

法蘭克露出一絲微笑：「那有什麼用？另一個人年紀比我大。」

「法蘭克，你聽我說……」讓法蘭克在麗影多留一天，勸勸他，會不會比較好？應該不會。

「你最不需要做的，就是告訴任何人。」

「這應該由我自己決定。」法蘭克語氣出奇冷漠。

他是不是該跟法蘭克一起去美國？陪著他，看看他和媽媽相聚第一天的情況，確定男孩不會講出什麼？「我明天跟你一起去怎麼樣？」

「去巴黎？」

「我是指美國。」他以為神情緊繃的法蘭克會鬆一口氣，但法蘭克只是聳聳肩。

「好啊，但又有什麼……」

「法蘭克，你不能崩潰——你不反對我跟你一起去吧？」

「不會，你是我唯一的朋友。」

湯姆搖頭說：「我不是你唯一的朋友，是你唯一傾訴的對象。好吧，我跟你去。我現在得告訴赫絲思——你該上樓睡覺了吧？」

男孩和湯姆一起上樓，湯姆說：「晚安，明天見。」然後去敲赫絲思的房門。她躺在床上，一隻手撐著頭，靠在枕頭上看書。她在看他們的舊書——奧登（W. H. Auden）詩選。她說她喜歡奧登的詩，因為很「清楚」。這種時候看詩好像很奇怪，但也許不會。湯姆看著她的眼神慢慢回到現在，回到他和法蘭克的世界。

「我明天要和法蘭克一起去美國，」湯姆說：「也許只待兩、三天。」

「為什麼？——湯姆，你只跟我講了一點點，幾乎什麼都沒講。」她把書丟到一旁，不過沒有生氣。

「你為什麼要和他去美國？在柏林究竟發生了什麼事？你還在保護他——是幫派嗎？」

「沒有！在柏林時，我和法蘭克在林子裡散步，分開了一、兩分鐘——法蘭克就被他們擄走了。我和綁匪約了時間……」湯姆頓了一下，又說：「總之，最後我從他們的公寓救出法蘭克，他因為吃了鎮定劑而昏昏沉沉——現在還有一點。」

赫綠思好像無法置信：「都是在柏林發生的？」

「對，西柏林，比妳想像中還大。」湯姆本來坐在赫綠思的床緣，現在站起身來：「明天的事妳不用擔心，我馬上就回來……妳什麼時候去搭郵輪？九月底是吧？」今天是九月一日。

「二十八號——湯姆，你擔心什麼？你覺得他們會再綁架男孩？同一批人？」

湯姆笑著說：「當然不是！他們是生手！才四個人——我相信他們現在都嚇得半死，躲起來了。」

「你沒有告訴我所有的事。」赫綠思的語氣算不上生氣或嘲弄，但也許介於兩者之間。

「可能吧，不過我以後會告訴妳。」

「你上次就這麼說，那個……」赫綠思沒繼續說，她垂下眼，望著自己的手。

莫奇森至今仍然成謎的失蹤事件？湯姆在麗影的酒窖用酒瓶敲他，殺死那名美國人，湯姆記得那是一瓶上好的瑪歌紅酒。沒錯，他從沒告訴赫綠思他把莫奇森的屍體拖出去，或是酒窖地板至今仍刷不掉的一大塊深紅色斑點不完全是因為紅酒。「反正……」湯姆朝門口移動。

赫綠思抬頭看他。

湯姆跪到床邊，手臂環繞著她，臉靠在她的被單上。

她用手指梳理他的髮：「有沒有什麼危險？你不能告訴我嗎？」

湯姆發現他自己也不知道。「沒有危險，」他站起來：「晚安，親愛的。」

湯姆站在走廊，看到男孩房間的燈還亮著，房門微開。他經過時，聽到法蘭克在裡面喚他，便走進客房，法蘭克在他身後關上門。他已經換了睡衣，把被單拉開，不過還沒躺上去。

「剛才在樓下，我很懦弱，」法蘭克說：「我是指我說的那些話，我用詞不當，還差一點哭出來，天啊！」

「所以呢？又沒有關係。」

男孩在地毯上踱步，盯著自己的赤腳：「我想讓自己迷失，勝過於自殺，都是因為特瑞莎——我想是吧。如果我可以像蒸氣一樣消失就好了。」

「你是說隱姓埋名？迷失什麼？」

「迷失一切……有一次我和特瑞莎在一起，我以為皮夾不見了，」法蘭克微笑說：「我們在紐約的餐廳吃飯，我準備付錢，卻找不到皮夾，我記得我好像幾分鐘前才把皮夾拉出來，可能掉在地上了，我找了桌子底下——我們坐在長板凳上，還是找不到，然後我想，我可能忘在家裡了！我和特瑞莎在一起都這樣，頭昏腦脹的，好像快要昏倒。我第一次看到她時就這樣——每一次都是，我幾乎無法呼吸。」

湯姆覺得很同情，眼睛閉了一下：「你和女孩子在一起絕對不能表現出緊張，即使你內心很緊張。」

「是——總之，那一天，特瑞莎說：『你一定沒弄丟，再找找看。』侍者過來時，特瑞莎說她會付錢。她正要拿錢包，才發現我把皮夾塞在她皮包裡，因為我之前就拿出來了——我實在太緊張。我每次和特瑞莎在一起都這樣，本來以為會很慘，卻又發生幸運的事。」

湯姆了然於心，佛洛依德也會了解。這女孩對法蘭克來說是好事嗎？湯姆很懷疑。

「還有很多類似的故事，但是你會覺得很無聊。」

他想表達什麼？或者他只是想聊特瑞莎的事？

「我想放棄一切，甚至我的生命，我不知如何用言語描述，也許我可以對特瑞莎解釋，或至少說些什麼，但是現在她根本不在乎，她厭倦我了。」

湯姆拿出菸盒，點了一根菸，男孩沉浸在夢想世界裡，必須把他拉回現實。「趁著我還記得，法蘭克，可以給我安德魯斯的護照嗎？」湯姆指指掛在椅子上的法蘭克的外套。

「可以啊，就在裡面。」法蘭克說。

湯姆從內側口袋拿出護照。「要還給瑞夫斯，」湯姆清一下喉嚨，又說：「要不要我告訴你，我在這屋裡殺過人？很可怕吧？就在這棟房子。我可以告訴你原因，就是那幅掛在樓下壁爐上的畫——《椅中男子》……」湯姆發現他不能告訴法蘭克那幅畫是贗品，還有市面上很多德瓦特都是假的，萬一法蘭克幾個月或幾年後告訴別人怎麼辦？

「對，我很喜歡那幅畫，」法蘭克說：「那個人要偷畫？」

「不是！」湯姆把頭往後靠，笑著說：「不能再多說了，我們在某方面很像，你不覺得嗎？」

他有沒有在男孩的眼神裡看到一絲如釋重負？「晚安，法蘭克，我大約八點叫你。」

湯姆回到房間，發現安奈特太太已經把他的行李都歸位了，他得重新打包一次。赫綠思的禮物——藍色皮包，擺在他的書桌上，還裝在白色塑膠袋的盒子裡。湯姆決定明天早上再偷偷把盒子放到她房間，這樣她在他離開後才會發現。十一點五分了，湯姆下樓打電話給索羅，雖然他房間就有電話。

強尼接起電話，說索羅在洗澡。

「你弟弟希望我明天跟他一起去，所以我也會去，」湯姆說：「我是指美國。」

「真的嗎？太好了！」強尼聽起來很開心：「索羅來了，是湯姆．雷普利。」強尼把電話拿給索羅。

湯姆又說了一次：「你可以替我訂到同班機的機位嗎？或是我自己去訂？」

「我來處理，應該不會有問題，」索羅說：「是法蘭克的主意？」

「是的。」

「好，我們明早十點見。」

湯姆又洗了一次熱水澡，很期待上床睡覺，今天早上他還在漢堡。親愛的瑞夫斯現在在做什麼？在公寓裡喝冰涼的白酒，商談另一樁交易？湯姆決定早上再打包。

他熄了燈，躺在床上，思考代溝的問題，是不是每個世代都會出現代溝？但世代不是會重疊嗎？所以你不可能確切地說出二十五年的更迭是在何時？湯姆試著想像法蘭克出生那年，披頭四剛在倫敦發跡（漢堡之後），然後到美國巡迴演唱，改變流行樂壇的樣貌；他大約七歲時，人類登陸月球，身為和平組織的聯合國開始遭到訕笑、利用，之前是國際聯盟，不是嗎？以前的國際聯盟就阻擋不了佛朗哥和希特勒。每個世代好像都會釋放某種事物，然後拼命尋找、追求新鮮的事物。現在的年輕人崇尚的是宗教大師，或奎師那意識運動，不然就是統一教，還有流行樂——社運人士唱出他們的靈魂。湯姆不知在哪裡聽到或看到，談戀愛已經落伍了，但法蘭克並非如此，他也許是例外，甚至還承認自己在戀愛。「裝酷，不要有強烈情緒」是時下年輕人奉行的宗旨，很多年輕人不相信婚姻，只想同居，也不一定要生小孩。

法蘭克現在是什麼情況？他說他想迷失，意思是放棄皮爾森家族的責任？自殺？還是改名換姓？法蘭克想追求什麼？湯姆實在太疲憊了，無法再思考下去。窗外的貓頭鷹發出「啾呼」的叫聲，九月初了，麗影就要進入秋冬。

20

赫綠思載湯姆和法蘭克到莫黑火車站。她本來想載他們到巴黎，但是赫綠思今晚要去香堤邑看父母，所以湯姆勸她不要帶他們去巴黎。道別時，她要他們保重，湯姆注意到她還特別多親了法蘭克幾下。

湯姆不想在莫黑火車站買八卦的《法蘭西週日報》，但是一到里昂車站，他馬上買了一份。才剛過九點，湯姆在車站翻開報紙，在第二頁看到法蘭克的舊護照照片，不會太大，標題是「失蹤美國企業家第二代在德國度假」。湯姆看了一下內容，深怕看到自己的名字，還好沒有，索羅是否終於做了一件值得嘉許的事？湯姆鬆了一口氣。

「沒什麼需要擔心的，」湯姆對法蘭克說：「你要看嗎？」

「我不要，謝謝。」法蘭克好像刻意把頭抬高，他又陷入垂頭喪氣的情緒中。

他們排隊等計程車，到了露特西亞旅館時，索羅正在大廳櫃台寫支票付房錢。

「早安，湯姆。嗨，法蘭克！強尼在樓上檢查行李有沒有都搬下來。」

湯姆和法蘭克等了一會兒，強尼提著幾只旅行包，走出電梯，他笑著對弟弟說：「你有沒有看到今天早上的《論壇報》？」

他們離開湯姆家時還太早，來不及看《論壇報》，湯姆也沒想到要買。強尼告訴弟弟，《論壇報》說他在德國度假。湯姆心想，那法蘭克現在人應該在哪裡，不過他沒說出口。

法蘭克說：「我知道。」表情有些尷尬。

他們必須搭兩部計程車。法蘭克想和湯姆坐，但是湯姆建議他和哥哥坐，因為他想和索羅單獨相處幾分鐘，也許能有些收穫。

「你認識皮爾森家很久了？」湯姆以愉悅的語氣問。

「我認識約翰六、七年，我是傑克‧戴蒙的合夥人，他也是私家偵探，傑克回了我的老家舊金山，不過我一直待在紐約。」

「還好報紙沒有大肆報導法蘭克的消息，是你的功勞嗎？」湯姆問，他想藉此誇獎索羅。

「希望如此。」索羅好像很滿意，「我盡量淡化這件事，希望機場沒有記者，我知道法蘭克很討厭記者。」

索羅身上散發出男性的氣味，湯姆坐回角落：「約翰‧皮爾森是什麼樣的人？」

「啊……」索羅緩緩點了一根菸，說：「絕對是天才，也許那種人是我無法理解的，工作——或錢，是他的一切，對他來說就像分數，也許能給他安全感，甚至超過他的家人。他很了解自己的事業，白手起家，沒有有錢的老爸。約翰最早是買下康乃狄克州一間瀕臨破產的超市，再慢慢建立起他的事業，他一直從事食品製造業。」

食物也是另一個安全感的來源。湯姆讓索羅繼續說下去。

「他第一段婚姻娶了康乃狄克州的有錢小姐，也許他讓她厭倦了吧。還好他們沒有小孩，後來她認識別的男人，那個人可能願意在她身上花比較多時間，然後他們就離婚了，沒有聲張，」索羅瞄了湯姆一眼：「那時我還不認識約翰，但我聽說過這些事。約翰一直很努力，希望他和家人能擁有最好的事物。」索羅的語氣帶著尊敬。

「他快樂嗎？」

索羅望著窗外，搖搖頭說：「經營這麼多錢，誰會快樂？就像帝國一樣。他有很好的妻子——莉莉、好兒子，到處都有很棒的房子，也許對這種人來說，擁有這些是必然的。不過他絕對比霍華・休斯快樂很多。」索羅笑著加了一句：「那個人瘋了。」

「你覺得約翰・皮爾森為什麼自殺？」

「他不一定是自殺，」索羅望著湯姆：「你是什麼意思？法蘭克這麼說？」索羅的語氣很輕鬆。

索羅是不是在試探他？試探法蘭克？湯姆刻意慢慢地搖頭，朝北行駛的計程車正好在此時換了車道，超過一輛大卡車：「沒有，法蘭克什麼也沒說，他的說法和報上一樣，可能是意外或自殺，你覺得呢？」

索羅似乎在思考，薄唇牽出不帶惡意的微笑。「應該是自殺而非意外，我不知道，」索羅對湯姆說：「只是我的猜測，他已經六十幾歲了，十年來都半身不遂，坐在輪椅上，怎麼會快樂？約翰一直想讓自己開心，但他也許受夠了？但是他到那座懸崖的次數不下幾百次，那天也沒有能將他吹下崖的強風。」

湯姆覺得很滿意，索羅好像沒有懷疑法蘭克：「那莉莉呢？她是什麼樣的人？」

「她是另一個世界的人，他們認識時她是演員。你為什麼這麼問？」

「因為我應該會碰到她，」湯姆笑著說：「兩個男孩中她有偏愛哪一個嗎？」

索羅笑了起來，好像聽到湯姆問這種簡單的問題，覺得如釋重負：「你一定以為我和他們家很熟，其實沒那麼熟。」

湯姆沒有繼續追問。他們在沙貝勒門區下了外環公路，駛入另一條長達十五公里的公路，這條路通往醜陋的戴高樂機場，在湯姆眼裡這座機場和龐畢度一樣礙眼，但至少龐畢度裡面還有美麗的事物可以欣賞。

「雷普利先生，你平常都做些什麼？」索羅問：「有人告訴我，你沒有固定的工作，辦公室什麼的……」

這個問題很容易回答，因為湯姆回答很多次了。他喜歡園藝、大鍵琴，也喜歡研讀法文和德文。索羅可能認為他是另一個星球的人，也許覺得他很討厭，可是湯姆完全不在乎。他碰過比索羅更糟的人。他知道索羅覺得他不是什麼好人，只因為運氣好娶了有錢的法國女人，可能是吃軟飯的寄生蟲，白吃白喝，遊手好閒。湯姆沒有顯露出任何情緒，因為他以後還可能需要索羅的幫忙，甚至他的效忠。索羅這一生有沒有為任何事拼過命，像他保護德瓦特名譽那樣——雖然有些是仿冒品，但一開始至少有半數的畫作是真跡。索羅有沒有像他一樣，殺過黑手黨份子——或者現在該稱這些有虐待狂的皮條客和勒索集團為「犯罪組織」?

「蘇西呢?」湯姆又以愉悅的語氣問:「你應該見過她?」

「蘇西?喔,管家蘇西,當然啦,她在他們家好久了,年紀一大把,但是他們不希望——讓她退休。」

機場裡找不到推車,他們只好提著所有行李,準備到環球航空的櫃台辦理登機手續,此時隊伍旁忽然冒出兩、三名攝影師,拿著相機蹲伏在那裡。湯姆低下頭,看到法蘭克鎮定地以手遮臉,索羅對湯姆同情地搖頭。一名記者用帶法國腔的英語問法蘭克:「你在德國度假愉快嗎?皮爾森先生,你對法國有沒有什麼感想?你為什麼躲起來?」

他把又大又黑的相機掛在脖子上,湯姆有一股衝動,很想用相機敲他的頭。法蘭克轉身背對他時,男人拿起相機對著法蘭克猛按快門。

辦好登機手續後,索羅很英勇地跳到前方,以美式足球前鋒的姿態用肩膀把記者撞開——現在有四、五名了,他們直接走上五號登機門的電梯,讓海關阻擋記者。

「我要和我朋友一起坐。」法蘭克對空服員說,語氣堅決,法蘭克指的是湯姆。

湯姆讓法蘭克去處理。一名乘客願意和他們換位子,讓湯姆和法蘭克坐相連的座位,那排座位可以容納六人,湯姆坐在走道旁。這架飛機不是協和客機,所以接下來的七小時會很難熬,不知索羅為何沒買頭等艙的機位。

「你和索羅聊了什麼?」法蘭克問。

「無關緊要的事，他問我平常都在做什麼，」湯姆笑著說：「那你和強尼呢？」

「也沒什麼重要的。」法蘭克的回答有些草率，但是湯姆現在比較了解男孩了，所以並不在意。

湯姆希望法蘭克和強尼沒有討論特瑞莎的事，因為強尼對失戀這種事好像沒什麼同情心。湯姆帶了三本書，放在格子圖案的隨身行李裡。機上又出現精力充沛的小孩——有三個，都是美國人，他們開始在走道上跑來跑去，湯姆原本以為他和法蘭克能逃過一劫，因為他們的座位和小孩的至少隔了十八排。湯姆試著看書、打盹、思考——雖然刻意的思考不一定有用，因為靈感和好點子很少是這樣出現的。過了一會兒，湯姆從半夢半醒中驚醒，不知是耳朵還是腦袋裡出現了「演技！」這字眼。他坐直身體，朝著機艙中央螢幕播放的彩色西部片眨眼，他聽不到聲音，因為他沒有拿耳機。什麼演技？他在皮爾森家到底要做什麼？

湯姆又拿起書。他在惹人厭的四歲小孩又唸唸有詞地朝著他跑來時，伸了伸懶腰，悄悄把腳移到走道上，小怪物頓時臉朝下往前撲，幾秒鐘後，發出愛爾蘭妖精一般委屈的哭聲。湯姆開始裝睡，不知從何處走出來的空服員懶洋洋地扶起小鬼，湯姆看到走道另一邊的男人露出滿意的笑容，顯然湯姆並不孤單。小孩被帶回座位，想必養精蓄銳後，一定會變本加厲，湯姆想，如果遇到這種情況，他要把絆倒小孩的樂趣留給其他乘客。

他們在下午抵達紐約，湯姆伸長脖子望著窗外，看到曼哈頓如印象派畫作般霧茫茫的摩天大樓夾雜在白色和黃色鬆軟的雲當中，覺得很興奮，真是不可名狀的美！世界上沒有其他城市有這麼多高聳的大樓，擠在這麼小的地方。接著，碰的一聲，飛機降落地面。他們又機械地前進：護照、行李、搜身。一名臉色紅潤的司機來接他們，法蘭克告訴湯姆那是尤金。尤金身材矮小，禿頭，看到法蘭克好像很高興。

「法蘭克！你好不好？」尤金似乎很友善，也很有禮貌，舉止合宜，他講話帶著英國腔，身上的襯衫很平凡，打著領帶：「索羅先生，歡迎！還有強尼！」

「你好，尤金，」索羅說：「這位是湯姆・雷普利。」

湯姆和尤金寒暄了一下，尤金接著說：「皮爾森太太一大早就去了肯納邦克港，蘇西不太舒服，皮爾森太太說你們可以在公寓待一晚，或是到直升機場搭直升機。」

他們站在太陽下，行李堆在人行道旁，手提行李還在手上，至少湯姆是如此。

「公寓裡有誰？」強尼問。

「目前沒人，佛洛拉在休假，」尤金說：「我們本來想關閉公寓，皮爾森太太說她過幾天可能會來，如果蘇西……」

「我們去公寓，」索羅打斷他：「反正順路，強尼，你沒問題嗎？我要打電話到辦公室，我今天也許要去一趟。」

「當然沒問題，我也想去看信，」強尼說：「蘇西怎麼了？」

「不知道，好像是輕微的心臟病發作，我知道他們請了醫生，是今天中午的事，你母親打電話去問的。我昨天和她開車過來，晚上住在公寓裡，她本來想在紐約和你們會面。」尤金微笑說：「我去開車，兩分鐘後回來。」

蘇西是第一次心臟病發作嗎？佛洛拉應該是傭人。尤金開來黑色的戴姆勒賓士，他們都坐上車，車裡很寬敞，甚至放得下行李。法蘭克和尤金坐在前座。

「一切都好嗎？」強尼問：「我媽還好嗎？」

「應該是還好，她很擔心法蘭克……這是當然的。」尤金開車的姿勢很拘謹，也很有效率。湯姆想到他看過勞斯萊斯的行車手冊，裡面提醒車主開車時不要把手肘靠在窗沿，因為看起來太邋遢。

強尼點了菸，按下米色內裝的某個按鍵，出現了一只菸灰缸。法蘭克一言不發。

車子開到第三大道，然後是萊克辛頓大道。曼哈頓比巴黎更像蜂巢，到處都是小小的蜂室，人聲雜沓，人蟲爬進爬出，抬東西、裝貨、走路、相撞。車子無聲地停在一棟有遮雨篷的公寓前，穿灰色制服、面帶微笑的門房摸了一下帽簷，然後打開車門。

「午安，皮爾森先生。」

強尼也叫得出他的名字，和他打了招呼。他們走進玻璃門，搭電梯上樓，行李是用另一部電梯運上樓。

「誰有鑰匙？」索羅問。

「我有。」強尼得意地說，從口袋拉出一串鑰匙。

尤金去停車了。

公寓大門標示著十二A。他們走進寬敞的門廳，大客廳最靠近窗戶的幾張椅子罩了白色的保護套，窗戶的活動百葉窗也拉上了，得開燈才看得見。強尼打開立燈、拉開百葉窗，陽光隨之湧入，他看起來很開心，好像回到家一樣。法蘭克在門廳檢視一疊信件，依舊神情緊繃、眉頭微蹙，應該沒有特瑞莎的信，不過他還是從容地走進客廳，望著湯姆說：「啊，這裡就是我們家……的一部分。」

湯姆笑了一下，因為這是法蘭克希望看到的回應。壁爐上方掛了一幅手法普通的油畫，不知壁爐能否使用？湯姆湊過去，油畫裡的女子應是法蘭克的母親：金髮美女，有一張精雕細琢的臉，手不是放在膝上，而是伸長手臂，倚在淺綠色的沙發椅背上，她穿著黑色無袖禮服，腰際別了一朵橘紅色的花，淺笑輕盈，但是畫得過度造作，看不到真實的個性。約翰．皮爾森為何花錢請人畫這麼拙劣的油畫？索羅在玄關講電話，也許是和辦公室通話，湯姆沒興趣聽他講什麼。現在換強尼在門廳看信，他收起兩封，打開第三封，好像很開心。

客廳擺了兩張很大的棕色皮沙發——湯姆只看得到白布下方露出的沙發底部——擺成直角，另外還有一架平台鋼琴，上面放了琴譜，湯姆走過去看是什麼樂曲，不過琴上的兩張照片吸引了他的注意。其中一張是深色頭髮的男人，抱著年約兩歲的金髮嬰兒，嬰兒笑咪咪的，應該是強尼，男人應是約翰．皮爾森，看起來不到四十歲，微笑的深色眼睛很友善，和法蘭克的眼睛有點像；另一張照片是約翰．皮爾森的獨照，也很英俊，穿著白色襯衫，沒有打領帶，也沒戴眼鏡，他正微笑拿下嘴邊的菸斗，一圈煙冉冉上升。很難把這些照片和老暴君，甚至強悍的生意人聯想在一起。鋼琴上的琴譜封面以螺旋狀字體寫著「甜蜜的洛倫」，莉莉彈琴嗎？湯姆很喜歡這支曲子。

尤金回來了，索羅也正好從另一間房間走來，手上端著一杯飲料，可能是蘇格蘭威士忌加蘇打水。尤金問湯姆要不要喝點東西，茶或是酒精飲料都可以，湯姆婉拒了。索羅和尤金討論接下來要怎麼做，索羅想搭直升機，尤金說他當然可以安排。是否大家一起去？湯姆望向法蘭克，不知道他會不會說要和湯姆待在紐約，不過法蘭克說：「好吧，我們一起去。」

尤金馬上去打電話。

法蘭克把湯姆喚到走廊：「想不想看我的房間？」男孩打開走廊右邊的第二扇門，房裡的百葉窗也關著，法蘭克拉了一根線，讓光線灑進來。

房裡擺了很長的支架桌，書靠著牆，整整齊齊放成一排，還有一疊學校用的筆記本和兩張女孩的照片，湯姆認出照片裡是特瑞莎。一張是獨照，她戴著頭冠和花圈，身穿白色禮服，粉紅色的嘴唇彎成頑皮的笑容，眼睛發亮，湯姆想，她一定是當晚舞會中最耀眼的美女；另一張比較小，也是彩色照片，法蘭克和特瑞莎站在很像華盛頓廣場的地方，法蘭克牽著她的手，特瑞莎穿米色的喇叭牛仔褲、藍色棉布襯衫，手上拿了一小袋東西——可能是花生，法蘭克看起來很帥氣、開心，像是對女友很有信心的男孩。

「這張是我最喜歡的照片，」法蘭克說：「我看起來比較成熟，那是在……我去歐洲前大約兩個禮拜照的。」

意思是殺死他父親前的一個禮拜，湯姆心中又浮現讓他覺得不安、很怪異的念頭：法蘭克真的殺死他父親嗎？或者純粹是他的幻想？青少年的確經常幻想，然後會緊抓不放，法蘭克可能如此嗎？法蘭克有強尼沒有的激烈情緒，例如特瑞莎的事，他可能要好久才能平復，也許要兩年；但是話說回來，幻想謀殺父親，藉以吸引湯姆的注意力，又不像法蘭克的作風。

「你在想什麼？」法蘭克問：「特瑞莎？」

「關於你父親的事，你講的是實話嗎？」湯姆柔聲問。

法蘭克的嘴唇變得僵硬，湯姆很熟悉他這種表情。「我為什麼要騙你？」然後他聳了聳肩，彷彿覺得自己不該如此認真，「我們出去吧。」

法蘭克有可能說謊，因為他更相信幻想，而非現實：「你哥哥完全沒起疑？」

「我哥哥——他問過我，我說我沒……推……」法蘭克頓了一下，又說：「強尼相信我，即使我告訴他真相，他也不會願意相信。」

湯姆點點頭，又朝門的方向擺了一下頭。他走出門前，瞄了一眼立在門旁的音響和三層高的唱片，又走回去，將百葉窗恢復原狀。地毯是深紫色的，床罩也是，湯姆發現這種顏色很好看。

他們下樓，坐上兩部計程車，朝著位於中城西三十街的直升機場出發。湯姆聽說過直升機場，但是從來沒去過。皮爾森家有自己的直升機，可以坐大約十來個人，不過湯姆沒仔細數。座位十分寬敞，也有酒吧和小廚房。

「我不認識這些人，」法蘭克對湯姆說，意指駕駛和幫他們點飲料和食物的空服員：「他們是機場的員工。」

湯姆點了一杯啤酒和黑麥乳酪三明治，現在剛過五點，不知誰說大概要飛三個鐘頭。索羅和尤金坐在靠近駕駛的座位，湯姆望著窗外的紐約落在他們腳下。

直升機發出答答答的聲音，就像漫畫裡形容的。高大的建築物彷彿被往下吸，好似反轉的影片。法蘭克和湯姆隔著走道坐，他們身旁沒有別人，空服員和駕駛在前面聊天，應該是在說笑，因為前面不時傳出笑聲。橘色的太陽在他們的左邊，掛在天際。

法蘭克在看他剛才從房裡拿的書，湯姆試著小睡，他們今天晚上可能很晚才能睡。對湯姆、法蘭克、索羅和強尼來說，現在是半夜大約兩點。索羅已經睡著了。

引擎聲改變，吵醒湯姆，他們開始降落了。

「我們要在後院降落。」法蘭克對湯姆說。

天色幾乎暗了，湯姆看到一棟白色的大房子，房子兩側的陽台上方流洩出昏黃的燈光，感覺很親切，好像媽媽會站在陽台迎接背著行囊返家的兒子。湯姆發現他對這棟屋子很好奇，這不是他們家唯一的房子，卻是很重要的一棟。右手邊是一片海，湯姆看到不知是浮標還是小船的燈。他看到莉莉·皮爾森了——他們的媽媽，真的在陽台上揮手！她好像穿著黑長褲和襯衫，但是天色太昏暗，看不清楚，陽台的燈光映照出她淡色的頭髮，她身旁站了穿著一身白衣、身材比較壯碩的女人。

直升機降落在地面，他們走下階梯。

「小法蘭！歡迎你回來！」法蘭克的母親大聲說。

站在她身旁的黑女人臉上也掛著微笑，她走上前幫尤金和空服員一起從側艙拿出行李。

「嗨，老媽。」法蘭克說，他不知是緊張還是不自在，手臂圍在媽媽的肩上，沒有親到她臉頰。

湯姆還站在草坪上，從遠處觀察，男孩應該是羞赧，不會不喜歡媽媽。

「這是伊凡喬琳娜，」莉莉・皮爾森對法蘭克說，指著抬行李向他們走來的黑女人。「這是我兒子法蘭克和強尼。」她對伊凡喬琳娜說，接著又說：「索羅，你好嗎？」

「很好，謝謝，這位是……」

法蘭克打斷索羅：「媽，這位是湯姆・雷普利。」

「雷普利先生，真的很高興見到你！」莉莉・皮爾森細心雕琢的眼睛打量了湯姆一下，雖然她的笑容很友善。

他們被招呼到屋裡，莉莉要他們把外套和雨衣放在走廊，或任何地方都可以。他們吃過東西了嗎？會不會累？如果有人想吃的話，伊凡喬琳娜準備了簡單的晚餐。莉莉聽起來很從容、親切，融合了紐約和加州的口音。

他們坐在大客廳裡，尤金和伊凡喬琳娜消失在同一個方向，也許是廚房，直升機組員也在那裡。法蘭克第二次到麗影時提及的德瓦特的《彩虹》就掛在客廳，那幅是貝納德畫的贋品。湯姆從沒看過這幅畫，只記得大約四年前，巴克馬斯特畫廊向他呈報業績時看過標題，湯姆也記得法蘭克的描述：下方為米色，是城市建築的頂端，上面是幾乎全呈暗紅色的彩虹，帶著一抹淺綠。朦朧鋸齒狀，法蘭克當時這麼說，你無法分辨是哪一座城市，也許是墨西哥市，也可能是紐約。就是這幅了，貝納德畫得唯妙唯肖，從那道彩虹中可以看到筆觸帶著自信，湯姆不情願地移開視線，不希望皮爾森太太問起他是否特別喜歡德瓦特。索羅和莉莉・皮爾森在交談，索羅告訴她關於巴黎的事（電話），也告訴她法蘭克和雷普利先生離開柏林後在漢堡待了幾天，當然莉莉・皮爾森一定早就知道了。湯姆覺得很奇妙，他在比他家大很多的壁爐前，坐在比他家大很多的沙發上，但是壁爐上同樣掛著德瓦特的贗品，就像他家《椅中男子》一樣。

「雷普利先生，我聽索羅說你幫了很多很讚的忙。」莉莉眨著眼睛說，她坐在湯姆和壁爐間的超大號綠色座凳上。

在湯姆心目中，「很讚」是青少年用語，他想事情時會用到這個形容詞，但說話時不會用。「幫了一些忙。」湯姆謙虛的說，法蘭克和強尼已經離開客廳了。

「我要謝謝你，我不知道要怎麼形容，因為……我知道你冒了生命危險，索羅是這麼說的。」她的措辭絕對很像在演戲。

索羅把他說得那麼好？

「索羅說你連柏林警方都沒通知。」

「我覺得最好不要讓警方涉入，」湯姆說：「有時綁匪一時驚慌——我跟索羅說過，綁匪應該不是很專業，他們很年輕，不是很有組織。」

莉莉・皮爾森一直在觀察他，她看起來還不到四十歲，但實際年齡也許更大，身形苗條，藍眼睛就像紐約那幅油畫裡一樣，所以她的金髮應該是真的。「而且法蘭克完全沒受傷。」她說，彷彿覺得很驚奇。

「沒有。」湯姆說。

莉莉嘆口氣，瞄了索羅一眼，目光又回到湯姆身上：「你和法蘭克是怎麼認識的？」

法蘭克正好走進客廳，嘴角看起來更緊繃了，湯姆想他可能去檢查有沒有特瑞莎的信或留言，又沒有找到。男孩換了衣服，穿著藍色牛仔褲、布鞋，黃色系的法蘭絨襯衫，他聽到最後一個問題，便對他母親說：「我到湯姆的住所找他，我在附近的小鎮打工——做園丁。」

「真的？呃……你一直想成為那個……做那個，」他媽媽顯得有點驚訝，又眨了眨眼：「哪一座小鎮？」

「莫黑，」法蘭克說：「我在那裡工作，湯姆住在五哩外的地方，叫做維勒佩斯。」

「維勒佩斯。」他媽媽重複了一遍。

她的腔調很有趣，湯姆微笑地盯著《彩虹》，實在好喜歡那幅畫。

「在巴黎南邊，離巴黎不遠。」法蘭克說，他站得很直，以不尋常的嚴謹態度說：「我知道湯姆的名字，因為爸爸提過幾次——和我們德瓦特的畫有關，妳記得嗎？」

「不記得了。」莉莉說。

「湯姆認識倫敦畫廊的人，對不對，湯姆？」

「是的。」湯姆平靜的說。法蘭克好像在炫耀他的朋友是重要人物，可能也想故意製造機會，讓他的母親或索羅聊起德瓦特畫作的真假。法蘭克是否會替德瓦特說話——即使是贗品？不過他們沒問那麼多。

伊凡喬琳娜踩著穩定的腳步，緩緩把托盤和葡萄酒端到湯姆身後房間的長桌上，尤金在一旁協助她。莉莉提議帶湯姆去看他的房間。

「我很高興你會在我們家至少待一晚。」莉莉一邊說，一邊領湯姆上樓。

她帶湯姆到了一間很寬敞的房間，格局方正，房裡有兩扇窗戶，莉莉說窗戶面對著海，但是現在太黑了，看不到。家具都是白色和金色系，附了一間浴室，浴室的色調也是白色和金色，連毛巾都是黃色的。一些小配件，包括小抽屜櫃都裝飾了金色的花紋，搭配房裡路易十五時代風格的家具。

「法蘭克到底怎麼了？」莉莉問，額頭出現三條煩惱紋。

湯姆以從容不迫的語氣說：「他和一位叫特瑞莎的女孩談戀愛，妳知道嗎？」

「特瑞莎啊……」房門沒有關上，莉莉瞄了一眼，「她是我到目前為止聽說的第三、四個女孩，法蘭克不太跟我談女朋友的事，其他事也一樣，不過強尼多少會知道——你為什麼提起特瑞莎？法蘭克常常談到她？」

「不是很常，但他好像很愛她。她來過這裡對不對？妳見過她？」

「當然啦，她是很好的女孩，但是才十六歲，法蘭克也是。」莉莉・皮爾森望著湯姆，好像在說，這有什麼重要？

「在巴黎時，強尼告訴我特瑞莎喜歡上別人了，比較年長的人，法蘭克好像很難過。」

「這很有可能，特瑞莎那麼漂亮，她很受歡迎。十六歲的女孩——當然比較喜歡二十歲、甚至更年長的男生。」莉莉笑了一下，好像認為這個話題該就此打住。

湯姆希望從莉莉口中探聽出更多關於法蘭克個性的評論。

「法蘭克會忘記特瑞莎。」莉莉加了一句，語氣很輕鬆，但音調很輕，好像擔心法蘭克可能在走廊聽他們談話。

「皮爾森太太，趁著現在有機會，我想再問一個問題，我覺得法蘭克離家出走，是因為父親的去世，他很傷心——這是不是主要的原因？而非為了特瑞莎，因為法蘭克離家時，特瑞莎還沒移情別戀。」

莉莉好像在思考該如何回答：「約翰的死，法蘭克的確很難過，甚於強尼，強尼有時滿腦子都是攝影和他的女朋友。」

湯姆望著莉莉痛苦的表情，不知自己敢不敢開口問她覺得丈夫是否為自殺。「妳先生的死是意外事件，我在報上看到了，他的輪椅掉落懸崖。」

莉莉聳了聳肩，狀似抽搐：「我真的不知道。」

房門還是微微開啟，湯姆想去把門關上，要莉莉坐下，但是這麼做會不會打斷即將流出的實話？「妳覺得那是意外還是自殺？」

「我不知道，那裡的地勢略微向上傾斜，而且約翰從來不會離邊緣太近，那樣太愚蠢了，他的椅子當然有煞車，法蘭克說他往前衝——如果他不是有意的，又為何要發動？」她又憂慮地皺起眉頭，望了湯姆一眼：「法蘭克朝屋子跑來……」她沒再說下去。

「法蘭克說妳的先生很失望，因為兩個兒子都不想……他們對他的事業不是很有興趣，我是指皮爾森的家族事業。」

「噢，那倒是真的，他們可能很害怕，覺得太複雜了，或他們就是不喜歡。」莉莉望了一下窗戶，彷彿事業是一場黑色風暴，就要從外面飄來：「約翰當然很失望，你也知道，父親都希望兒子能當接班人，但是約翰的家人中還是有人可以接手——約翰都稱他公司的人為家人，像是尼可拉斯，他是約翰的得力助手，才四十歲。我不認為約翰會因為對孩子失望而自殺，但是他可能因為覺得坐椅子很……屈辱，他厭倦了，又加上夕陽……夕陽都會讓他情緒化，也不能說是情緒化，是很感動，開心又傷心，像是某種終點，眼睜睜地看著黃昏落入水中。」

法蘭克朝房子跑來，莉莉好像親眼看到一樣。「法蘭克時常和父親到懸崖散步？」

「不，」莉莉微笑說：「法蘭克覺得很無聊，他說那天下午約翰要他一起去，約翰常要法蘭克跟他去，他向來比較信任法蘭克，而非強尼——別說出去。」她露出頑皮的笑容，「約翰說：『法蘭克身上有一種比較可靠的特質，只要能引出來就好了，從他的表情就看得出來。』他是拿他和強尼相比，強尼比較……愛做夢吧。」

「看到妳先生的消息時，我想到華勒斯的例子，約翰可能有憂鬱症。」

「不是的，」莉莉笑著說：「關於工作，他可能很嚴肅、冷酷，一旦事情出錯就拉長了臉，但他沒有憂鬱症。皮爾森事業、公司、企業，無論他怎麼稱呼，對約翰來說都像在下一盤很大的西洋棋，很多人都這麼說。你一天贏了一點，隔天又輸了一些，棋局永遠不會結束——即使現在約翰去世了也一樣。約翰生性樂觀，無論遇到什麼情況，他幾乎都能微笑面對，即使是坐在椅子上那些年——我們都說椅子，不說輪椅。但是至少就父親這方面來說，男孩們很可憐，因為他們認識的父親長久以來都是那個樣子——坐輪椅的生意人，老在談論市場、錢和人，都是無形的東西，他沒辦法出去散步、教男孩柔道，或做一般父親會做的事。」

湯姆笑著問：「柔道？」

「約翰以前就在這間房間練柔道！這裡不是一直都是客房。」

他們往門口移動，湯姆看了一眼挑高的天花板，寬敞的空間的確放得下墊子，也可以在裡面翻筋斗。他們走下樓，看到其他人都在「推來擠去」*，湯姆每次看到「自助餐」都會這麼聯想，不過這次的空間很寬敞，他們不需要推來擠去。法蘭克直接從瓶子喝可口可樂，索羅和強尼站在桌邊，各拿了一杯威士忌和一盤食物。

「我們出去走走。」湯姆對法蘭克說。

法蘭克馬上放下可樂：「去哪裡？」

「到外面草地。」湯姆看到莉莉加入強尼和索羅的談話陣容，「你有沒有詢問蘇西的狀況？她還好嗎？」

「她睡翻了，」法蘭克說：「我剛才問了伊凡喬琳娜——這個名字還真妙！她是某個狂熱宗教團體的成員。她說她才來一個禮拜。」

「蘇西在這裡？」

「對，她的房間在二樓後方。我們可以從這裡出去。」

法蘭克打開與餐廳相連的大落地窗，那裡應是正式的用餐區域，裡面擺了一張長桌，牆邊有幾張小桌子，也有餐具櫃和書架，桌上擺了托盤和蛋糕。法蘭克打開屋外的燈，照亮露臺和四、五級階梯，階梯左邊是法蘭克提過的坡道，再過去就是一片黑暗，不過法蘭克說他知道路。湯姆隱約看到一道石徑橫跨在草坪上，然後彎向右邊。等他的眼睛更適應黑暗後，他看到前方有幾棵大樹，可能是松樹或白楊。

「這就是你父親散步的地方？」湯姆說。

「對，不過他不是用走的，是坐輪椅。」法蘭克放慢腳步，把手插入口袋說：「今晚沒有月亮。」

男孩停住腳步，準備往回走。湯姆深吸了幾口氣，回頭望向兩層樓高的白屋，屋裡透出昏黃的燈光，屋頂尖尖的，左右兩側分別是陽台的頂篷。湯姆不喜歡這棟宅第，看起來還算新，但沒有特別的風格，不像美國南方的屋舍，也不是新英格蘭殖民風味的建築，約翰·皮爾森也許請了

＊譯注：英文 Buffer，除有自助餐之意，也有推來擠去的意思。

專人設計建造，但是無論如何，湯姆都不喜歡這種建築。「我想看看懸崖。」湯姆說。法蘭克難道不知道？

「好吧，在這裡。」法蘭克說。他們繼續沿著石徑走，走入更深的黑暗。

腳下的石板依稀可見，法蘭克好像很有自信的往前走，茂密的白楊樹變得稀疏。他們已經到懸崖了，湯姆可以看到懸崖邊緣散布淺色的石塊。

「那邊是海。」法蘭克用手比了一下，沒有走到邊緣。

「我想也是。」湯姆聽見下方輕柔的波浪聲，並非有節奏的拍打，而是一波接著一波的律動。遠處的黑暗中有一艘船，船頭亮著白燈，好像也有粉紅色的港口燈。不知什麼動物在他們頭上盤旋，也許是蝙蝠，法蘭克好像沒注意到。所以就是在這裡發生的，湯姆想，他看到法蘭克把手插在牛仔褲後方的口袋，走過他身邊，到了懸崖邊緣，往下望。湯姆替法蘭克感到害怕，因為天色實在很黑，男孩又離懸崖好近，即使邊緣的確有些往上傾。法蘭克轉身說：「你剛才和媽媽聊天？」

「對，聊了一些，我問她特瑞莎的事，我知道特瑞莎來過這裡——她沒寫信給你？」湯姆覺得與其絕口不提，不如直接問他。

「沒有。」法蘭克說。

湯姆接近他，直到他們隔了不到五呎遠，男孩挺直了背。「真可惜。」湯姆說，他想到女孩幾天前還打電話到巴黎給索羅，現在法蘭克安全了，她也消失了，沒有任何解釋。

「你們只談特瑞莎的事？」法蘭克淡淡的問，好像在暗示那件事沒什麼好講的。

「我還問她認為你父親的死是自殺或意外。」

「她怎麼說？」

「她說她不知道，法蘭克……」湯姆輕聲說：「她絲毫沒懷疑你，你最好讓這件事慢慢平息，也許已經平息了。你媽媽說：『無論是自殺或意外，都結束了。』所以你要振作起來，不要再……你最好不要離邊緣那麼近。」男孩面向大海，腳尖抬上抬下，不知是故意還是無心，湯姆無法分辨。

法蘭克轉身朝湯姆走來，經過他左邊，又轉身說：「但是你知道是我把輪椅推下去的，我知道你跟我媽講她想相信的話，但是我告訴過你……我的意思是，我告訴她爸爸是自己掉下去的，她相信了我，但那不是真的。」

「好，好。」湯姆柔聲說。

「我把父親推下去時，還以為可以和特瑞莎在一起……我是說我以為她……喜歡我。」

「好，我懂。」湯姆說。

「我想把父親從我的生活中除掉，我們的生活──我和特瑞莎，我覺得他破壞了我的……生活。很可笑吧，特瑞莎給了我勇氣，現在她離開了，只留下寂靜，什麼都沒了……都沒了！」他的聲音變得嘶啞。

真的很奇妙，有些女孩注定帶來悲傷和死亡，她們看起來很陽光，很有創意，很開心，卻代表了死亡，甚至不是因為女孩慫恿她們的受害者，事實上你可以怪男孩被誤導——一切都是他們的幻想。湯姆笑出聲：「法蘭克，你要知道世上還有很多女孩！你現在應該已經了解了，特瑞莎放開了你，你也要放開她。」

「我放開她了，我在柏林時就辦到了，剛聽強尼說的時候我真的很難過。」法蘭克聳聳肩，但是目光沒有望向湯姆：「當然，我承認我在找她的信。」

「所以你要重新開始，現在雖然看起來很糟，但是你的眼前還有很多星期、很多年，來吧！」湯姆拍拍男孩肩膀：「我們馬上就回去，你等我一下。」

湯姆想看看懸崖的邊緣。他朝著淺色石頭走去，感覺到腳下踩著碎石和草地，也感覺到懸崖下方空蕩蕩的，現在那裡一片漆黑，但聲音確實是空洞的。法蘭克的父親就掉在下面尖銳的石頭上、現在看不到的地方。湯姆聽見男孩向他接近的腳步聲，馬上離開懸崖邊緣，擔心男孩跑過來將他推下。他是否神經衰弱？湯姆知道男孩很崇拜他，但是愛這種東西本來就很詭異。

「要回去了嗎？」法蘭克問。

「當然。」湯姆感覺到額頭上的冷汗。他知道自己比想像中還累，時差已經讓他弄不清現在到底是幾點。

21

湯姆人還沒上床，就已經快睡著。過了一陣子，他全身顫抖，猛然驚醒。他做惡夢？如果有，他也不記得了。他睡了多久？一小時？

「不！」房門外的走廊有人在低聲說話。

湯姆下了床，外頭的人還在說話，是一名聲音像鴿子的女人，夾雜著法蘭克的聲音。法蘭克的房間在他的右手邊，他隱約聽到幾個字，女人說：「……這麼沒耐性……我知道……什麼，你要做什麼……不關我的事！」

一定是蘇西，因為她講話帶有德國口音，她好像很生氣。把耳朵靠在門上可以聽到更多，但是他很討厭偷聽別人談話。他轉身，背對著門，朝床的方向摸索，然後在床頭櫃上找到香菸和火柴。湯姆點亮火柴，打開檯燈，坐在床上點了一根菸。好多了。

蘇西是否去敲法蘭克的房門？總不會是法蘭克敲她的門吧！湯姆笑了笑，躺回床上，他聽到輕輕的關門聲，應該是法蘭克的門。湯姆站起身，把菸熄滅，踩在休閒鞋上——在柏林時他也把休閒鞋當拖鞋穿，走到走廊，看到法蘭克的房門下透出亮光，便用指尖敲門。

「我是湯姆。」他聽到輕巧快速的腳步聲朝著門過來。

法蘭克打開門，雙眼因為疲倦而凹陷，不過臉上依然掛著微笑。「請進！」他低聲說。

湯姆進了房間：「剛才是蘇西？」

法蘭克點點頭說：「有菸嗎？我的在樓下。」

湯姆的菸放在睡衣口袋裡：「她有什麼事？」他替男孩點了菸。

法蘭克說：「誰知道！」然後吐了一口煙，幾乎笑出聲來：「她還是說她看得到我。」

湯姆搖頭說：「她會再度心臟病發作，要不要我明天去跟她談談？我很想見她。」他瞄了一眼身後關上的門，因為法蘭克正望著門看。「她半夜起來到處走動？我以為她生病了。」

「她壯得像頭牛。」法蘭克疲憊不堪、搖搖晃晃地躺回床上，赤腳懸在空中。

湯姆環顧四周，咖啡色的古董桌上擺了收音機、打字機、書、便條紙，半開的衣櫥裡放著雪靴和馬靴，書桌上綠色的大板子釘著流行歌手的海報，海報裡的雷蒙斯樂團團員都穿著藍色牛仔褲，看起來無精打采。海報下面是漫畫，還有幾張照片，也許是特瑞莎的，湯姆不想提起這個話題，所以沒有湊近去看。「管她的，」湯姆說，意指蘇西：「她沒有看到你，她今晚不會再來了吧？」

「老巫婆。」法蘭克說，眼睛已經快要闔上。

湯姆向他揮手，走出去，回到自己的房間。他發現他房裡的門鎖上有一把鑰匙，不過湯姆沒有鎖門。

隔天早上吃過早餐後，湯姆問皮爾森太太他能否在花園裡切幾支花，送給蘇西，莉莉・皮爾森說當然可以。如同湯姆預期的，法蘭克比他母親了解他們的花園，他告訴湯姆她根本不在乎他們採下什麼花。他們收集了一大束白玫瑰。湯姆本來想出其不意地拜訪她，但他還是請伊凡喬琳娜——這名字很適合她——通知他要過去，黑女僕照做了，然後請他在走廊等兩分鐘。

「蘇西喜歡好好梳理一下。」伊凡喬琳娜以愉悅的語氣說。

幾分鐘後，房裡傳出低沉的聲音，彷彿帶著濃濃睡意：「請進。」他敲了一下門，走進房間。

蘇西靠坐在枕頭上，房間是白色的，陽光照射下又顯得更白。蘇西的頭髮微黃，夾雜著幾根灰髮，圓圓的臉布滿皺紋，眼神疲憊，但是很睿智，她讓湯姆聯想到德國郵票上的名女人——他通常不知道那些人是誰。她穿著長袖白色睡衣的左手臂露在棉被外。

「早安，我是湯姆．雷普利。」湯姆說，他本來還想加一句——法蘭克的朋友，但沒有說出口，她也許已經透過莉莉得知他的事：「妳今天早上覺得如何？」

「還好，謝謝。」

一台電視機面對她的床，很像醫院的病房，不過房裡其他地方都很有個人風格，包括家人的老照片、手鉤蕾絲、一書架的小玩意和紀念品，還有一個帶著高帽子的娃娃，可能是依照童年時期的強尼製作的。「那就好，皮爾森太太說妳心臟病發作——一定很可怕。」

「第一次當然很可怕。」她沒好氣地說，蒼白而尖銳的藍眼睛直盯著湯姆。

「我只是……法蘭克和我在歐洲待了幾天，也許皮爾森太太告訴過妳。」她沒有回應，湯姆四處找花瓶插花，沒有找到：「我帶這些花來，替妳的房間增添一些色彩。」湯姆拿著花束，微笑向她走去。

「非常感謝。」蘇西說，一手接過法蘭克用餐巾包紮的花束，另一手按下床邊的鈴。敲門聲立刻傳來，伊凡喬琳娜走進房間，蘇西把花束交給她，請她去找花瓶。

她沒有請湯姆坐下，不過他逕自坐在直背椅上。湯姆說：「我想妳應該知道——」剛才應該先打聽她姓什麼的，「法蘭克因為父親的死，感到很難過，後來他到法國找我，我才認得他。」

她還是以銳利的眼神望著他：「法蘭克不是好孩子。」

湯姆很想嘆氣，不過他強忍了下來，盡量以愉悅有禮的語氣說：「他看起來是好孩子——他在我家待了幾天。」

「那他為什麼離家出走？」

「他很難過，呃，他只是……」蘇西知不知道法蘭克拿了哥哥的護照？「很多年輕人離家出走，然後又回家。」

「法蘭克殺了他爸爸，」蘇西顫抖的說，搖了搖放在棉被外的食指，「那樣很糟糕。」

湯姆緩緩吸了一口氣：「妳為什麼這麼認為？」

「你不驚訝嗎？他向你認罪了？」

「當然沒有，我只問妳為什麼這麼認為。」湯姆皺著眉頭，語氣嚴肅地說，同時想製造出一些驚訝的效果。

「因為我看到他了——幾乎看到。」

湯姆沉吟了一會兒，又說：「妳是指那邊的懸崖。」

「對。」

「妳看到他……妳在草坪那邊？」

「我在樓上，但是我看到法蘭克跟他爸爸一起出去，他從來不跟爸爸出去的，他們剛打完槌球，皮爾森太太……」

「皮爾森先生也打槌球？」

「當然！他可以隨心所欲地移動椅子，皮爾森太太鼓勵他打球，要他轉移注意力，不要一直擔心公司的事。」

「法蘭克那天也有打？」

「當然，強尼也有，我記得強尼有約會，後來先走了，但是他們都有打。」

湯姆雙腿交疊，很想抽菸，但又覺得最好不要這麼做。「妳告訴皮爾森太太，」湯姆嚴肅地皺眉：「妳認為法蘭克把他爸爸推下去？」

「對。」蘇西的語氣很堅定。

「皮爾森太太好像不同意妳的觀點。」

「你問過她？」

「對。」湯姆同樣堅定的說：「她覺得不是意外就是自殺。」

蘇西發出一聲冷笑，朝電視望去，好像希望電視是開的。

「妳也這樣對警察說——關於法蘭克？」

「對。」

「他們怎麼說？」

「他們說我不可能看得到，因為我在樓上，但有些事你就是知道。你知道，這位先生……」

「雷普利，湯姆・雷普利，不好意思，我不知道妳姓什麼。」

「舒馬赫。」她回答，伊凡喬琳娜拿著插在粉紅色花瓶的玫瑰走進來。「謝謝妳，伊凡喬琳娜。」

伊凡喬琳娜把花瓶放在湯姆和蘇西之間的床頭櫃，然後離開房間。

「除非妳親眼看到法蘭克——這是不可能的，警察都這麼說了，妳就應該不要說，這會替法蘭克造成困擾。」

「法蘭克和他爸爸在一起。」她又舉起豐腴但微微發皺的手，然後落在床罩上：「如果是意外，即使是自殺，法蘭克應該會制止他吧？」

湯姆本來覺得蘇西說得有理，但又想到輪椅的速度一定很快，不過他不想和蘇西討論這點：「皮爾森先生會不會在法蘭克知道發生什麼事之前就摔下去了？我是這麼認為。」

她搖頭說：「他們說法蘭克跑回來，我下樓才看到他，大家都在講話。我知道法蘭克說他爸爸自己把椅子開下去。」她蒼白的藍眼睛直盯著湯姆。

「法蘭克也是這樣告訴我的。」也許法蘭克犯下的第二個錯是選錯說謊的時刻。男孩應該冷靜地走回來，半小時過後再告訴大家，感覺像是他讓父親獨自留在懸崖。如果是湯姆就會這麼做——緊張歸緊張，但他至少會做一點計畫。「妳心裡所想的，或是妳相信的……都永遠無法證實。」湯姆說。

「我知道法蘭克不承認。」

「妳希望男孩因為妳的指控而崩潰？」至少蘇西好像在思考了，湯姆把握機會繼續說——希望有這個機會：「除非有證人或確切的證據，妳描述的一切永遠無法證實——甚至不會有人相信。」這個老女人什麼時候會死，放法蘭克一馬？蘇西看來好像還能再活個幾年，而且她就住在肯納邦克港的房子裡，代表法蘭克幾乎每天都得面對她。他們顯然經常住在這裡，而且她可能也會跟著他們去紐約的公寓。

「我為什麼要在乎法蘭克變什麼樣？他……」

「妳不喜歡法蘭克？」湯姆問，彷彿十分詫異。

「他很……不友善，很叛逆……不快樂，你永遠猜不透他在想什麼，他很固執。」

湯姆皺起眉頭說：「但是妳認為他是不誠實的人嗎？」

「不，」蘇西回答：「他太有禮貌了，已經超過不誠實的程度，我的意思是，甚至更……」

她好像累了，「但是我為什麼要在乎他變什麼樣？他什麼都有了，又絲毫不知感恩，從來不會。他離家出走，讓媽媽擔心，他根本不在乎。他不是好孩子。」

現在不是提起法蘭克的恐懼或厭惡父親事業的好時機，甚至最好也別問她知不知道特瑞莎對法蘭克造成的影響。湯姆隱約聽到電話鈴聲：「但是皮爾森先生很喜歡法蘭克。」

「可能太喜歡了，他值得嗎？你看看發生了什麼事！」

湯姆打開交疊的雙腿，有些侷促不安：「我佔用妳太多時間了……」

「沒關係。」

「我明天就離開，或許今天下午就走，所以我要先跟妳道別，希望妳早日康復。其實我覺得妳看起來很健康。」他真心地說，站起身來。

「你住在法國。」

「對。」

「我記得皮爾森先生提過你，你認識倫敦藝術界的人。」

「對。」

她又抬起左手，然後放下，望向窗戶。

「再見，蘇西。」湯姆向她鞠躬，但是蘇西沒看到。湯姆離開房間。

湯姆在走廊碰到身材瘦長、笑咪咪的強尼。

「我正要來救你！你要不要看我的暗房？」

「好啊。」湯姆說。

強尼轉身，領著湯姆到走廊左邊的房間，打開紅色的燈，霎時，房間宛如散發粉紅色光芒的黑色洞穴，好似舞台布景。牆壁是黑色的，連沙發也是，遠處的角落依稀能看到一排很長的水槽。強尼關掉紅燈，打開正常的燈，幾台相機擺在腳架上，房間不大，陳設簡單。強尼指著一台相機，說是他剛買的，湯姆不是很懂相機，只好說：「真的很棒。」

「我可以給你看我一部分的作品，都放在這個夾子裡面，除了一幅掛在樓下餐廳，我取名為『白色星期天』，可是不是雪，不過……我媽媽現在要跟你談話。」

「現在？」

「對，因為索羅要走了，媽媽說他走之後要找你，蘇西還好吧？」男孩的微笑裡夾雜了興味和期待。

「還好吧，看起來很健康。當然，我不知道她平常看起來如何。」

「她有點古怪，不要太在意她講的話。」強尼的背挺得很直，還是面帶微笑，但語氣聽起來像在警告。

湯姆感覺到強尼想保護弟弟，強尼知道蘇西會說什麼，法蘭克也說過強尼不相信她。湯姆和強尼一起下樓，看到皮爾森太太和手臂上掛著雨衣的索羅，索羅一定睡到很晚才起來，因為湯姆現在才看到他。

「湯姆，」索羅伸出手說：「如果你需要工作——類似的工作……」他從皮夾裡掏出一張名片，說：「打電話到我辦公室好嗎？上面也有我家地址。」

湯姆微笑：「我會謹記在心。」

「我是認真的，我們應該找時間在紐約見面，我要回紐約了。再見，湯姆。」
「祝你旅途愉快。」湯姆說。
湯姆以為索羅會坐進停在車道上的黑頭車，但是皮爾森太太和索羅穿過陽台，繼續朝左走。湯姆看到一輛直升機降落在（或是被推到）後院的水泥地上。此處佔地實在很大，皮爾森家一定有自己的機棚，也許水泥跑道就隱藏在那片林子裡。直升機比他們之前搭的那架小，但也可能是他習慣皮爾森奢華的派頭了。湯姆看到黑色的戴姆勒賓士的排氣管微微冒著煙，法蘭克獨自坐在駕駛座裡，車子往前移動了大約兩碼，又往後退，操控得頗為順暢。
「你在做什麼？」湯姆問。
法蘭克穿同一件黃色的法蘭絨襯衫，背挺得很直，好像開禮車的司機，他微笑說：「沒事。」
「你有駕照？」
「還沒，不過我會開車，你喜歡這輛嗎？我很喜歡，很保守的車款。」
這輛車和尤金在紐約開的那輛很相似，不過內裝是咖啡色的皮革，並非米色。
「沒有駕照就不要上路。」湯姆說，男孩好像想把車開走，他正在緩慢、謹慎地換檔，「待會兒見，我要跟你母親談談。」
「喔？」法蘭克關掉引擎，透過打開的車窗望著湯姆：「你覺得蘇西怎麼樣？」
「她……還是老樣子吧。」湯姆的意思是她的說辭仍然一樣。法蘭克好像覺得很有趣，同時也在沉思，他看起來很帥氣，比實際年齡成熟。法蘭克早上大概接到特瑞莎的電話了，但是湯姆不敢問，他走回屋子裡。

莉莉・皮爾森今天穿著淡藍色的西裝褲，正在指示伊凡喬琳娜要準備什麼午餐，湯姆開始思考離開後的計畫。他該不該今天晚上到紐約？在紐約待一晚？他今天該打通電話給赫綠思了。

莉莉轉向他，微笑說：「請坐，不，我們到這裡吧——比較明亮。」她領他到客廳旁灑滿陽光的房間。

那是圖書室，擺放了許多封面又新又亮的商業書籍，湯姆環顧四周，房裡有一張方型的大書桌，上面擺了一座有五、六支菸斗的菸斗架；書桌後方深綠色皮革的旋轉椅看起來很舊，但好像鮮少有人使用。湯姆想到約翰・皮爾森也許不會坐到皮椅上。

「你覺得蘇西如何？」莉莉的問法和兒子一樣，嘴角牽出微笑，雙手交疊，好像在等待湯姆告訴她有趣的故事。

湯姆若有所思地點點頭：「就像法蘭克描述的，好像有一點頑固。」

「她還是覺得法蘭克把他爸爸推下去？」莉莉的語氣像在暗示這個想法很可笑。

「她是這麼認為。」湯姆說。

「沒有人相信她，沒什麼好相信的，她什麼也沒看到。我沒辦法再擔心蘇西的事了，她可以把每個人搞得像她一樣神經衰弱——湯姆，我想說的是，我明白你為法蘭克花了不少錢，請你收下這張支票，這是我們的心意。」她從上衣口袋拉出一張對摺的支票。

湯姆看了一下，兩萬美元。「我花的錢相較之下微不足道，而且我很高興認識你兒子。」湯姆笑著說。

「你如果收下，我會很開心。」

「我花的錢還不到一半。」但就在那一瞬間，湯姆看到她沒必要地把額頭上的髮絲往後撥，明白他如果收下支票，她真的會很高興。「好吧。」湯姆把支票收進褲子口袋，手還插在裡面，說：「謝謝妳。」

「索羅告訴我在柏林的經過，你冒了生命危險。」

湯姆現在不想討論這些，他說：「法蘭克今天早上有沒有可能接到特瑞莎的電話？」

「應該沒有，為什麼？」

「他看起來好像比較開心了，不過我不確定。」湯姆真的無法確定，他只知道法蘭克的心情不一樣了，是他沒看過的情緒。

「你永遠猜不透法蘭克，」莉莉說：「我是說無法從他的行為去分辨。」

意思是法蘭克的行為可能與他的心情相反？法蘭克回家，莉莉好像如釋重負，特瑞莎的事在她眼裡根本無關緊要。

「我的朋友泰爾今天下午會來，我希望你見見他。」莉莉在他們走出圖書室時說道：「他是約翰最好的律師之一，雖然他沒有受雇於公司。」

他就是法蘭克提過的莉莉的好朋友，莉莉說泰爾下午要上班，大約六點才到得了。「我要離開了，」湯姆說：「我想在紐約待一兩天。」

「但是我希望你不要今天走，打電話到法國，跟你的妻子說一聲吧。對了！法蘭克說你家很漂亮，他告訴我你們有溫室和……兩幅德瓦特的畫作，掛在客廳，你還有大鍵琴。」

「是嗎？」在直升機、緬因龍蝦和名字叫依凡喬琳娜的美國黑人的環境中，想到他和赫綠思的法國大鍵琴，感覺好不真實！「如果可以的話，」湯姆說：「我想打幾通電話。」

「湯姆，把這裡當自己家！」

湯姆從房裡打電話到曼哈頓的切爾西旅館，問他們晚上有沒有單人房，對方十分友善地說如果運氣好的話，也許可以安排出房間。這樣夠好了，他可以午餐後離開，莉莉說一對名叫杭特斯夫婦的鄰居四點鐘要來，因為他們很喜歡法蘭克，想來看他。皮爾森家應該可以幫他安排到班戈市的交通工具，他再從那裡搭機到紐約。

湯姆的預感成真了！他們午餐真的吃緬因龍蝦。午餐前，尤金開旅行轎車載他和法蘭克到肯納邦克港拿龍蝦。這座小鎮喚起湯姆心中濃濃的鄉愁，幾乎讓他盈出淚水：白色的門、海邊的新鮮空氣、陽光、夏天蒼鬱枝椏上的麻雀——都讓湯姆覺得離開美國是個錯。但是他馬上揮去這個想法，因為那只會引來沮喪和困惑，他提醒自己十月底，或是等赫綠思搭郵輪從南極回來，體力恢復後，就會帶她來美國。

雖然湯姆告訴法蘭克他下午就要離開時，他好像很詫異、失望，不過午餐時他看起來很開心。法蘭克是否刻意裝出好心情？法蘭克穿上很好看的淺藍色亞麻外套，搭配原來的藍色牛仔褲。「我在湯姆家就是喝這款酒，」他對媽媽說，誇張地把酒杯舉得老高：「法國桑賽爾的酒。

我請尤金去找，事實上是我和他一起去酒窖拿的。」

「真好喝。」莉莉說，望著湯姆微笑，好像酒是湯姆的而不是她的。

「媽，赫絲思很漂亮。」法蘭克說，用叉子叉了一口龍蝦，沾了一下溶化的牛油。

「是嗎？我會轉告她。」湯姆說。

法蘭克一隻手放在腹部，假裝打嗝，也代表向湯姆躬身答謝。

強尼專心吃著，只對媽媽說一位名叫克莉絲汀的女孩七點會來，他們可能出去吃晚餐，也可能留在家裡。

「又是女孩。」法蘭克輕蔑的說。

「閉嘴，你這個白痴，」強尼嘟嚷：「你八成是嫉妒。」

「你們兩個都不要再說了。」莉莉說。

好似平凡家庭的午餐。

到了三點鐘，湯姆都安排妥當，他訂好傍晚從班戈市飛往甘迺迪機場的班機，尤金會載他去班戈市。湯姆打包好行李，不過沒有關上行李箱。他走到走廊，敲敲法蘭克微微開啟的房門，沒有回應。湯姆推開門走進去，房間是空的，很整齊，可能是伊凡喬琳娜鋪的床。法蘭克的書桌上放著高約十二吋的柏林熊，小熊有晶亮的棕色眼睛，外面一圈黃，抿著嘴微笑。湯姆記得當時法蘭克看到手寫的招牌「一馬克丟三次」，覺得很有趣，因為法蘭克覺得德文的丟（Würfe）很好笑，聽起來像某種食物，或狗吠聲。這隻小熊歷經了綁架、謀殺、好幾趟飛行，為何還是毛茸茸、看起來興高采烈？湯姆想找法蘭克再去一次懸崖，湯姆覺得如果能讓男孩習慣懸崖——雖然習慣也許不是很恰當的字眼，或許能減輕法蘭克的罪惡感。

「法蘭克和強尼去幫腳踏車輪胎打氣了。」莉莉在樓下對湯姆說。

「他可能想出去散個步，我還有一小時。」湯姆說。

「他們應該馬上就回來，法蘭克一定願意，他以為月亮是你掛的。」

湯姆自從在波士頓度過青少年時期後，就沒再聽過這種讚美法了。他走到草地上，沿著石板鋪設的小徑向前走，他想看看白天的懸崖。小徑好像變得更長了，不過他一下子就越過了樹叢，前方出現美麗的藍色海水，也許沒有太平洋那麼藍，但依然清澈蔚藍，海鷗乘風飛翔，三、四艘小船——其中一艘是帆船——在寬闊的大海中緩緩移動，然後就是懸崖了，湯姆倏然覺得懸崖好醜陋。他接近懸崖邊緣，低著頭，望著散布的小石子，接著是岩石的草地，最後停在離邊緣大約八或十吋的地方。懸崖下方一如他的想像，大型的圓石和白色的石頭四處散落，彷彿不久前才坍方過，海岸邊白色的小浪花拍打較小的岩石。不知為何，他在尋找約翰・皮爾森慘劇的痕跡，例如輪椅的金屬碎片，不過他沒有看到任何人工的東西。約翰・皮爾森如果不是以高速跌落，也許會撞擊到下方大約三十呎處的尖石，也許還會再往下滾個幾碼，石頭上連血跡都看不到，湯姆開始顫抖，他往後退，轉身離開。

他朝房屋望去，不過屋子幾乎都被樹遮住了，只看得到深灰色的屋簷，然後，他看到法蘭克朝他走來，依然穿著藍色外套，男孩在找他嗎？湯姆沒多想，馬上往右移，藏身在樹叢中。男孩會到處找他嗎？法蘭克如果覺得他會走到這一帶，也許會叫喚他的名字？湯姆發現自己很好奇——也許只是想看看男孩接近懸崖時的表情。法蘭克愈來愈接近了，湯姆可以看到他隨著步伐擺動的棕色直髮。

法蘭克四處張望了一下，但是湯姆躲得很隱密。

莉莉可能沒有告訴法蘭克他要來懸崖，因為湯姆根本沒跟她說。總之，法蘭克沒有叫湯姆的名字，也沒有再左顧右盼，他把拇指勾在褲子前方的口袋，緩緩地邁著大步朝懸崖邊緣走去，他的雙腿大力地揮動著，感覺有些傲慢。美麗的藍天襯托出男孩的剪影，到了離湯姆大約二十呎處，男孩往下望，主要在看海。他好像在深呼吸、放鬆，然後和湯姆剛才一樣，往後退，低頭望著穿球鞋的腳，接著他的右腳往後踢，揚起幾顆小石子，大拇指從口袋拿出，彎著身子，開始往前跑。

「喂！」湯姆大叫，也往前跑。他好像被什麼東西絆倒，也可能是因為他朝地面猛撲。他伸出手，抓住法蘭克腳踝。

法蘭克臉朝下，躺在地上喘氣，右手掛在懸崖外。

「天啊！」湯姆慌亂地把法蘭克的腳踝朝裡拉，然後站起來拉法蘭克的手臂。

男孩好像喘不過氣，眼神茫然。

「你在搞什麼？」湯姆發現自己的聲音變得沙啞。「清醒一點！」他驚嚇不已地扶起法蘭克，又拉著男孩手臂，把他拉到林子的小徑上。頓時，一隻鳥發出怪異的尖叫聲，好像鳥也被嚇了一跳。湯姆把背挺得更直，說：「好了，法蘭克。你差一點跳下去了，這和真的跳下去一樣，對不對？你聽到我的聲音，馬上反應過來？你就像美式足球員一樣撲到地上！」還是那是他？是湯姆抓住他的腳踝，才制止了他？湯姆提心吊膽地拍拍男孩的背：「你做了一次，這樣就夠了吧？」

「嗯。」法蘭克說。

「要真心的說，」湯姆說，好似在哀求：「不要跟我說『嗯』，你已經證明你想證明的事了，這樣可以了吧？」

「可以了。」

他們朝著屋子往回走，湯姆的腿比較有力氣了，他刻意深吸了一口氣說：「我不會跟別人提這件事，我們都不要提，好嗎，法蘭克？」他望了男孩一眼，男孩好像變得和他一樣高。

法蘭克直視前方，並非看著房子，而是望向更遠的地方。他說：「當然可以。」

22

湯姆和法蘭克回到屋裡，杭特斯夫婦已經到了。不過要不是法蘭克告訴湯姆車道上綠色的車是他們的，湯姆會以為那又是皮爾森家的車。

「他們一定在觀海房，」法蘭克說，好像特別強調觀海這兩字：「我媽媽都在那裡請客人喝茶。」他瞄了一眼湯姆的行李，不知是誰幫他提下來放在門邊。

「我們來喝一杯，我很需要，」湯姆說，走到長約三碼的吧檯旁：「不知道有沒有蘇格蘭蜂蜜酒？」

「蘇格蘭蜂蜜酒？一定有。」

他俯身檢視兩排酒瓶，食指往左畫，又朝右畫，他找到了，微笑地抽出酒瓶。

「我記得你家也有。」法蘭克把酒倒入兩個矮腳杯裡。

法蘭克的手很穩，但是舉起酒杯時，臉色還是很蒼白，湯姆也舉起杯子，輕輕敲了一下男孩的酒杯：「這對你很有幫助。」

他們各自喝了一口酒，湯姆注意到他外套最下排的鈕釦搖搖欲墜，他拉掉鈕釦，收入口袋，拍拍灰塵。男孩外套的右邊胸口處有長約一吋的裂縫。

法蘭克用鞋跟在原地轉了一圈，問：「你什麼時候要離開？」

「大約五點。」湯姆看了看手錶，現在是四點十五分，「我不想跟蘇西道別。」湯姆說。

「別提她了！」

「但是你母親……」

他們一起走上樓，法蘭克的臉頰已經恢復了一點血色，腳步很輕快。法蘭克敲敲半掩的白色房門，然後走進去。房間很大，裡面鋪了地毯，三扇大窗幾乎佔據整面牆，望出去便是海。莉莉・皮爾森坐在低矮的圓桌旁，一對中年夫婦坐在扶手椅上，應該是杭特斯夫婦，強尼拿著一疊照片站在旁邊。

「你們上哪兒去了？」莉莉問：「貝西，這位是湯姆・雷普利——我跟你們提了好幾次的人；威利，法蘭克終於回來了。」

「法蘭克！」杭特斯夫婦幾乎同時開口，男孩走過去，微微鞠躬，然後和杭特斯先生握手。

「你又拿你的垃圾煩人啊？」法蘭克問哥哥。

「終於見到你了。」杭特斯先生和湯姆握手，他用崇拜的眼神望著湯姆，彷彿湯姆創造了奇蹟，或神奇到不可能存在。湯姆的手都痛了。

杭特斯先生身穿褐色的棉質西裝，杭特斯太太是淡紫色的棉洋裝，活像剛從時尚型錄走出來。

「要喝茶嗎，法蘭克？」他的媽媽問。

「好，謝謝。」法蘭克還沒坐下。

湯姆婉拒了，他說：「我該走了，莉莉。」她要他稱她莉莉，「尤金說他可以載我去班戈市。」

強尼和他母親同時開口——尤金當然會載他去班戈市，「我也可以載你去。」強尼說，他們告訴湯姆他至少還有十分鐘才要出門。湯姆不想聊歐洲發生的事，莉莉轉移話題，答應再找時間告訴杭特斯先生法國和柏林的事。貝西灰色的眼珠冷冷地打量湯姆，但是湯姆不在乎她對他的評價。泰爾比預期中早到，不過湯姆也不是很感興趣。杭特斯夫婦看到泰爾，表現得很熱絡，好像和他很熟，也很喜歡他。

莉莉把湯姆介紹給他認識。他比湯姆略高，大約四十五歲，看起來很強壯，也許有慢跑習慣。湯姆立刻察覺到莉莉和泰爾之間有不尋常的關係。但那又如何？法蘭克在哪裡？他已經溜走了，湯姆也找機會溜了出去。他剛才隱約聽到音樂聲，也許是法蘭克的唱片。

法蘭克的房間在走廊另一頭，比較靠近房子後面。他的房門關著，湯姆敲敲門，沒有回應，他打開一點門：「法蘭克？」

法蘭克不在房裡，唱機蓋著，裡面放了唱片，但機器沒在運轉。裡頭的唱片是路・瑞德的《改造者》，和赫綠思在麗影播放的是同一面。湯姆瞄了一下手錶，快五點了，他和尤金五點要出發，也許尤金在樓下後方很像傭人房的地方。

湯姆下樓，走到空盪盪的客廳，此時樓上的海景房傳出一陣笑聲。湯姆又走到另一間窗戶正對花園的客廳，又到走廊，進入屋子後面應是廚房的地方。廚房的門開著，牆上掛著發亮的銅製平底鍋和煎鍋，臉色紅潤的尤金站在那裡喝東西，一邊和伊凡喬琳娜聊天，他看到湯姆進來，嚇了一跳。湯姆以為法蘭克會在這裡。

「不好意思，」湯姆說，「你有沒有……」

「我有留意時間，還差七分鐘才五點，我幫你拿行李？」尤金放下杯子和碟子。

「不用了，謝謝你，行李已經在樓下。你知道法蘭克在哪裡嗎？」

「應該在樓上喝茶。」尤金說。

湯姆想說，他沒有，卻沒說出口，他有些擔心，對尤金說了聲「謝謝」，便從最近的出口——應該是前門——走出屋子，他穿越陽台，走到右邊的草坪，也許法蘭克又回去和大家喝茶了，但是湯姆想到懸崖看一下。他腦中浮現男孩又站在懸崖邊緣凝望的模樣……凝望什麼？湯姆朝懸崖跑去，沒有看到法蘭克，他放慢腳步，如釋重負地喘了一口氣。快走到邊緣時，他又感到恐懼，不過他繼續往前走。

他往下望，看到穿藍外套、深藍牛仔褲、深色頭髮的男孩躺在懸崖下，身體四周是一圈紅，像花一樣，感覺很不真實，卻又那麼真實地襯映在幾乎全白的岩石上。湯姆張開嘴，像要大叫，卻沒發出任何聲音，他甚至幾秒鐘沒有呼吸，直到他發現自己渾身顫抖，而且極有可能掉落懸崖。男孩已經死了，回天乏術，沒必要救他了。

湯姆想，他得通知他母親，他開始往回走，老天，那麼些人！

湯姆走進屋裡，臉色紅潤的尤金警覺地問：「怎麼了？離五點只剩兩分鐘，我們……」

「我們要打電話報警——或是叫救護車。」

尤金打量著湯姆，彷彿檢視他哪裡受了傷。

「是法蘭克！他在懸崖那裡。」湯姆說。

尤金明白了：「他掉下去？」然後作勢往外跑。

「他已經死了，你可以打電話給醫院還是什麼地方嗎？我會告訴皮爾森太太——你先打給醫院！」湯姆說，尤金好像很想從落地窗跑出去。

湯姆深吸了一口氣，走上樓，敲敲房門，走進去。他們看起來很放鬆，泰爾靠在莉莉身旁的沙發上，強尼還站在那裡和杭特斯太太聊天。「可以和妳說句話嗎？」他對莉莉說。

她站起來問：「怎麼啦，湯姆？」好像以為他只是要改變行程，不會對任何人造成困擾。

湯姆關上房門，在走廊上告訴她：「法蘭克剛才跳崖了。」

「什……什麼？不！」

「我出去找他，看到他在懸崖下面。尤金已經打電話通知醫院……但他應該是死了。」

泰爾打開門，表情頓時改變：「怎麼了？」

莉莉・皮爾森無法講話，所以湯姆告訴他：「法蘭克剛才跳崖了。」

「那座懸崖？」泰爾正準備跑下樓，但湯姆對他比了一下，好像在說，來不及了。

「發生什麼事？」強尼走出門，杭特斯夫婦尾隨在後。

湯姆聽到尤金跑上樓的聲音，便下樓去找他。

「救護車和警察應該五分鐘內會到。」尤金說得很快，然後走過湯姆身邊。

湯姆望向長廊，看到一個白色的身影——不，是淺藍色，比法蘭克的外套淺，是蘇西。尤金略過別人，直接走到蘇西面前，跟她說了些什麼。蘇西點點頭，彷彿在微笑。強尼跑過湯姆身邊，準備下樓。

兩輛救護車駛來，其中一輛有救生器材，湯姆看到兩名白衣人在尤金的指引下，急急跑過草坪，還是他們仍記得約翰・皮爾森失足的懸崖？湯姆待在屋子旁，不願看到男孩破碎的臉，他很想立刻離開，但知道他不能這麼做。他要等男孩被抬上來，跟莉莉講幾句話之後才能走。湯姆回到屋裡，瞄一眼依然放在前門的行李，他走上樓，突然很想再去法蘭克的房間，最後一次。

蘇西站在樓上走廊的盡頭，手放在身後，摸著牆壁，她好像在對湯姆點頭，也可能是湯姆的幻想。他走過法蘭克房間，看到蘇西真的在點頭，她到底想怎麼樣？湯姆直盯著她，向她皺眉頭。

「你看吧？」蘇西說。

「沒有。」湯姆堅定的說。她想嚇唬他？說服他？湯姆對她有野獸般的敵意，大概是為了自我保護。他繼續朝她走去，然後停在離她大約八呎遠的地方：「妳是什麼意思？」

「當然是法蘭克，他是壞孩子，至少他自己知道。」她虛弱地朝著湯姆走來，轉到右邊，回到她的房間。「你可能也相去不遠。」她加上一句。

湯姆往後退一步，不希望離她太近。他轉身朝法蘭克的房間走，進了房間。他生氣地關上門，不過氣憤的情緒漸漸消退。床鋪得好整齊！法蘭克永遠不會再躺上去了。還有柏林熊，湯姆慢慢走過去，很想拿走小熊。又有誰會發現或在乎呢？湯姆輕輕拾起毛茸茸的小熊，發現下面放了一張紙條，上面寫著：特瑞莎，我永遠愛妳。湯姆呼出屏住的氣。太可笑了！但字條上陳述的確為事實，因為法蘭克不到半小時前死了。湯姆沒有碰那張紙條，雖然他一度考慮將之拿走銷毀，但是湯姆只拿著熊走出房間，關上房門。

他把熊塞到行李箱的角落，鼻子朝內，以免被壓壞。客廳裡空無一人，大家都在草坪上，一輛救護車正要開走，湯姆不想再看草坪。他在客廳裡晃來晃去，點了一根菸。

尤金走過來，說他已經打電話詢問了班戈機場，如果他們十五分鐘後離開，湯姆還可以改搭另一班飛機。尤金又變回僕人的模樣，雖然臉色變得比較蒼白。

「好的。」湯姆說：「謝謝你幫我安排。」湯姆到草地上找法蘭克的母親，此時蓋著白布的擔架正好滑進剩下的那輛救護車。

莉莉把臉埋進湯姆肩膀，大家都在講話，但是她緊抓湯姆的肩膀勝過千言萬語。湯姆坐進一輛大車的後座，尤金把他載到機場。

湯姆半夜才抵達切爾西旅館。旅館大廳有一座正方形的壁爐和黑白相間的塑膠布沙發——沙發鏈在地上，以防被偷走。有人在大廳唱歌，湯姆聽出歌詞是五行的打油詩，穿牛仔褲的年輕人（大多是男孩）笑鬧著配合吉他，即興創作。櫃台後悠閒的男人說：「有的，有雷普利先生的房間。」湯姆瞄了一眼牆上的油畫，他知道一部分是付不出帳單的顧客捐的，色系多半為番茄紅。

然後他走進老式的電梯。

湯姆洗了澡，穿上最破的褲子，在床上躺了幾分鐘，試著放鬆，根本辦不到。雖然不餓，但他知道他最好吃點東西，走一走，再上床睡覺。他已經在甘迺迪機場訂了明晚飛巴黎的機票。

湯姆走出旅館，到了第七大道，經過已經關門以及還在營業的小吃店和快餐店。人行道上隱約閃爍著啤酒罐拉下的金屬環，醉醺醺的計程車蹣跚地壓過路坑，往前駛去，很像法國的雪鐵龍，車子很大，轟隆隆的引擎聲，盛氣凌人。大道的前方兩側高聳著黑色建築，一些是辦公大樓，一些是住家，像是半空中驟然出現一塊塊土地。許多窗戶的燈還亮著，紐約真是不夜城。

當時，湯姆對莉莉說：「我沒有留下來的理由了。」湯姆意指留下來參加葬禮，但也意味著他再也無法替法蘭克做任何事。湯姆沒有告訴她男孩一小時前曾試圖自殺，因為莉莉可能會說：「你為什麼不多注意他一點？」湯姆錯了，他以為法蘭克的危機過去了。

他走到街角的快餐店，點了漢堡和咖啡，櫃台前擺了長凳，但他不想坐下，決定站著吃。兩名黑人顧客在爭論關於下賭的事，他們懷疑賭頭可能騙他們，聽起來太複雜了，湯姆沒有繼續聽下去。他明天可以打電話聯絡紐約的朋友，和他們打招呼，但是他提不起勁。他覺得很失落，漫無目標，心情低落。他吃掉半個漢堡，喝了半杯淡咖啡，便付錢離開，走到四十二街。快凌晨兩點了。

這裡的氣氛比較開心，有點像瘋狂馬戲團或允許閒人遊蕩的舞台。身穿短袖藍襯衫的高大警察揮舞著警棍，和他們應要圍捕的應召女郎說笑。湯姆最近才讀過一篇報導，得知他們決心掃蕩色情。警察是不是同一批人抓了太多次，抓到他們都煩了？或是他們正準備圍捕這些人？路旁化了妝的青少年老練地打量年長男人，有些男人已經掏出錢，準備買下他們。

一名金髮女孩朝他走來，大腿把發亮的黑色塑膠褲擠得鼓脹，「不用了。」湯姆低頭輕聲說。色情電影院入口掛著影片標題，其直率、平庸的程度，令湯姆吃了一驚，色情片業者居然如此缺乏創意！但是他們的顧客想要的也許並非微妙或機智，所有放大的彩色照片——男人和女人、男人和男人、女人和女人，都赤身露體，暗示他們正在辦事，而法蘭克和特瑞莎唯一的一次甚至沒有成功！湯姆笑了起來，不知為何覺得有趣。他不想再看下去了，便開始小跑步，跑過混在人群中的黑人和臉色蒼白的白人，朝著第五大道暗暗的公共圖書館跑。他沒有跑到第五大道上，而是朝南，轉到第六大道。

一名水手被推出酒吧，撞到湯姆身上。水手跌在地上，湯姆把他拉起來，用一隻手將他扶穩，另一隻手替他拾起掉在地上的白帽，男孩看來才十幾歲，如同置身暴風雨中的船桅般，歪來擺去。

「你的朋友呢？」湯姆問：「在裡面嗎？」

「我要計程車，還要女生。」男孩微笑說。

他看起來很健康，也許是幾杯蘇格蘭威士忌和六瓶啤酒讓他變成這副德性。「來。」湯姆拉著他的手臂，推開酒吧大門，尋找另一名穿制服的水手，湯姆在吧檯旁看到兩個，不過酒保走過來說：「我們不歡迎他，也不會服務他！」

「那不是他朋友嗎？」湯姆說，指指兩名水手。

「我們不要他！」其中一名水手說，看來也喝醉了：「他可以滾了！」

湯姆照料的水手靠在門把上，死命不讓酒保攆他出去。

湯姆走到兩名水手身旁，不在乎會不會被打，用他最狠的紐約腔說：「你們要照顧同伴！不可以這樣對待穿同樣制服的人！」另一名水手沒那麼醉，湯姆把目光望向他，對方好像聽進去了，因為他倏地離開吧檯。湯姆走向門口，又回頭望了一眼。比較清醒的水手不太情願地接近醉醺醺的同伴。

湯姆雖然不是很滿意，但至少他肯幫忙了。湯姆走出酒吧，回到切爾西旅館，還留在大廳的人都帶有一點醉意，好像很開心，不過和時代廣場的人相比，他們算很冷靜了。切爾西的客人向來以怪異聞名，但是都很有分寸。

湯姆考慮打電話給赫綠思，因為現在是巴黎早上九點左右，但他還是沒打。他發現自己深受打擊，驚愕難過的情緒仍然無法平復。酒吧裡的水手怎麼沒朝他肋骨打一拳？他真的很幸運。湯姆躺到床上，不在乎自己什麼時候會醒。

他明天是不是該打通電話給莉莉？或者這樣反而會害她更焦慮、難過？她是不是正在安排喪禮，例如決定使用哪一種棺材？強尼會不會擔起這些責任？有沒有人通知特瑞莎？她會不會參加葬禮、火化或任何儀式？他今晚一定得想這些嗎？湯姆在床上翻來覆去，自問自答。

到了隔天晚上九點，湯姆的情緒才稍微平復，找回自我。飛機的引擎一開始轉動，他也頓時清醒，感覺好像已經到了家，覺得開心多了。他在逃離什麼？他新買了一只馬克・克洛斯的行李箱，因為他覺得古馳變得太勢利，打算抵制這個品牌。新行李箱裡裝滿他買的東西：一件要送給赫絲思的毛衣，一本雙日出版的藝術書，一件藍白條紋的圍裙——準備送給安奈特太太，圍裙紅色的口袋印著「外出吃午餐」，一只金色小胸針——形狀是一頭飛翔的鵝，下面有尖尖的金色蘆葦，也是要送安奈特太太，因為她生日快到了，還有要送艾瑞克的漂亮護照夾。湯姆也沒忘了柏林的彼得，他要在巴黎替他找一樣特別的禮物。曼哈頓夢境般的燈火隨著飛機的移動緩緩上升、下降，法蘭克就被埋在同一塊土地上。看不到美國海岸後，湯姆閉上眼睛，試著入睡，但他滿腦子都是法蘭克，他無法相信法蘭克已經死了，雖然那是事實，但那個事實是湯姆還無法接受的。他以為睡覺會有幫助，但是他今天早上醒來，對法蘭克的死還是抱有同樣的幻想——只要他望向走道，就能看到法蘭克坐在那裡對他微笑，給他驚喜。湯姆強迫自己去想擔架上的白布，除非底下的人死了，不然救護人員不會把白布蓋到頭上。

他要寫一封信給莉莉・皮爾森，一封手寫的正式信函，湯姆知道他辦得到，他可以寫出彬彬有禮的慰問信，但是莉莉要怎麼知道莫黑那棟法蘭克睡過的花園小屋、柏林發生的那些事，甚至特瑞莎對他兒子造成什麼影響？法蘭克往下跳的最後一刻在想什麼？特瑞莎？想到父親死在同一塊岩石上？男孩有可能想到他嗎？湯姆移動了一下身體，睜開眼。空服員開始在走道穿梭，湯姆嘆了一口氣，不在乎要不要點啤酒、威士忌或食物。

湯姆想起他經過謹慎思考後，勸戒法蘭克的一席話，主題是「金錢」或「金錢和權力」，現在想來真可笑！花一些錢，甚至享受一些，不要有罪惡感。一部分捐給慈善機構、藝術團體或任何想捐的對象、任何有需要的人。他還說——和莉莉的說法如出一轍——還有其他人可以接管皮爾森的事業，至少在法蘭克唸完書之前，甚至之後，但是法蘭克還是多少要關心一下，名字要列在董事會名單裡（或許和哥哥的並列）。法蘭克連這麼做都不願意。

過了一陣子，飛機在夜空中飛行時，湯姆披著紅髮空姐遞給他的毛毯睡著了。醒來時已然陽光高照——就像所有事情一樣，時空錯亂。吵醒湯姆的廣播宣布，飛機已經到了法國上空。

又回到戴高樂機場，湯姆踩上發亮的手扶梯，提著手提行李下樓。新行李箱和箱子裡的東西可能會為他引來麻煩，但是湯姆一臉漠然地通過「沒有物品要申報」的海關。他查了一下皮夾裡的時間表，決定了該搭幾點的火車，然後打電話到麗影。

「湯姆！」赫綠思問：「你在哪裡？」

她不敢相信他在戴高樂機場，他也不敢相信她如此接近。「我十二點半能到莫黑，我剛才查過了，」湯姆微笑說：「一切都好嗎？」

都好，除了安奈特太太在樓梯滑倒，膝蓋扭傷，但聽起來不嚴重，因為她仍照常工作。赫綠思問：「你為什麼不寫信給我——或打電話？」

「我在那裡的時間那麼短！」湯姆回答：「才兩天！我見面時再告訴妳經過。十二點三十一分。」

「再見，親愛的！」她會去接他。

湯姆抬著尚未超重的行李，搭計程車到里昂車站，他買了《世界報》和《費加洛報》，坐上開往莫黑的火車。報紙幾乎看完，他才發現他沒有在找法蘭克的消息，也想到報紙不可能來得及刊登法蘭克的死訊，會不會又是「意外事件」？他的母親會怎麼說？莉莉可能會說她兒子是自殺的，讓歷史或閒話自行發展——同一個夏天的兩起死亡。

赫綠思站在紅色賓士旁等他，微風拂起她的髮，她看到他，向他揮手，雖然他無法揮回去——他提了兩只行李箱，又拿著裝雪茄的塑膠袋，加上報紙和平裝書。他親了赫綠思的臉頰和脖子。

「你好嗎？」赫綠思問。

「啊。」湯姆說，把行李放進後車箱。

「我以為法蘭克會和你一起回來。」她微笑說。

她看起來好開心，湯姆有點詫異，他在想該什麼時候告訴她法蘭克的事？赫綠思開著車——她主動說要開車，朝著維勒佩斯駛去，一路上交通很順暢，也沒碰上什麼紅燈。「我現在告訴妳好了，法蘭克前天死了。」湯姆說話時瞄了一眼方向盤，但赫綠思的手只緊繃了一秒鐘。

「你說死了是什麼意思？」她用法語問。

「他跳下他父親掉下去的那座懸崖，我到家之後再詳細解釋，但是我不想在安奈特太太面前說，即便是用英語。」

「你是說哪一座懸崖？」赫綠思還是用法語問。

「他們在緬因州的宅第有一座面海的懸崖。」

「啊，對了！」赫綠思想起來了，也許是想到報上的文章，「你也在那裡？你看到他了？」

「我在房裡，沒看到他，因為屋子離懸崖有一段距離。我會……」湯姆發現自己有些辭窮：「真的沒什麼好講的，我在他們家住了一晚，打算隔天離開，我後來的確也離開了。他母親和幾個朋友在喝茶，我去找男孩。」

「你看到他跳下去了？」赫綠思改用英語問。

「對。」

「湯姆，你一定很難過！難怪你看起來這麼……心不在焉。」

「有嗎？我心不在焉？」他們快到維勒佩斯了，湯姆盯著他向來喜愛的房子，然後是郵局、麵包店。赫綠思往左轉，開進村子裡，她也許不是有意的，也可能是因為緊張，想走慢一點的路。湯姆繼續說：「我大概是在他跳下去十分鐘後發現的，不過我不確定，我得走回屋裡，通知他的家人。懸崖很陡——下面是石頭。我晚一點再跟妳講其他的，好不好？」但是他還能說什麼？湯姆看了赫綠思一眼，她正把車子駛進麗影的大門。

「好，你一定要告訴我。」她下車時說。

湯姆知道她想聽完整的故事，因為湯姆沒做錯任何事，沒什麼好隱瞞的。

「你知道嗎，我很喜歡法蘭克，」赫綠思對湯姆說，她薰衣草藍的眼珠和他的視線短暫交會，「後來才喜歡的，我一開始不喜歡他。」

湯姆知道。

「這是新皮箱？」

湯姆微笑說：「而且裡面有一些東西。」

「噢！湯姆！謝謝你在德國幫我買的皮包。」

「午安，湯姆先生！」安奈特太太站在光影燦爛的階梯上，湯姆可以看到她一邊的膝蓋綁了繃帶，藏在米色的長襪或褲襪裡，就在裙子下襬的地方。

「妳好嗎，親愛的安奈特太太？」湯姆用手臂摟著她。她回答說她很好，給了他一個空吻，幾乎沒有停下腳步，她直接走到碎石路上，接過赫綠思手上的行李。

雖然膝蓋扭傷，安奈特太太還是堅持要提兩只皮箱，一次一個，湯姆隨她去，因為她喜歡這樣。

「回家真好！」湯姆環視一下客廳，看到午餐的餐具已經擺好，也看到大鍵琴和壁爐上的德瓦特畫作，他說：「皮爾森家有《彩虹》，我提過那幅畫嗎？是……很好的德瓦特。」

「真的嗎？」赫綠思語帶嘲諷，聽不出她知不知道那幅畫，或有沒有懷疑那幅畫是贗品。

湯姆無法分辨，但是他如釋重負地笑了，笑得很開心。安奈特太太扶著欄杆，小心翼翼地走下樓。還好他幾年前就已經勸阻安奈特太太，要她不要替樓梯打蠟。

「男孩死了，你怎麼能看起來這麼開心？」赫綠思用英語問。安奈特太太正要去搬第二只皮箱，沒有注意他們。

赫綠思說得沒錯，湯姆不知道自己怎麼能這麼開心。「也許我還沒有接受事實，太突然了——大家都很震驚。法蘭克的哥哥強尼也在那裡，法蘭克因為女孩的事，一直悶悶不樂的，就是我跟妳提過的特瑞莎，再加上他的父親又剛過世……」湯姆不會再多講了，約翰‧皮爾森的死永遠是自殺或意外，他永遠都會這樣對赫綠思說。

「但是，真的很可怕——才十六歲就自殺！愈來愈多年輕人自殺，我常在報紙上看到。你要不要來一點？」赫綠思端起裝滿氣泡礦泉水的酒杯問，湯姆知道她是替自己倒的。

湯姆搖搖頭說：「我要梳洗一下。」便朝樓下的廁所走去，途中瞄了一眼電話桌旁的四封信——昨天和今天的郵件，不過沒什麼好急的。

午餐時，湯姆向赫綠思描述皮爾森家族位於肯納邦克港的宅第，還告訴她有一位名叫蘇西的怪異老僕人，說她是管家，很多年前算得上男孩的家庭教師，因為心臟病發作而臥病在床。他把房子描述成豪華中帶著些微陰暗，不過這也是事實，至少是湯姆的感覺。赫綠思眉頭微蹙，湯姆明白，她知道他沒有完全講實話。

「你就在當天晚上離開？男孩死的那天？」她問。

「對，我沒必要再待下去，葬禮……也許兩天後才會舉行。」也許就是今天，禮拜二。

「我不覺得你能面對葬禮，」赫綠思說：「我知道你很喜歡他，對不對？」

「對。」湯姆說，他現在可以從容地面對赫綠思了。引導一名年輕人的生命，感覺實在很奇妙，他努力過，但也失敗了。也許有一天他可以對赫綠思坦承這點，但也許他不會，因為他永遠不會告訴她男孩把父親推下懸崖的事，這是男孩自殺的主因，至少比特瑞莎重要。

「你有沒有見到特瑞莎？」赫絲思問。她已經要求湯姆詳細地描述莉莉・皮爾森——嫁入富豪之家的女演員。湯姆盡可能詳細地描述，也提到殷勤的泰爾，湯姆覺得他們很可能結婚。

「我沒有見到特瑞莎，她大概在紐約。」湯姆不認為特瑞莎會參加法蘭克的葬禮，但那又有什麼差別？特瑞莎對法蘭克而言只是一個理想，幾乎是無形的，所以才能像法蘭克寫下的「永遠」。

午餐後，湯姆上樓檢視信件，整理行李。又是傑夫從倫敦寄來的信，湯姆大致看了一下，一切都很順利，傑夫告訴他佩魯賈的德瓦特美術學院替換了經理人，由兩位很有藝術天分的倫敦年輕人接手（傑夫附上他們的名字），他們有意收購附近的宅第，改裝成美術學院學生的旅館，不知湯姆意下如何？他知不知道位於藝術學院西南方的那間宅第？那兩名倫敦年輕人過一陣子會把照片寄來。傑夫寫道：

「這代表擴張，聽來只有好處，對不對？除非你有關於義大利情況的內線消息，知道目前不宜購買。」

湯姆沒有內線消息，傑夫以為他是天才？湯姆贊同這筆收購案，也同意旅館擴張，因為美術學院大部分的利潤就是來自於旅館的收入。德瓦特若是地下有知，一定覺得很羞愧。

他脫掉毛衣，緩步走進藍白相間的浴室，把毛衣丟到身後的椅子上。他想像木蟻聽到他的腳步聲，立即停下手邊工作的模樣。他有沒有聽到木蟻的聲音？他把耳朵湊進木架，聽見了，而且牠們沒有停止，他聽到微微的嗡嗡聲，而且愈來愈大聲，這些小狂徒居然還在！湯姆看到架子頂端疊好的睡衣上有紅褐色粉末堆成的迷你小金字塔，細粉是從上面的架子挖下來的。牠們在蓋什麼？床？還是儲蛋室？這些小木匠有沒有可能同心協力，用唾液和粉塵在裡面蓋一座小書架，或是小小的紀念碑，紀念牠們的技術或活下去的意願？湯姆忍不住笑出聲來，他是不是瘋了？

湯姆從皮箱角落拿出柏林熊，輕輕拍拍它的毛，放在書桌後面，挨著幾本字典。小熊只能坐不能站，明亮的眼睛望著湯姆，和柏林時一樣天真開心，湯姆也對它微笑，想到「一馬克丟三次」。湯姆對小熊說：「從今以後，你會快快樂樂的度過一生。」

他等一下會淋浴，倒在床上，檢視剩下的信件，盡速恢復正常。現在是法國時間兩點四十分，湯姆相信法蘭克今天一定會下葬，但是他不在乎是什麼時候，因為對法蘭克而言，時間已不再有意義。

國家圖書館出版品預行編目資料

跟蹤雷普利／派翠西亞・海史密斯（Patricia Highsmith）著；方祖芳譯. -- 初版. -- 臺北市：遠流，2010.08
面；　公分. --（文學館；E0234）
譯自：The Boy Who Followed Ripley
ISBN 978-957-32-4581-0（平裝）

874.57　　99011793

文學館 COSMOS E0234

跟蹤雷普利

作者：派翠西亞・海史密斯（Patricia Highsmith）
譯者：方祖芳
策劃：詹宏志
出版三部總監：吳家恆
執行主編：曾淑正
美術設計：Zero

發行人：王榮文
出版發行：遠流出版事業股份有限公司
地址：台北市南昌路二段 81 號 6 樓
電話：（02）23926899　傳真：（02）23926658
郵撥：0189456-1

著作權顧問：蕭雄淋律師
法律顧問：董安丹律師

2010 年 8 月 1 日　初版一刷
行政院新聞局局版臺業字第 1295 號
售價：新台幣 320 元

缺頁或破損的書，請寄回更換

ISBN 978-957-32-4581-0

YLib 遠流博識網 http://www.ylib.com E-mail: ylib@ylib.com

The Boy Who Followed Ripley by Patricia Highsmith
First published in 1980